하이탑

과학 고수들의 필독서

자연계를 선택할 학생이라면, 단연 하이탑!!

High Top

2권

물리학 I

Structure

이 책의 구성과 특징

지금껏 선생님들과 학생들로부터 고등 과학의 바이블로 명성을 이어온 하이탑의 자랑거리는 바로,

- 기초부터 심화까지 이어지는 튼실한 내용 체계
- 백과사전처럼 자세하고 빈틈없는 개념 설명
- 내용의 이해를 돕기 위한 풍부한 자료
- 과학적 사고를 훈련시키는 논리정연한 문장

이었습니다. 이러한 전통과 장점을 이 책에 이어 담았습니다.

1 개념과 원리를 익히는 단계

●개념 정리
여러 출판사의 교과서에서 다루는 개념들을 체계적으로 다시 정리하여 구성하였습니다.

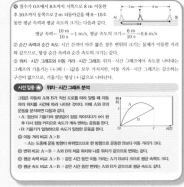

●시선 집중
중요한 자료를 더 자세히 분석하거나 개념을 더 잘 이해할 수 있도록 추가로 설명하였습니다.

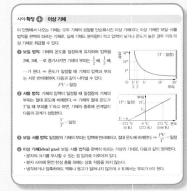

●시야 확장
심도 깊은 내용을 이해하기 쉽도록 원리나 개념을 자세히 설명하였습니다.

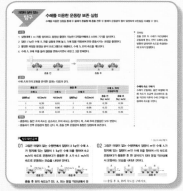

●과정이 살아 있는 탐구
교과서에서 다루는 탐구 활동 중에서 가장 중요한 주제를 선별하여 수록하고, 과정과 결과를 철저히 분석하였습니다.

●실전에 대비하는 집중 분석
출제 빈도가 높은 주요 주제를 집중적으로 분석하고, 유제를 통해 실제 시험에 대비할 수 있도록 하였습니다.

●차이를 만드는 심화
깊이 있게 이해할 필요가 있는 개념은 따로 발췌하여 심화 학습할 수 있도록 자세히 설명하고 분석하였습니다.

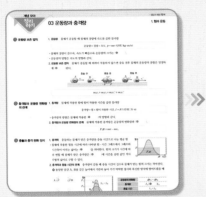

● **개념 모아 정리하기**
각 단원에서 배운 핵심 내용을 빈칸에 채워 나가면서 스스로 정리하는 코너입니다.

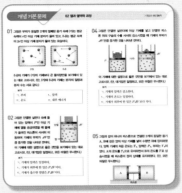

● **개념 기본 문제**
각 단원의 기본적이고 핵심적인 내용의 이해 여부를 평가하기 위한 코너입니다.

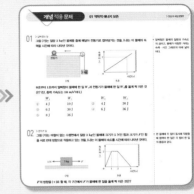

● **개념 적용 문제**
기출 문제 유형의 문제들로 구성된 코너입니다. '고난도 문제'도 수록하였습니다.

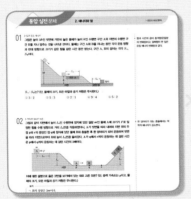

● **통합 실전 문제**
중단원별로 통합된 개념의 이해 여부를 확인함으로써 실전을 대비할 수 있도록 구성하였습니다.

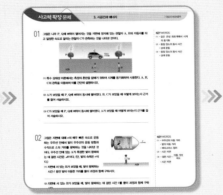

● **사고력 확장 문제**
창의력, 문제 해결력 등 한층 높은 수준의 사고력을 요하는 서술형 문제들로 구성하였습니다.

● **논구술 대비 문제**
논구술 시험에 출제되었거나, 출제 가능성이 높은 예상 문제로서, 답변 요령 및 예시 답안과 함께 제시하였습니다.

● **정답과 해설**
정답과 오답의 이유를 쉽게 이해할 수 있도록 자세하고 친절한 해설을 담았습니다.

> ❝ 하이탑은
> 과학에 대한 열정을 지닌 독자님의
> 실력이 더욱 향상되길 기원합니다. ❞

Contents
이 책의 차례 —물리학

" 자세하고 짜임새 있는 설명과 수준 높은 문제로 실력의 차이를 만드는 High Top "

1권

역학과 에너지

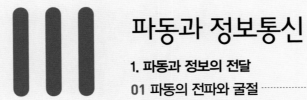
2권

3권

II

물질과 전자기장

1
물질의 구조와 성질

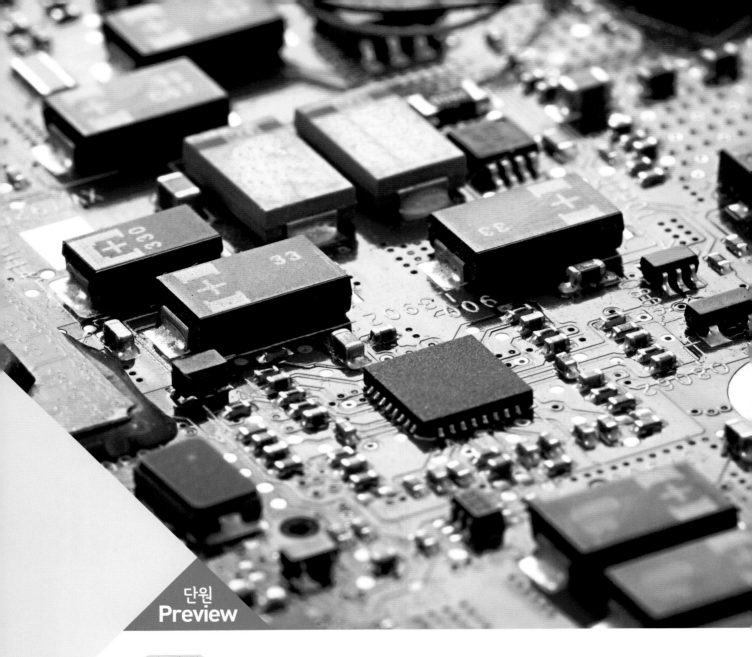

단원
Preview

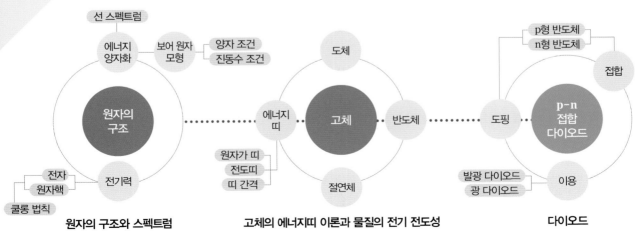

선 스펙트럼

에너지
양자화 — 보어 원자
모형 — 양자 조건
진동수 조건

p형 반도체
n형 반도체

접합

원자의
구조

에너지
띠

고체

반도체

도핑

p-n
접합
다이오드

전자
원자핵 — 전기력

원자가 띠
전도띠
띠 간격

절연체

발광 다이오드
광 다이오드 — 이용

쿨롱 법칙

원자의 구조와 스펙트럼　　　　**고체의 에너지띠 이론과 물질의 전기 전도성**　　　　**다이오드**

01 원자의 구조와 스펙트럼

학습 Point　원자에서 작용하는 전기력과 원자의 안정성 〉 원자의 선 스펙트럼 〉 불연속적인 에너지 준위와 선 스펙트럼

 전기력과 원자의 구조

(＋)전하를 띠는 원자핵과 (－)전하를 띠는 전자 사이에는 전기적 인력이 작용한다. 태양계에서 중력에 의해 행성이 태양 주위를 돌며 태양계에 속박되어 있는 것처럼 원자에서도 전기력에 의해 전자가 원자핵 주위를 돌며 원자핵에 속박되어 있다.

1. 전기력

(1) **물체의 대전:** 빨대를 휴지로 문지르면 서로 끌어당긴다. 이것은 서로 마찰한 두 물체가 전기를 띠게 되어 일어나는 현상으로, 이렇게 발생한 전기를 마찰 전기라고 한다.

① 대전: 물체가 전기를 띠는 현상

② 전하: 전기적인 현상을 일으키는 원인으로, (＋)전하와 (－)전하가 있다.

③ 전하량의 단위: C(쿨롬)을 사용한다. 1 C은 1 A의 전류가 흐르는 도선의 단면을 1초 동안 지나간 전하량이다.

(2) **전기력:** 대전된 물체 사이에 작용하는 힘을 전기력이라고 하며, 척력과 인력이 있다. 같은 종류의 전하 사이에는 서로 밀어내는 힘(척력)이 작용하고, 다른 종류의 전하 사이에는 서로 끌어당기는 힘(인력)이 작용한다.

(3) **쿨롱 법칙:** 쿨롱이 비틀림 저울을 이용하여 전하를 띤 물체 사이에 작용하는 힘에 관해 발견한 법칙이다. 두 전하 사이에 작용하는 전기력의 크기 F는 두 전하의 전하량 q_1, q_2의 곱에 비례하고, 전하가 떨어진 거리 r의 제곱에 반비례한다.

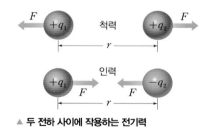

▲ **두 전하 사이에 작용하는 전기력**

$$F=k\frac{q_1q_2}{r^2} \text{ (진공에서 쿨롱 상수 } k=8.99\times10^9 \text{ N·m}^2/\text{C}^2\text{)}$$

마찰 전기의 발생 원리

서로 다른 두 물체를 문지르면 물체 사이에서 전자가 이동하여 마찰 전기가 발생한다. 이때 전자를 잃은 물체는 (＋)전하를 띠고, 전자를 얻은 물체는 (－)전하를 띤다.

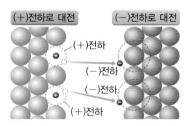

시야확장 ➕ 비틀림 저울을 이용한 쿨롱의 실험

쿨롱은 오른쪽 그림과 같은 비틀림 저울에서 대전된 금속구 A를 가는 수정실에 매단 절연 막대 끝에 붙여 놓고, 대전된 금속구 B를 가까이 하였을 때 수정실이 비틀리는 각도를 측정하여 전기력의 크기를 구하였다. 또, 두 금속구의 전하량과 금속구 사이의 거리를 달리하며 전하량과 거리, 전기력의 크기 사이의 관계를 구하였다. **쿨롱의 비틀림 저울 구조 ▶**

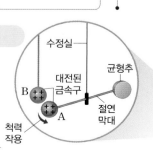

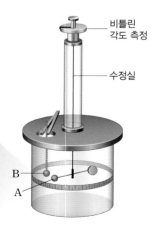

2. 원자의 구조

1803년, 영국의 과학자 돌턴은 '물질은 더 이상 쪼개지지 않는 아주 작은 입자로 이루어져 있다.'는 원자설을 주장하였다. 그러나 전자와 원자핵 등의 존재가 밝혀지면서 원자는 더 이상 나누어질 수 없는 입자가 아니고, 복잡한 구조를 가진다는 사실을 알게 되었다.

(1) 전자의 발견과 톰슨 원자 모형

① **톰슨의 음극선 실험**: 톰슨은 음극선을 이용한 다음과 같은 실험을 통해 음극선이 질량을 가지며 (−)전하를 띤 입자의 흐름이라고 생각하고, 이를 전자라고 하였다.

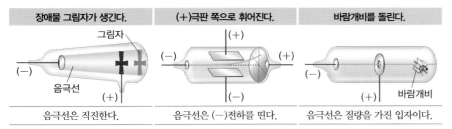

장애물 그림자가 생긴다.	(+)극판 쪽으로 휘어진다.	바람개비를 돌린다.
음극선은 직진한다.	음극선은 (−)전하를 띤다.	음극선은 질량을 가진 입자이다.

② **톰슨 원자 모형**: 1897년, 톰슨은 원자가 (+)전하를 띠는 물질로 채워져 있고, 그 속에 (−)전하를 띠는 전자들이 띄엄띄엄 박혀 있는 원자 모형을 제안하였다.

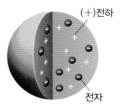

• 전자의 전하량: $e = 1.60 \times 10^{-19}$ C이며, 모든 전하는 이 값의 정수배로 존재하므로, 이를 기본 전하량이라고 한다.

▲ 톰슨 원자 모형

(2) 원자핵의 발견과 러더퍼드 원자 모형

① **러더퍼드의 알파 입자 산란 실험**: 러더퍼드는 얇은 금박에 알파(α) 입자를 투과시켰을 때 대부분은 그대로 투과하였지만, 그 중 일부가 큰 각도로 산란되는 것을 발견하였다.

• **원자핵의 발견**: 러더퍼드는 질량이 큰 알파(α) 입자가 큰 각도로 산란되려면 원자의 중심에 (+)전하를 띠는 질량이 큰 입자가 있으며, (+)전하가 아주 작은 공간에 집중되어 강한 전기장을 만들 수 있어야 한다고 생각하고, 이 입자를 원자핵이라고 하였다.

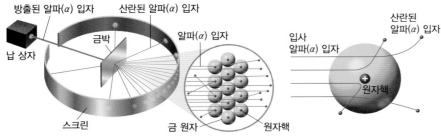

▲ **러더퍼드의 알파 입자 산란 실험 장치와 알파(α) 입자의 산란** (+)전하를 띤 알파(α) 입자가 원자핵에 아주 가까이 스치면 큰 각도로 산란된다.

② **러더퍼드 원자 모형**: 1911년, 러더퍼드는 전자가 전기력을 구심력으로 하여 원자핵 주위를 도는 원자 모형을 제안하였다.

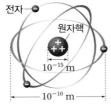

• **원자핵**: 원자 질량의 대부분을 차지하며, (+)전하를 띤다. 또, 원자핵의 지름(약 10^{-15} m)은 원자의 지름(약 10^{-10} m)에 비해 매우 작아서 원자의 내부는 대부분 전자가 운동하는 빈 공간이다.

• **전자**: (−)전하를 띠며, 원자핵 주위를 빠르게 회전한다.

▲ 러더퍼드 원자 모형

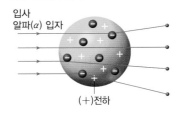

(3) **원자를 구성하는 입자:** 원자는 중심에 (+)전하를 띠는 원자핵이 있고, (−)전하를 띠는 전자가 원자핵 주위를 돌고 있다. 원자핵은 다시 (+)전하를 띠는 양성자와 전하를 띠지 않는 중성자로 구성된다.

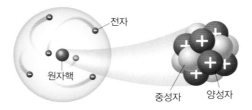

▲ 원자의 구성 입자

구분	원자핵	전자
전하	(+)전하	(−)전하
질량	원자 질량의 대부분을 차지한다.	원자핵에 비해 매우 가볍다.
특징	• (+)전하를 띠는 양성자와 전하를 띠지 않는 중성자로 이루어진다. • 원자의 종류에 따라 양성자 수가 달라진다.	• 전기적으로 중성인 원자 내의 전자 수는 원자핵 속의 양성자 수와 같다. • 원자핵 주위를 빠르게 돈다.

① 양성자 1개의 (+)전하량과 전자 1개의 (−)전하량은 같다.
② 원자핵을 이루는 양성자 수는 원자의 종류에 따라 다르지만, 각각의 원자는 양성자 수와 같은 수의 전자를 가지므로 원자 전체는 전하를 띠지 않는다.

(4) **전기력과 원자의 안정성:** (+)전하를 띠는 원자핵과 (−)전하를 띠는 전자 사이에는 서로 끌어당기는 전기력이 작용한다. 전자는 이 전기력을 구심력으로 하여 원자핵 주위를 회전한다. 마치 태양과 행성 사이에 작용하는 중력에 의해 태양계가 유지되는 것처럼 원자핵과 전자의 전기력에 의해 원자의 구조가 유지된다.

▲ 중력에 의해 속박된 지구와 전기력에 의해 속박된 전자

(5) **러더퍼드 원자 모형의 문제점**

① **원자의 안정성:** 전자가 원자핵 주위를 회전하는 것은 가속도 운동을 하는 것이다. 전하를 띤 입자가 가속도 운동을 하면 전자기파를 방출하면서 에너지를 잃는다. 에너지를 잃은 전자는 궤도를 유지하지 못하고 궤도 반지름이 점점 감소하다가 결국 원자핵으로 떨어지게 되는데, 실제 원자는 안정적으로 존재한다.

② **기체의 선 스펙트럼:** 전자가 원운동을 하며 방출하는 에너지는 빛으로 나온다. 이때 전자의 궤도 반지름은 연속적으로 감소할 것이므로, 가열된 기체에서 방출되는 빛의 스펙트럼도 연속적으로 나타나야 한다. 그러나 실제로는 가열된 기체에서 그림과 같이 불연속적인 선 스펙트럼이 관찰된다.

▲ 수은 기체의 선 스펙트럼

구심력

물체가 원운동하게 만드는 힘이다. 등속 원운동에서 구심력은 원 궤도의 중심 방향으로 작용하며, 항상 물체의 운동 방향에 수직이다.

② 기체의 선 스펙트럼

햇빛이나 백열등에서는 모든 파장의 빛이 다 나오지만, 기체에서 방출되는 빛은 몇 가지 파장의 빛만 방출된다. 물리학자들은 이러한 원자의 선 스펙트럼이 원자의 구조에 대한 정보를 줄 수 있을 것이라 기대하였다.

1. 스펙트럼

탐구 2권 **19**쪽

햇빛을 프리즘에 통과시키면 무지개처럼 여러 색이 연속적으로 나타난다. 이것은 빛의 파장에 따라 굴절되는 정도가 다르기 때문이다. 프리즘을 통과한 빛처럼 빛이 파장에 따라 나누어져 나타나는 색의 띠를 스펙트럼이라고 한다.

(1) **스펙트럼의 종류:** 스펙트럼은 연속 스펙트럼과 선 스펙트럼으로 구분할 수 있다.

구분	연속 스펙트럼	선 스펙트럼
모습	여러 가지 파장의 빛이 경계 없이 연속적으로 나타나는 스펙트럼	특정 파장의 빛만이 불연속적으로 나타나는 스펙트럼
광원의 예	햇빛, 백열등	수소나 네온 등과 같은 가열된 기체

(2) **기체의 선 스펙트럼:** 가열된 기체에서 방출되는 빛에서는 선 스펙트럼이 나타난다. 이 선 스펙트럼은 그림에서와 같이 기체의 종류에 따라 나타나는 선의 위치와 색이 다르다. 이는 기체를 이루는 원소에 따라 고유한 특정 파장의 빛만을 방출하기 때문이다.

파장(nm)
400 450 500 550 600 650 700

백열등의 연속 스펙트럼

수소의 선 스펙트럼

헬륨의 선 스펙트럼

수은의 선 스펙트럼

네온의 선 스펙트럼

▲ 백열등의 연속 스펙트럼과 여러 가지 기체의 선 스펙트럼

시야확장 ➕ 불꽃 반응과 선 스펙트럼

불꽃놀이에서는 금속 가루를 화약과 혼합하여 쏘아 올린다. 화약이 폭발하면서 나타나는 불꽃색은 금속 이온의 불꽃 반응에서 나오는 색으로, 오른쪽 그림과 같이 금속 원소의 종류에 따라 특정한 불꽃색이 나타난다. 따라서 화약에 혼합하는 금속 원소의 종류에 따라 다양한 색을 낼 수 있다.

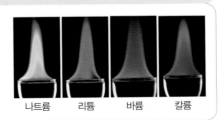

나트륨   리튬   바륨   칼륨

선 스펙트럼의 종류

선 스펙트럼은 방출 스펙트럼과 흡수 스펙트럼으로 구분할 수 있다.

• **방출 스펙트럼:** 가열된 기체에서 방출되는 빛에 의해 밝은 선의 형태로 나타나는 스펙트럼

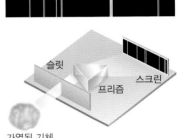

슬릿   스크린   프리즘

가열된 기체

• **흡수 스펙트럼:** 백색광을 저온의 기체에 통과시켰을 때 고유한 파장의 빛이 흡수되어 어두운 선의 형태로 나타나는 스펙트럼

슬릿   스크린   프리즘

저온의 기체

백열등

사람이 볼 수 있는 스펙트럼

사람의 눈은 대략 380 nm에서 750 nm 사이의 파장을 볼 수 있다. 즉, 가시광선을 제외한 적외선 영역이나 자외선 영역에 생기는 스펙트럼은 사람의 눈으로 볼 수 없다.

3 보어 원자 모형

보어는 당시로서는 대담한 몇 가지 새로운 가설을 제안하여 러더퍼드 원자 모형의 문제점인 원자의 안정성과 선 스펙트럼 문제를 해결하였다. 이를 보어 원자 모형이라고 한다.

1. 제1가정 – 양자 조건

보어는 원자 내에 전자가 전자기파를 방출하지 않고 안정적으로 존재할 수 있는 특정한 조건을 만족하는 궤도가 있다고 가정하고, 이를 정상 상태라고 하였다. 원자핵에 가까운 궤도부터 $n=1, 2, 3$ …인 정상 상태라 하며, n을 양자수라고 한다.

(1) 에너지 준위: 정상 상태에 있는 전자의 에너지 값을 그 원자의 에너지 준위라고 한다. 전자의 에너지는 원자에 속박되지 않은 $n=\infty$인 자유 상태를 0으로 하여 나타내므로, 에너지 준위는 (ㅡ)의 값을 가진다.

(2) 에너지 양자화: 양자수가 $n=1, 2, 3$ …으로 증가함에 따라, 전자의 에너지 준위도 E_1, E_2, E_3, …로 불연속적으로 하나씩 결정된다. 즉, 전자는 양자수에 따라 불연속인 에너지만 가질 수 있는데, 이를 에너지가 양자화되었다고 한다. 모든 원자들은 에너지가 양자화되어 있으며, 원자마다 고유한 에너지 준위를 가진다.

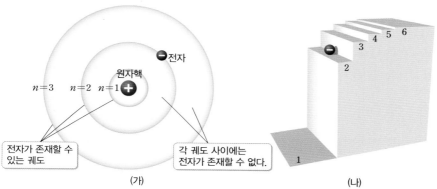

(가)   (나)

▲ **보어의 원자 모형과 에너지 양자화** (가)와 같이 전자는 특정한 에너지를 갖는 궤도에서만 안정적으로 존재할 수 있다. (나)에서 공이 계단 사이에 머물 수 없는 것처럼, 원자핵 주위의 전자도 불연속인 에너지 준위를 갖는다.

시야확장 ➕ 보어의 양자 조건

❶ **물질파:** 드브로이는 물질 입자도 파동성을 가진다고 예상하고, 질량 m인 물질이 속력 v로 운동할 때 입자가 나타내는 파동의 파장 λ는 다음과 같다고 하였다.

$$\lambda=\frac{h}{mv}\ (h: \text{플랑크 상수})$$

❷ **보어의 양자 조건:** 보어는 전자 궤도의 둘레가 전자의 물질파 파장의 정수배가 될 때를 정상 상태라고 가정하였다. 즉, 전자의 질량이 m, 궤도 반지름이 r, 속력이 v일 때 궤도의 둘레는 양자수 n에 따라 다음과 같이 정해진다.

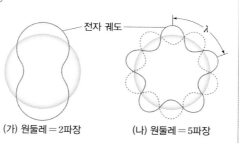

(가) 원둘레 = 2파장   (나) 원둘레 = 5파장

$$2\pi r=n\times\frac{h}{mv}=n\lambda\ (n=1, 2, 3, \cdots)$$

양자화
어떤 물리량이 불연속적으로 이루어져 1개, 2개, 3개 등으로 셀 수 있다는 뜻이다.

플랑크 상수 h
독일의 물리학자 플랑크의 이름을 딴 상수로, 양자 물리학의 중심이 되는 상수이다.
$h=6.63\times10^{-34}$ J·s
$\ \ =4.14\times10^{-15}$ eV·s

2. 제2가정 - 진동수 조건

전자가 한 정상 상태에서 다른 정상 상태로 전이할 때, 두 에너지 준위의 차이에 해당하는 에너지를 빛(광자)으로 방출하거나 흡수한다. 전자가 에너지 준위 E_i인 정상 상태에서 에너지 준위 E_f인 정상 상태로 전이할 때 흡수하거나 방출된 빛의 진동수 f는 에너지 보존에 의해 다음과 같다.

$$|E_i - E_f| = hf = \frac{hc}{\lambda} \text{ (플랑크 상수 } h = 6.63 \times 10^{-34} \text{ J·s)}$$

여기서 c는 빛의 속력, λ는 흡수하거나 방출된 빛의 파장이다.

(1) 바닥상태와 들뜬상태

바닥상태	들뜬상태
전자의 에너지가 가장 낮은 상태로, 가장 안정된 상태이다.	전자가 바닥상태보다 높은 에너지를 가지는 상태이다. 들뜬상태일 때 전자는 불안정하여 다시 바닥상태로 전이하며 광자가 방출된다.

(2) 전자의 전이와 광자의 흡수 및 방출

① 전자가 에너지를 흡수할 때: 전자가 빛을 흡수하면 낮은 에너지 준위에서 높은 에너지 준위로 전이한다. 이때 전자는 에너지 준위 차이에 해당하는 에너지를 갖는 광자만 흡수할 수 있다. 또, 흡수하는 빛의 진동수가 클수록 전이하는 에너지 준위 차이가 크다.

$$hf_1 = E_2 - E_1, \quad hf_2 = E_3 - E_1 \ (f_1 < f_2)$$

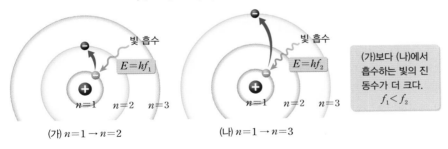

(가)보다 (나)에서 흡수하는 빛의 진동수가 더 크다. $f_1 < f_2$

(가) $n=1 \rightarrow n=2$ (나) $n=1 \rightarrow n=3$

② 전자가 에너지를 방출할 때: 전자가 높은 에너지 준위에서 낮은 에너지 준위로 전이할 때, 광자를 방출한다. 전자가 전이하는 에너지 준위 차이가 클수록 방출하는 빛의 진동수가 크다.

$$E_2 - E_1 = hf_1, \quad E_3 - E_1 = hf_2 \ (f_1 < f_2)$$

빛 방출 $E = hf_1$ 빛 방출 $E = hf_2$

(가)보다 (나)에서 방출하는 빛의 진동수가 더 크다. $f_1 < f_2$

(가) $n=2 \rightarrow n=1$ (나) $n=3 \rightarrow n=1$

광자

빛을 연속적인 파동이 아니라 불연속적인 에너지 양자의 흐름이라고 보았을 때, 이 빛 알갱이를 광자라고 한다. 광자 1개의 에너지는 다음과 같이 빛의 진동수 f에 비례한다.

$$E = hf \text{ (플랑크 상수 } h)$$

즉, 진동수가 큰 빛일수록 광자의 에너지가 크다.

빛의 파장과 진동수의 관계

진공에서 빛의 속력은 c로 일정하다. 빛의 속력은 진동수와 파장의 곱과 같으므로, 진공에서 빛의 파장과 진동수는 서로 반비례한다.

$$c = f\lambda \rightarrow f = \frac{c}{\lambda}$$

전이

원자 내 전자의 에너지 준위가 바뀌는 현상으로, 전자가 전이할 때 두 에너지 준위 차이만큼의 에너지를 빛(광자)의 형태로 흡수하거나 방출한다.

수소 원자에 대한 보어의 이론

보어는 전자가 1개로 가장 간단한 수소 원자에 자신의 원자 모형을 적용시켜, 수소 기체에서 방출되는 선 스펙트럼을 설명할 수 있었다.

1. 수소 원자 스펙트럼

(1) **수소 원자 스펙트럼의 발머 계열:** 오른쪽 그림과 같이 수소 원자 스펙트럼에서는 파장이 656.3 nm(H_α), 486.1 nm(H_β), 434.1 nm(H_γ), 410.2 nm(H_δ) 등의 빛이 나타난다. 스위스의 과학자 발머는 수소 원자 스펙트럼에서 가시광선 영역의 네 가지 선의 파장이 어떤 수열로 표시되는 집합임을 발견하고, 이를 발머 계열이라고 하였다.

$$\frac{1}{\lambda}=R\left(\frac{1}{2^2}-\frac{1}{n^2}\right) \ (n=3, 4, 5, \cdots)$$

위 식에서 R는 상수로 수소 원자의 경우 $R=1.097\times10^7$ m^{-1}임이 후에 실험을 통해 알려졌다.

(2) **수소 원자 스펙트럼의 일반적 계열:** 발머의 발견 이후 자외선과 적외선 영역에도 라이먼 계열과 파셴 계열 등 여러 스펙트럼 계열이 있으며, 이들 계열의 관계식은 발머 계열과 매우 비슷하다는 것이 발견되었다.

파장(nm)
0 100 200 300 400 500 600 700 800 900 1000 1100 1200 1300 1400 1500 1600 1700 1800 1900 2000

라이먼 계열 　　발머 계열 　　　　　　　　파셴 계열

계열	라이먼	발머	파셴
스펙트럼 영역	자외선	가시광선, 자외선	적외선
파장 관계식	$\frac{1}{\lambda}=R\left(\frac{1}{1^2}-\frac{1}{n^2}\right)$ ($n=2, 3, 4, \cdots$)	$\frac{1}{\lambda}=R\left(\frac{1}{2^2}-\frac{1}{n^2}\right)$ ($n=3, 4, 5, \cdots$)	$\frac{1}{\lambda}=R\left(\frac{1}{3^2}-\frac{1}{n^2}\right)$ ($n=4, 5, 6, \cdots$)

2. 보어의 수소 원자 모형

(집중 분석) 2권 20쪽~21쪽

(1) **수소 원자의 에너지 준위:** 보어 원자 모형에서 양자 조건을 적용하여 구한 수소 원자의 에너지 준위는 양자수 n에 따라 다음과 같이 불연속적으로 나타난다.

$$E_n=-\frac{13.6}{n^2}(\text{eV}) \ (n=1, 2, 3 \cdots)$$

① 수소 원자의 바닥상태는 $n=1$인 경우로, 이 상태의 에너지 준위 $E_1=-13.6$ eV이다.

② $n=2, 3, \cdots$을 대입하면, 들뜬상태인 E_2, E_3, $\cdots$의 에너지 준위를 구할 수 있으며, 그 값은 오른쪽 그림과 같다.

③ 양자수가 커질수록 이웃한 정상 상태 사이의 에너지 차는 점점 작아지며, 에너지가 $n=\infty$일 때보다 크면 에너지는 연속적으로 분포한다.

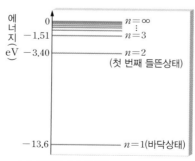
에
너
지
(eV)
　0 ――――――――― $n=\infty$
　　　　　　　　　 ⋮
−1.51 ――――――――― $n=3$
−3.40 ――――――――― $n=2$
　　　　　　　　　 (첫 번째 들뜬상태)

−13.6 ――――――――― $n=1$(바닥상태)

▲ **수소 원자의 에너지 준위**

$H_\delta H_\gamma$　H_β　　　　　H_α
410.2　　　　　　　 656.3(nm)

기호	파장(nm)	진동수(10^{14} Hz)
H_α	656.3	4.571
H_β	486.1	6.171
H_γ	434.1	6.911
H_δ	410.2	7.314

뤼드베리 상수 R

뤼드베리는 수소 원자 스펙트럼을 나타낼 수 있는 일반화된 식을 정리하고, 상수 R를 수소의 뤼드베리 상수라고 하였다.

$$\frac{1}{\lambda}=R\left(\frac{1}{n^2}-\frac{1}{m^2}\right)$$

위 식에서 n, m은 자연수이고 $n<m$이다. 당시에는 이 파장 관계식에 대한 이론적인 근거가 존재하지 않았으나, 후에 실험적으로 구한 이 식이 보어의 수소 원자 모형과 일치함을 알게 되었다.

eV(전자볼트)

전하량이 1.60×10^{-19} C인 전자가 전압이 1 V인 전극 사이에서 가속될 때 얻게 되는 운동 에너지가 1 eV이다. 즉, 1 eV는 1.60×10^{-19} J과 같다. 원자 수준에서는 주로 eV를 에너지의 단위로 사용한다.

(2) **수소 원자에서 방출되는 빛의 파장:** 수소 원자의 에너지 준위가 양자화되어 있으므로, 전자가 전이할 때 흡수하거나 방출하는 광자도 특정한 에너지를 가진다. 즉, 수소 원자에서는 특정 파장의 빛만을 방출하므로 선 스펙트럼이 나타난다.

보어 원자 모형에서 진동수 조건에 의해 전자가 높은 에너지 준위 E_i에서 낮은 에너지 준위 E_f로 전이할 때 두 에너지 준위의 차이만큼의 에너지를 가진 광자를 방출하므로, 이때 방출되는 빛의 파장 λ는 다음과 같다.

$$hf = \frac{hc}{\lambda} = E_i - E_f = -\frac{13.6}{n_i^{2}} - \left(-\frac{13.6}{n_f^{2}}\right) = 13.6\left(\frac{1}{n_f^{2}} - \frac{1}{n_i^{2}}\right)$$

$$\frac{1}{\lambda} = \frac{13.6[\text{eV}]}{hc}\left(\frac{1}{n_f^{2}} - \frac{1}{n_i^{2}}\right) \ (n_i > n_f)$$

위 식에서 보어 원자 모형으로 유도한 식과 상수 $\dfrac{13.6[\text{eV}]}{hc}$가 발머와 뤼드베리에 의해 실험적으로 얻은 관계식, 그리고 뤼드베리 상수 R와 완전히 일치하였다.

(3) **발머 계열 스펙트럼의 해석:** 수소 원자 스펙트럼 중 우리 눈에 보이는 가시광선 영역은 전자가 $n=3, 4, 5, \cdots$인 높은 에너지 준위에서 $n=2$인 에너지 준위로 전이할 때 방출되는 빛으로, 각 빛의 파장은 다음 식으로 구할 수 있다.

$$\frac{1}{\lambda} = \frac{13.6[\text{eV}]}{hc}\left(\frac{1}{2^{2}} - \frac{1}{n^{2}}\right) (n = 3, 4, 5 \cdots)$$

① $n=3$에서 $n=2$인 정상 상태로 전자가 전이할 때 방출되는 광자의 에너지는
$$E_{3 \to 2} = (-1.51\,\text{eV}) - (-3.40\,\text{eV}) = 1.89\,\text{eV}$$
로 가장 작다. 따라서 이 경우 방출되는 빛은 파장이 가장 긴 빨간색 빛이다.

② $n=4, 5, 6, \cdots$으로 더 높은 에너지 준위에서 $n=2$인 정상 상태로 전자가 전이할수록 점점 파장이 짧은 빛이 방출된다. 발머 계열에서 파장이 가장 짧은 빛은 전자가 $n=\infty$에서 $n=2$로 전이할 때 방출되는 빛으로, 자외선에 해당한다.

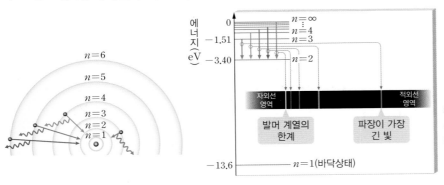

전자의 전이	방출되는 광자의 에너지(eV)	선 스펙트럼 색깔
$n=3 \to n=2$	$-1.51\,\text{eV} - (-3.40\,\text{eV}) = 1.89\,\text{eV}$	빨간색
$n=4 \to n=2$	$-0.85\,\text{eV} - (-3.40\,\text{eV}) = 2.55\,\text{eV}$	청록색
$n=5 \to n=2$	$-0.54\,\text{eV} - (-3.40\,\text{eV}) = 2.86\,\text{eV}$	파란색
$n=6 \to n=2$	$-0.38\,\text{eV} - (-3.40\,\text{eV}) = 3.02\,\text{eV}$	보라색
$n=\infty \to n=2$	$0 - (-3.40\,\text{eV}) = 3.40\,\text{eV}$	자외선

보어 원자 모형에서 상수 계산
$$\frac{13.6[\text{eV}]}{hc} = \frac{13.6 \times (1.60 \times 10^{-19}\,\text{J})}{(6.63 \times 10^{-34}\,\text{J·s}) \times (3.00 \times 10^{8}\,\text{m/s})}$$
$$\fallingdotseq 1.09 \times 10^{7}\,\text{m}^{-1}$$

계열 한계
수소 원자 스펙트럼 계열에서 가장 짧은 파장을 계열 한계라고 한다. 계열 한계는 $n=\infty$에서 전이하는 경우이며, 발머 계열의 계열 한계는 364.6 nm이다.

◀ **수소 원자에서 전자의 전이에 따른 발머 계열 스펙트럼 해석** 전자가 높은 에너지 준위에서 $n=2$인 에너지 준위로 전이할 때 발머 계열 스펙트럼이 나타난다. 색깔 화살표 4개는 발머 계열에서 가장 에너지가 작은 광자를 방출하는 4개의 전이를 나타낸다.

(4) **수소 원자 스펙트럼 계열의 해석:** 수소 원자 스펙트럼 계열 중 파장이 가장 짧은 자외선 영역의 라이먼 계열은 수소 원자에서 들뜬상태의 전자가 $n=1$인 궤도로 전이할 때 방출하는 빛의 스펙트럼에 해당한다. 또, 자외선과 가시광선 영역에 걸친 발머 계열은 들뜬상태의 전자가 $n=2$인 궤도로 전이할 때 방출하는 빛의 스펙트럼이다. 파장이 긴 적외선 영역의 파셴 계열은 들뜬상태의 전자가 $n=3$인 궤도로 전이할 때 방출하는 빛의 스펙트럼이다.

결합 에너지

수소 원자의 경우 양자수 $n=1$일 때 에너지 준위 값이 -13.6 eV로 가장 작다. 바닥상태인 이 에너지 준위에 있는 전자를 이온화시키는 데 필요한 에너지가 13.6 eV로 가장 크며, 이 에너지 값을 결합 에너지 또는 이온화 에너지라고 한다.

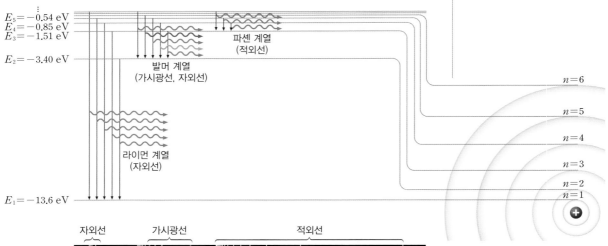

▲ **수소 원자에서 전자 궤도의 에너지 분포와 스펙트럼**

구분	라이먼 계열	발머 계열	파셴 계열
전자의 전이	전자가 $n \geqq 2$인 궤도에서 $n=1$인 궤도로 전이	전자가 $n \geqq 3$인 궤도에서 $n=2$인 궤도로 전이	전자가 $n \geqq 4$인 궤도에서 $n=3$인 궤도로 전이
방출되는 빛	자외선	자외선, 가시광선	적외선

(5) **기체의 종류에 따른 선 스펙트럼:** 기체의 종류가 다르면 원자의 에너지 준위가 다르다. 따라서 전자가 전이할 때 방출하는 광자의 에너지가 다르므로, 빛의 파장이 달라 선 스펙트럼의 위치가 다르다.

시선 집중 ★ 흡수 스펙트럼

백색광을 저온의 기체에 통과시키면, 기체를 이루는 원소에 따라 특정한 파장의 빛만을 흡수한다. 따라서 흡수 스펙트럼의 검은 선은 그 원소의 방출 스펙트럼의 밝은 선과 같은 위치에 나타난다.

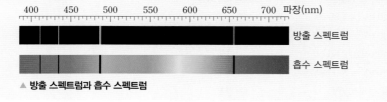

▲ **방출 스펙트럼과 흡수 스펙트럼**

여러 가지 전등의 스펙트럼 비교 관찰하기

여러 가지 전등에서 방출되는 빛의 스펙트럼을 관찰하여 그 차이를 비교할 수 있다.

과정

1 햇빛이나 백열등에서 나오는 빛을 간이 분광기로 관찰한다.

2 수소가 들어 있는 기체 방전관에서 방출되는 빛을 간이 분광기로 관찰한다.

3 기체 방전관의 종류를 바꾸어 가며 관찰한다.

유의점

· 분광기에 다른 빛이 들어가면 전등의 스펙트럼만 관찰하기 어려우므로 가급적 어두운 곳에서 관찰한다.
· 광원의 방전관과 간이 분광기의 슬릿 방향이 일치하도록 한다.
· 햇빛을 관찰할 때는 간이 분광기로 태양을 직접 보지 않도록 주의한다.

백열등
간이 분광기

간이 분광기
기체 방전관

기체 방전관

밀폐된 유리관 내부에 낮은 기압의 기체가 들어 있고, 양 끝에 전극이 있다. 전극 사이에 높은 전압을 걸어 주면 전류가 흐르면서 기체에서 빛이 발생한다.

결과

여러 가지 전등의 스펙트럼 모습은 다음과 같다.

백열등

수소 기체 방전관

헬륨 기체 방전관

수은 기체 방전관

정리

· 햇빛이나 백열등에서 나오는 빛은 연속 스펙트럼으로 나타나고, 기체 방전관에서 나오는 빛은 선 스펙트럼으로 나타난다.
· 기체 방전관 속 기체의 원소에 따라 에너지 준위가 다르므로, 기체에서 방출되는 빛의 선 스펙트럼에서 선의 위치, 색깔, 굵기, 수 등이 다르다.

탐구 확인 문제

＞ 정답과 해설 48쪽

01 위 실험에 대한 설명으로 옳은 것은?

① 수은 원자의 에너지는 양자화되어 있다.
② 광자의 에너지는 파란색 빛이 빨간색 빛보다 작다.
③ 백열등에서 방출되는 빛은 선 스펙트럼으로 나타난다.
④ 네온 등에서 방출되는 빛은 연속적인 색의 띠로 나타난다.
⑤ 기체의 종류에 관계 없이 모든 기체는 같은 에너지 준위를 갖는다.

02 그림과 같이 네온 등에서 방출되는 빛은 선 스펙트럼으로 나타난다.

(1) 선 스펙트럼에서 여러 개의 선이 나타나는 까닭을 서술하시오.

(2) 이로부터 네온 원자의 에너지 준위에 대해 알 수 있는 것을 서술하시오.

에너지 양자화와 선 스펙트럼

기체 원자에서 전자가 전이할 때 방출하는 빛의 선 스펙트럼은 양자화된 에너지 준위 차이와 관련된다. 선 스펙트럼과 전자의 에너지 준위를 비교하여 전자 전이와 광자의 에너지 및 빛의 파장의 관계를 파악해 보자.

단계 1 보어 원자 모형과 빛의 흡수 및 방출

보어의 수소 원자 모형에서 수소 원자의 에너지 준위는 양자화되어 있다. 수소 원자에서 전자가 가질 수 있는 에너지는 다음과 같이 양자수에 따라 하나씩 정해진다.

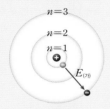

양자수(n)	E_n(eV)
1	-13.6
2	-3.40
3	-1.51

(1) 전자의 에너지

- 원자핵과 전자 사이에는 쿨롱 법칙을 따르는 힘이 작용한다.
  ➡ 원자핵과 전자 사이에 작용하는 전기력의 크기는 $n=1$인 궤도에서 가장 크다.
- 양자수가 커질수록 전자의 에너지도 커진다. ➡ $E_1 < E_2 < E_3$

(2) 빛의 흡수 및 방출: 전자는 허용된 에너지 준위 사이를 전이하며, 두 에너지 준위 차이에 해당하는 빛을 방출하거나 흡수한다. 광자 1개의 에너지가 두 에너지 준위 차에 해당하지 않으면 전자가 전이할 수 없다.

구분	(가)	(나)
전자의 전이	$n=1 \rightarrow n=3$	$n=3 \rightarrow n=2$
전자의 에너지 변화	전자가 높은 에너지 준위로 전이한다.	전자가 낮은 에너지 준위로 전이한다.
빛의 흡수와 방출	광자 흡수	광자 방출
흡수하거나 방출하는 광자의 에너지	$\begin{aligned}&\lvert E_3 - E_1 \rvert \\ &= \lvert -1.51 \text{ eV} - (-13.6 \text{ eV}) \rvert \\ &= 12.09 \text{ eV}\end{aligned}$	$\begin{aligned}&\lvert E_2 - E_3 \rvert \\ &= \lvert -3.40 \text{ eV} - (-1.51 \text{ eV}) \rvert \\ &= 1.89 \text{ eV}\end{aligned}$

 유제

› 정답과 해설 48쪽

1. 그림은 보어의 수소 원자 모형과 전자의 전이 과정 a, b, c를 나타낸 것이고, 표는 양자수에 따른 에너지 준위 E_n을 나타낸 것이다.
이에 대한 설명으로 옳은 것만을 보기에서 있는 대로 고른 것은?

양자수(n)	E_n
1	-13.6 eV
2	-3.40 eV
3	-1.51 eV

보기

ㄱ. 전자가 $n=1$인 궤도에 있을 때 가장 큰 전기력을 받는다.

ㄴ. a일 때 빛을 방출하고, b일 때 빛을 흡수한다.

ㄷ. 흡수하거나 방출하는 빛의 진동수는 b보다 c에서 더 크다.

① ㄱ   ② ㄴ   ③ ㄱ, ㄷ   ④ ㄴ, ㄷ   ⑤ ㄱ, ㄴ, ㄷ

들뜬상태의 원자에서 양자화된 에너지 준위 사이를 전자가 전이하면, 특정 에너지를 가진 광자가 방출되므로 원자에서 방출되는 빛은 선 스펙트럼으로 나타난다.

(1) **전자의 전이와 빛의 진동수, 파장**

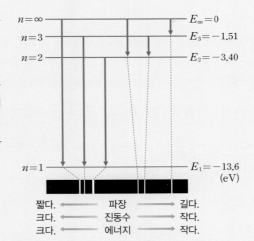

- 전자가 n에서 m으로 전이할 때 방출하는 빛의 에너지는 다음과 같다.

$$E_{n \to m} = E_n - E_m \,(\text{단}, n > m)$$

- 전자가 $n=3$에서 $n=2$인 에너지 준위로 전이할 때 방출하는 빛의 에너지와 $n=2$에서 $n=1$로 전이할 때 방출하는 빛의 에너지의 합은 $n=3$에서 $n=1$로 전이할 때 방출하는 빛의 에너지와 같다.

$$E_{3 \to 2} + E_{2 \to 1} = E_{3 \to 1}$$

$$f_{3 \to 2} + f_{2 \to 1} = f_{3 \to 1}$$

$$\frac{1}{\lambda_{3 \to 2}} + \frac{1}{\lambda_{2 \to 1}} = \frac{1}{\lambda_{3 \to 1}}$$

(2) **수소 원자 스펙트럼 계열**: $n > m$인 경우, 전자가 n에서 m으로 전이할 때 m이 같은 경우에 같은 계열의 스펙트럼으로 무리 지을 수 있다.

- 같은 계열에서는 높은 에너지 준위에서 전자가 전이할수록 방출되는 빛의 진동수는 크고, 파장은 짧다.
- 한 계열의 한계는 양자수 $n=\infty$인 상태에서 전이할 때 방출되는 빛으로, 파장이 가장 짧다.
- $E_{2 \to 1} = 10.2 \text{ eV}$, $E_{\infty \to 2} = 3.40 \text{ eV}$이므로, $E_{2 \to 1} \gg E_{\infty \to 2}$이다.
  ➡ $m=1$인 라이먼 계열은 다른 스펙트럼 계열보다 항상 큰 에너지를 갖는다.

m \ n	2	3	∞	비고
1	10.20	12.09	13.6	라이먼 계열
2		1.89	3.40	발머 계열
3			1.51	파셴 계열

2. 그림은 양자수에 따른 수소 원자의 에너지 준위와 전자 전이 과정에서 방출되는 빛 a, b, c를 나타낸 것으로, a, b, c의 진동수는 각각 f_a, f_b, f_c이다. 이에 대한 설명으로 옳은 것만을 보기에서 있는 대로 고른 것은?

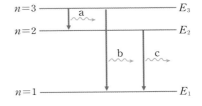

보기
ㄱ. 광자의 에너지는 a가 b보다 크다.
ㄴ. 빛의 파장은 a가 가장 짧다.
ㄷ. $f_b = f_a + f_c$이다.

① ㄱ   ② ㄴ   ③ ㄷ   ④ ㄱ, ㄷ   ⑤ ㄴ, ㄷ

수소 원자의 에너지 준위

보어 원자 모형은 현대의 원자 모형에 밀려 이제 쓸 수 없지만, 수소 원자의 에너지 준위와 궤도 반지름을 구체적으로 계산하고, 이로부터 4개의 스펙트럼 선을 명확히 설명할 수 있었다.

❶ 전자의 궤도 반지름

수소 원자는 전하량이 $+e$인 원자핵과 전하량이 $-e$인 전자 1개로 구성되어 있으며, 원자핵에 비해 전자의 질량이 매우 작아서, 원자핵이 공간에 정지해 있고 그 주위를 전자가 원운동한다고 생각할 수 있다. 전자는 원자핵과의 전기력을 구심력으로 하여 원운동하므로, 전자의 질량을 m, 궤도 반지름을 r, 속력을 v라고 하면 구심력은 $F_{구심력} = \dfrac{mv^2}{r} = \dfrac{ke^2}{r^2}$과 같다.

이때 전자의 궤도 반지름은 양자 조건 $2\pi r = n\dfrac{h}{mv}$를 만족해야 하므로, v를 소거하여 계산하면 양자수 n일 때 전자의 궤도 반지름 r_n은 다음과 같다.

$$r_n = \frac{h^2}{4\pi^2 kme^2}n^2 = a_0 n^2 \, (n=1, 2, 3, \cdots)$$

위 식에서 a_0는 $n=1$일 때 전자의 궤도 반지름으로 보어 반지름이라고 하고, 그 값은 약 0.0529 nm로, 당시에 알려져 있던 수소 원자의 크기와 거의 일치한다.

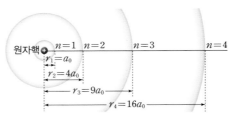

원자핵
$n=1$ $n=2$ $n=3$ $n=4$
$r_1 = a_0$
$r_2 = 4a_0$
$r_3 = 9a_0$
$r_4 = 16a_0$

❷ 수소 원자의 에너지 준위

정상 상태의 궤도에 있는 전자의 총 에너지는 전자의 운동 에너지와 전기력에 의한 퍼텐셜 에너지의 합으로 나타낼 수 있다.

① 전자의 운동 에너지: $E_k = \dfrac{1}{2}mv^2 = \dfrac{1}{2}\dfrac{ke^2}{r}$

② 전자의 전기력에 의한 퍼텐셜 에너지: $E_p = -\dfrac{ke^2}{r}$

③ 전자의 총 에너지: $E = E_k + E_p = \dfrac{1}{2}\dfrac{ke^2}{r} - \dfrac{ke^2}{r} = -\dfrac{1}{2}\dfrac{ke^2}{r}$

위 식에 전자의 궤도 반지름 r_n을 대입하면, 수소 원자의 에너지 준위 E_n 역시 양자화되어 있음을 알 수 있다.

$$E_n = -\frac{ke^2}{2a_0}\left(\frac{1}{n^2}\right) = -\frac{13.6}{n^2}(\text{eV}) \, (n=1, 2, 3, \cdots)$$

이 관계들로부터 수소 원자에서 전자가 양자수 n_i인 상태에서 n_f인 상태로 전이할 때 방출하는 빛의 파장을 구하면

$$\frac{1}{\lambda} = \frac{f}{c} = \frac{E_i - E_f}{hc} = \frac{1}{hc}\frac{ke^2}{2a_0}\left(\frac{1}{n_f^2} - \frac{1}{n_i^2}\right)$$

이다. 보어는 1913년에 $\dfrac{ke^2}{2a_0 hc}$이 실험적으로 얻은 뤼드베리 상수 $R = 1.097 \times 10^7 \text{ m}^{-1}$과 오차 범위 1 % 이내에서 같다는 것을 증명하였다.

구심력

질량 m인 물체가 반지름 r인 원 궤도를 따라 일정한 속력 v로 운동할 때 구심력 F는 다음과 같다.

$$F = \frac{mv^2}{r}$$

각 물리량의 상수값

• 플랑크 상수
 $h = 6.63 \times 10^{-34}$ J·s
• 전자의 전하량
 $e = 1.60 \times 10^{-19}$ C
• 전자 질량
 $m_e = 9.11 \times 10^{-31}$ kg
• 쿨롱 상수(진공에서)
 $k = 8.99 \times 10^9$ N·m²/C²
• 빛의 속력(진공에서)
 $c = 3.00 \times 10^8$ m/s

01 원자의 구조와 스펙트럼

1. 물질의 구조와 성질

① 전기력과 원자의 구조

1. (**❶**　　　) 대전된 물체 사이에 작용하는 힘
- 전기력의 방향: (**❷**　　) 종류의 전하 사이에는 서로 밀어내는 방향으로, (**❸**　　) 종류의 전하 사이에는 서로 끌어당기는 방향으로 작용한다.
- 쿨롱 법칙: 전기력의 크기는 두 전하의 (**❹**　　)의 곱에 비례하고 전하 사이의 거리의 제곱에 반비례한다.

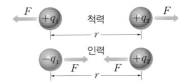

$$F = k\frac{q_1 q_2}{r^2} \text{ (진공에서 쿨롱 상수 } k = 8.99 \times 10^9 \text{ N·m}^2/\text{C}^2)$$

2. **원자의 구조와 안정성**
- 원자핵은 원자 질량의 대부분을 차지하며 원자핵의 (＋)전하량과 전자들의 (－)전하량은 (**❺**　　).
- 전자와 원자핵 사이의 (**❻**　　)에 의해 원자의 구조가 안정적으로 유지된다.

② 기체의 선 스펙트럼

1. 가열된 기체에서 방출되는 빛에서는 (**❼**　　) 스펙트럼이 나타난다.

수소의 선 스펙트럼

2. 기체를 이루는 원소에 따라 선의 위치와 색이 다르다.

③ 보어 원자 모형

1. **양자 조건**　전자가 안정적으로 존재할 수 있는 정상 상태의 에너지를 (**❽**　　)라고 하고, 원자핵에 가까운 것부터 $n=1, 2, 3, \cdots$인 에너지 준위라고 하며, n을 (**❾**　　)라고 한다. 즉, 전자의 에너지는 양자화되어 있다.

2. **진동수 조건**　전자가 에너지 E_i인 정상 상태에서 E_f인 정상 상태로 전이할 때, 두 상태의 (**❿**　　)에 해당하는 광자 1개를 방출하거나 흡수한다. ➡ $E = hf = |E_i - E_f|$

④ 수소 원자에 대한 보어의 이론

1. **수소 원자의 에너지 준위**　수소 원자의 에너지 준위는 다음과 같이 양자화되어 있다.

$$E_n = -\frac{13.6}{n^2}(\text{eV})$$

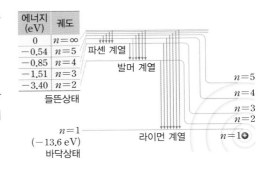

2. **수소 원자에서 방출되는 빛의 파장**　전자가 양자수 n_i인 상태에서 n_f인 상태로 전이할 때 방출되는 빛의 파장 λ는 다음과 같다.

$$\frac{1}{\lambda} = \frac{13.6[\text{eV}]}{hc}\left(\frac{1}{n_f^2} - \frac{1}{n_i^2}\right) \text{ (단, } n_i > n_f)$$

3. **수소 원자 스펙트럼 계열**　들뜬상태의 전자가 낮은 에너지 준위로 전이하여 빛이 방출될 때 전자가 도달하는 에너지 준위에 따라 수소 원자 스펙트럼 계열이 나눠진다.

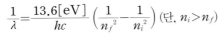

스펙트럼 계열	라이먼 계열	(**⑪**　　) 계열	파셴 계열
전자의 전이	$n \geq 2 \rightarrow n=1$	$n \geq 3 \rightarrow n=2$	(**⑫**　　) $\rightarrow n=3$
방출되는 빛	(**⑬**　　)	자외선, 가시광선	적외선

01 5개의 동일한 작은 금속공 A~E 중 두 금속공을 서로 가까이 하는 실험을 반복하여 다음과 같은 결과를 얻었다.

> (가) B와 E는 전기력이 작용하지 않는다.
> (나) A와 C는 서로 밀어낸다.
> (다) D와 E는 서로 당긴다.
> (라) A는 B, D, E를 끌어당긴다.

(1) A와 같은 종류의 전하를 띠는 금속공을 쓰시오.

(2) D를 가까이 했을 때 서로 끌어당기는 공을 모두 쓰시오.

02 그림은 알파(α) 입자를 얇은 금박에 투과시켰을 때 소수의 알파(α) 입자가 큰 각도로 산란되는 모습이다.

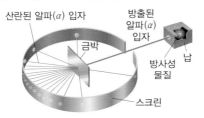

다음은 이 실험을 통해 러더퍼드가 발견한 사실을 설명한 것이다. ㉠~㉢에 들어갈 알맞은 말을 쓰시오.

> 원자의 내부는 거의 빈 공간이다. 원자의 중심에는 원자 (㉠)의 대부분을 차지하고, (＋)전하를 띤 입자가 (㉡) 공간에 존재하는데, 이 입자를 (㉢)(이)라고 한다.

03 그림은 전자가 원자핵 주위를 회전하는 모습을 나타낸 것이다.

(1) 전자는 어떤 힘에 의해 원자 내에 속박되어 있는지 쓰시오.

(2) 전자가 (가)와 (나) 중 어느 궤도에 있을 때 원자핵으로부터 더 큰 힘을 받는지 쓰시오.

04 다음은 보어의 수소 원자 모형에서 원자의 에너지 준위에 대한 설명이다. ㉠, ㉡에 들어갈 알맞은 말을 쓰시오.

> 수소 원자에서 전자가 각 양자수와 관련된 특정 궤도에만 있을 수 있기 때문에 전자는 양자수에 따른 특정한 에너지 값만 가질 수 있다. 원자핵에 가장 가까이 있는 전자의 궤도를 양자수 $n=1$인 궤도라고 한다. 수소 원자의 전자는 $n=1$일 때 가장 낮은 에너지를 가지며, 이것을 (㉠)상태라고 한다. n이 1보다 큰 경우를 (㉡)상태라고 한다.

05 그림은 보어 원자 모형에서 전자의 전이를 나타낸 것이다. A~C 중 원자에서 빛이 방출되는 경우를 있는 대로 골라 쓰시오.

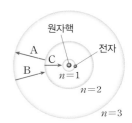

06 그림 (가)는 저온의 기체 A를 통과한 백열등의 스펙트럼을, (나)는 고온의 기체 B에서 방출된 스펙트럼을 나타낸 것이다. ㉠과 ㉡은 B에 의한 스펙트럼 선 중 하나이다.

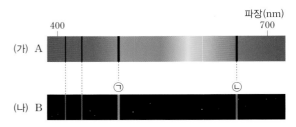

이에 대한 설명으로 옳은 것만을 보기에서 있는 대로 고르시오.

> 보기
> ㄱ. A와 B는 같은 종류의 기체이다.
> ㄴ. 광자 1개의 에너지는 ㉠이 ㉡보다 크다.
> ㄷ. A의 에너지 준위가 불연속적임을 알 수 있다.

07 다음은 지구에서 관찰하는 태양광의 스펙트럼에 대한 설명이다.

> 지구에 도달하는 태양광의 이 스펙트럼을 분석하면 태양과 지구의 대기 성분을 알 수 있다. 이것은 태양광이 상대적으로 저온인 태양 대기와 지구 대기를 지나면서, 대기에 포함된 기체의 원소에 의해 특정 파장의 빛만 흡수되기 때문이다.

어떤 스펙트럼에 대한 설명인지 보기에서 고르시오.

보기
ㄱ. 연속 스펙트럼   ㄴ. 방출 스펙트럼
ㄷ. 흡수 스펙트럼

08 보어의 수소 원자 모형에서 양자수가 n일 때 에너지 준위는 $E_n = -\dfrac{13.6}{n^2}(\text{eV})$이다. 전자가 양자수 $n=2$에서 $n=1$인 궤도로 전이할 때 수소 원자에서 방출하는 광자 1개의 에너지는 몇 eV인지 구하시오.

09 표는 보어의 수소 원자 모형에서 수소 원자의 에너지 준위 E_n을 양자수 n에 따라 나타낸 것이다.

n	1	2	3	4	∞
$E_n(\text{eV})$	-13.6	-3.40	-1.51	-0.85	0

이에 대한 설명으로 옳은 것만을 보기에서 있는 대로 고르시오.

보기
ㄱ. $n=1$인 상태에 있던 전자가 5.1 eV의 에너지를 갖는 광자 2개를 흡수하여 $n=2$인 상태로 전이할 수 있다.
ㄴ. 2.9 eV의 에너지를 갖는 광자는 $n=2$인 상태에 있던 전자의 에너지 준위를 -0.5 eV인 상태로 만든다.
ㄷ. $n=3$인 상태에 있던 전자가 1.89 eV의 에너지를 방출하면 $n=2$인 상태로 전이한다.

10 그림은 보어의 수소 원자 모형에서 수소 원자의 에너지 준위를 양자수 n에 따라 나타낸 것이다. 전자의 에너지 준위가 양자수 $n=1, 2, 3, \infty$의 4가지 상태만 존재한다고 가정할 때, 다음 물음에 답하시오.

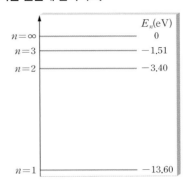

(1) 전자가 $n=3$인 상태에서 $n=1$인 상태로 전이할 때 방출하는 광자 1개가 갖는 에너지는 몇 eV인지 구하시오.

(2) 위의 수소 원자에서 방출할 수 있는 빛의 진동수는 몇 가지인지 구하시오.

11 그림은 수소 원자의 스펙트럼 계열을 나타낸 것이다.

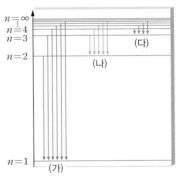

(1) (가), (나), (다)는 어떤 계열의 스펙트럼인지 쓰시오.

(2) (가)~(다) 중 가시광선 영역을 포함하는 스펙트럼 계열을 고르시오.

01 ▶ 전기력

그림은 대전체 P, Q가 각각 0, $2d$인 위치에 고정되어 있는 것을 나타낸 것이다. (+)전하를 띤 대전체 A를 $x=-d$인 위치에 놓았더니 움직이지 않았고, A를 $x=d$인 위치에 놓았더니 $+x$ 방향으로 움직였다.

이에 대한 설명으로 옳은 것만을 보기에서 있는 대로 고른 것은? (단, A, P, Q는 모두 대전되어 있으며, 전기력 이외의 힘은 무시한다.)

보기

ㄱ. 전하량은 Q가 P의 9배이다.

ㄴ. A가 $x=d$인 위치에서 받는 전기력의 크기는 $x=3d$인 위치에서 받는 전기력의 크기보다 크다.

ㄷ. A를 $x=3d$인 위치에 놓으면 $+x$ 방향으로 움직인다.

① ㄱ   ② ㄴ   ③ ㄱ, ㄴ   ④ ㄱ, ㄷ   ⑤ ㄴ, ㄷ

- 두 대전체 사이에 작용하는 전기력의 크기는 두 대전체가 띠는 전하량의 곱에 비례하고, 두 대전체 사이 거리의 제곱에 반비례한다.

02 ▶ 원자 모형

그림은 톰슨 원자 모형과 러더퍼드 원자 모형, 보어 원자 모형을 순서 없이 나타낸 것이다.

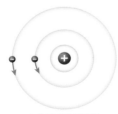

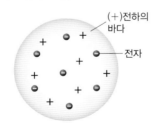

(가) 전자가 특정한 궤도에서만 존재한다.   (나) (+)전하를 띠는 물질 속에 (−)전하를 띠는 입자들이 띄엄띄엄 박혀 있다.   (다) 전자가 원자핵 주위를 돈다.

이에 대한 설명으로 옳은 것만을 보기에서 있는 대로 고른 것은?

보기

ㄱ. (가)의 원자 모형으로는 원자의 안정성을 설명할 수 없다.

ㄴ. (다)의 원자 모형으로는 기체의 선 스펙트럼을 설명할 수 없다.

ㄷ. 원자 모형이 제안된 시기가 빠른 것부터 순서대로 나열하면 (나) – (다) – (가)이다.

① ㄱ   ② ㄴ   ③ ㄷ   ④ ㄱ, ㄷ   ⑤ ㄴ, ㄷ

- 전자의 발견으로 톰슨 원자 모형이 제안되었고, 이후 원자핵의 발견으로 러더퍼드 원자 모형이 제안되었으며, 이후 보어 원자 모형이 제안되었다.

03 원자를 구성하는 입자

그림 (가)와 (나)는 원자 모형과 관련하여 각각 톰슨과 러더퍼드가 수행한 실험을 모식적으로 나타낸 것이다.

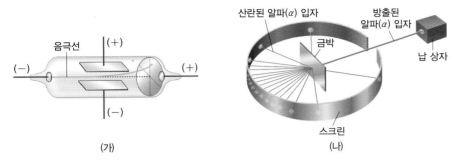

(가)

(나)

이에 대한 설명으로 옳은 것만을 보기에서 있는 대로 고른 것은?

보기
ㄱ. (가)의 결과로 전자가 (−)전하를 띤다는 것을 알게 되었다.
ㄴ. (나)에서 금박에 입사하는 입자는 (−)전하로 대전되어 있다.
ㄷ. (나)의 결과로 원자핵이 있음을 알게 되었다.

① ㄴ   ② ㄷ   ③ ㄱ, ㄴ   ④ ㄱ, ㄷ   ⑤ ㄴ, ㄷ

- 톰슨의 음극선 실험을 통해 전자의 성질을 알게 되었고, 러더퍼드의 알파 입자 산란 실험을 통해 원자핵의 존재를 알게 되었다.

04 기체의 스펙트럼 관찰

그림은 수소 기체 방전관의 가열된 수소 기체에서 방출되는 빛을 분광기로 관찰하는 모습을 나타낸 것이다.

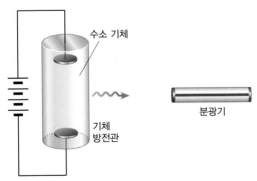

이에 대한 설명으로 옳은 것만을 보기에서 있는 대로 고른 것은?

보기
ㄱ. 분광기로 관찰한 스펙트럼은 선 스펙트럼이다.
ㄴ. 분광기를 이용하면 맨눈으로 라이먼 계열을 관찰할 수 있다.
ㄷ. 수소 원자의 에너지 준위가 양자화되어 있음을 알 수 있다.

① ㄱ   ② ㄴ   ③ ㄱ, ㄴ   ④ ㄱ, ㄷ   ⑤ ㄴ, ㄷ

- 수소 원자의 선 스펙트럼으로부터 수소 원자의 에너지 준위가 불연속적임을 알 수 있다.

05 > 빛의 흡수와 전자 전이

그림 (가)와 (나)는 보어의 수소 원자 모형에서 전자가 바닥상태에 있을 때 광자의 에너지가 각각 10.2 eV, 5.6 eV인 빛이 입사하는 과정을 모식적으로 나타낸 것이다.

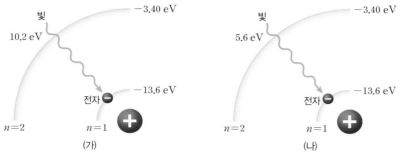

(가)　　　　　　　　(나)

이에 대한 설명으로 옳은 것만을 보기에서 있는 대로 고른 것은?

> 보기

ㄱ. (가)에서 전자는 빛을 흡수하여 $n=2$인 상태로 전이한다.

ㄴ. (나)에서 전자는 바닥상태를 유지한다.

ㄷ. (나)에서 광자의 에너지가 4.6 eV인 빛이 추가로 입사하면 전자가 $n=2$인 상태로 전이한다.

① ㄱ　　　　② ㄴ　　　　③ ㄱ, ㄴ　　　　④ ㄱ, ㄷ　　　　⑤ ㄴ, ㄷ

• 전자는 에너지 준위 차이만큼의 에너지를 갖는 빛을 흡수하여 더 높은 에너지의 궤도로 전이할 수 있다.

06 > 전자 전이와 빛의 방출

그림 (가)와 (나)는 수소 원자에서 양자수 $n=4$인 상태에 있던 전자가 각각 양자수 $n=1$, $n=3$인 궤도로 전이하면서 빛을 방출하는 것을 나타낸 것이다.

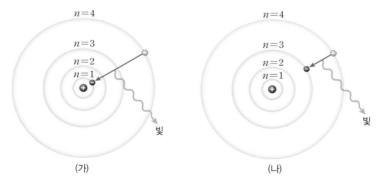

(가)　　　　　　　　(나)

이에 대한 설명으로 옳은 것만을 보기에서 있는 대로 고른 것은?

> 보기

ㄱ. 전이하는 전자의 에너지 감소량은 (가)에서가 (나)에서보다 크다.

ㄴ. 방출하는 빛의 파장은 (가)에서가 (나)에서보다 크다.

ㄷ. (가)에서 방출하는 빛은 가시광선 영역에 속한다.

① ㄱ　　　　② ㄴ　　　　③ ㄱ, ㄴ　　　　④ ㄱ, ㄷ　　　　⑤ ㄴ, ㄷ

• 전자가 전이할 때는 두 에너지 준위의 차이만큼의 에너지를 갖는 광자를 방출한다. 에너지 준위 차이가 클수록 방출하는 빛의 진동수도 크다.

07
> 보어의 수소 원자 모형

다음은 보어의 수소 원자 모형에 대한 설명이다.

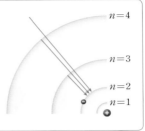

- 양자수 n에 따른 전자의 에너지 E_n은 다음과 같다.

$$E_n = -\frac{E_0}{n^2}$$

여기서 $-E_0$는 바닥상태의 에너지이다.
- 발머 계열의 선 스펙트럼은 전자가 $n \geq 3$인 궤도에서 $n=2$인 궤도로 전이할 때 생긴다.

이에 대한 설명으로 옳은 것만을 보기에서 있는 대로 고른 것은? (단, h는 플랑크 상수이고, c는 빛의 속력이다.)

보기
ㄱ. 발머 계열은 가시광선 영역을 포함한다.

ㄴ. 발머 계열의 선 스펙트럼 중 파장이 가장 긴 것의 파장은 $\frac{36hc}{5E_0}$이다.

ㄷ. 발머 계열의 선 스펙트럼 중 진동수가 가장 큰 것은 $n=3$에서 $n=2$로 전이할 때 방출하는 빛이다.

① ㄱ   ② ㄴ   ③ ㄱ, ㄴ   ④ ㄱ, ㄷ   ⑤ ㄴ, ㄷ

• 파장이 λ인 광자의 에너지는 $E = \frac{hc}{\lambda}$이다.

08
> 수소 원자 스펙트럼

다음은 수소 원자 스펙트럼에 대한 설명이다.

- 그림은 라이먼 계열 스펙트럼에서 파장이 가장 긴 것부터 3개를 나타낸 것이다.

- 라이먼 계열 스펙트럼의 파장 λ는 다음 식을 만족한다.

$$\frac{1}{\lambda} = R\left(1 - \frac{1}{n^2}\right) (n=2, 3, 4, \cdots)$$

이에 대한 설명으로 옳은 것만을 보기에서 있는 대로 고른 것은? (단, h는 플랑크 상수이고, c는 빛의 속력이다.)

보기
ㄱ. λ_A는 전자가 $n=3$인 궤도에서 바닥상태로 전이할 때 방출하는 빛의 파장이다.

ㄴ. $\lambda_A : \lambda_C = 5 : 4$이다.

ㄷ. 파장이 λ_B인 광자 1개의 에너지는 $\frac{3hcR}{4}$이다.

① ㄱ   ② ㄴ   ③ ㄱ, ㄴ   ④ ㄱ, ㄷ   ⑤ ㄴ, ㄷ

• 수소 원자에서 전자가 전이할 때 두 에너지 준위의 차이에 해당하는 에너지를 갖는 광자를 방출한다.

09 ❯ 수소 원자의 스펙트럼 계열

그림 (가)는 수소 원자에서 나타난 선 스펙트럼의 일부분을 파장에 따라 나타낸 것이고, (나)는 수소 원자에서 양자수 $n=1 \sim 3$일 때의 에너지 준위와 전자의 전이를 나타낸 것이다. λ_1, λ_2, λ_3은 전자가 전이하는 과정에 따라 방출하는 빛의 파장이다.

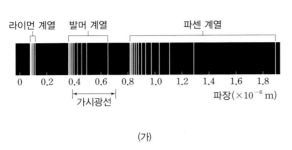

(가)

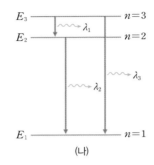

(나)

• 수소 원자에서 전자가 전이하여 도달하는 에너지 준위에 따라 라이먼 계열, 발머 계열, 파센 계열로 구분한다.

이에 대한 설명으로 옳은 것만을 보기에서 있는 대로 고른 것은?

보기
ㄱ. λ_1, λ_3은 가시광선 영역에 속한다.
ㄴ. $\lambda_1 < \lambda_2$이다.
ㄷ. $n=\infty$에서 $n=3$으로 전자가 전이하며 방출하는 빛의 파장은 λ_1보다 길다.

① ㄴ   ② ㄷ   ③ ㄱ, ㄴ   ④ ㄱ, ㄷ   ⑤ ㄴ, ㄷ

10 ❯ 수소 원자의 에너지 준위

그림은 보어의 수소 원자 모형에서 양자수 n에 따른 에너지 준위와 전자 전이 a, b, c를 모식적으로 나타낸 것이다. a, b, c 과정에서 흡수되거나 방출된 빛의 파장은 각각 λ_a, λ_b, λ_c이다.

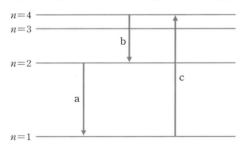

• 전자가 전이할 때는 에너지 준위 차이만큼의 에너지를 갖는 빛을 방출하거나 흡수한다.

이에 대한 설명으로 옳은 것만을 보기에서 있는 대로 고른 것은?

보기
ㄱ. 방출하는 광자의 에너지는 a가 b보다 크다.
ㄴ. c에서 흡수하는 빛은 가시광선 영역에 속한다.
ㄷ. $\dfrac{1}{\lambda_c} = \dfrac{1}{\lambda_a} + \dfrac{1}{\lambda_b}$이다.

① ㄱ   ② ㄴ   ③ ㄷ   ④ ㄱ, ㄷ   ⑤ ㄴ, ㄷ

11 ▶ 수소 원자의 에너지 준위

표는 보어의 수소 원자 모형에서 양자수 n에 따른 전자의 에너지 준위 E_n을 나타낸 것이다.

양자수(n)	1	2	3	4	∞
E_n(eV)	-13.60	-3.40	-1.51	-0.85	0

이에 대한 설명으로 옳은 것만을 보기에서 있는 대로 고른 것은? (단, h는 플랑크 상수이다.)

보기

ㄱ. 에너지가 $\dfrac{E_1+E_3}{2}$인 상태에서 전자가 안정하게 존재할 수 있다.

ㄴ. 전자가 $n=\infty$에서 $n=2$로 전이할 때보다 $n=2$에서 $n=1$로 전이할 때 방출하는 빛의 파장이 더 짧다.

ㄷ. 라이먼 계열에서 에너지가 가장 큰 빛의 진동수는 발머 계열에서 에너지가 가장 큰 빛의 진동수의 4배이다.

① ㄱ   ② ㄴ   ③ ㄱ, ㄴ   ④ ㄱ, ㄷ   ⑤ ㄴ, ㄷ

> 수소 원자의 스펙트럼에서 라이먼 계열은 전자가 $n \geq 2$인 상태에서 $n=1$인 상태로 전이할 때 방출하는 빛이다.

12 ▶ 전자 전이와 빛의 흡수 및 방출

그림은 보어의 수소 원자 모형에서 양자수 n에 따른 에너지 준위 E_n과 전자의 전이 a, b, c를 나타낸 것이다. a, b, c 과정에서 흡수되거나 방출된 빛의 진동수는 각각 f_a, f_b, f_c이다.

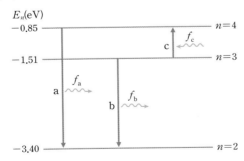

이에 대한 설명으로 옳은 것만을 보기에서 있는 대로 고른 것은?

보기

ㄱ. $f_a = f_b + f_c$이다.

ㄴ. a와 b는 가시광선 영역에 속한다.

ㄷ. 흡수되거나 방출되는 광자 1개의 에너지는 a에서가 c에서보다 크다.

① ㄱ   ② ㄷ   ③ ㄱ, ㄴ   ④ ㄴ, ㄷ   ⑤ ㄱ, ㄴ, ㄷ

> 수소 원자의 스펙트럼에서 발머 계열은 전자가 $n \geq 3$인 상태에서 $n=2$인 상태로 전이할 때 방출하는 빛이다.

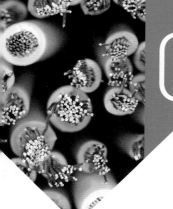

02 고체의 에너지띠 이론과 물질의 전기 전도성

학습 Point 옴의 법칙 > 전기 전도성 > 고체의 에너지띠 > 도체, 절연체, 반도체

고체의 전기적 특성

어떤 물질이 전기가 잘 통하거나 그렇지 않은 까닭은 무엇일까? 이에 대한 해답을 얻기 전에 먼저 이러한 고체의 전기적 특성을 무엇으로 기술할 수 있는지 알아야 한다.

1. 옴의 법칙

도체의 경우 어떤 물체에 걸리는 전압이 2배, 3배, …가 되면, 물체에 흐르는 전류의 세기도 2배, 3배, …가 된다. 즉, 물체에 흐르는 전류의 세기 I는 물체에 걸린 전압 V에 비례하는데, 이것을 옴의 법칙이라고 한다.

$$I \propto V$$

여기서 비례 상수의 역수를 저항이라고 하고, 저항을 전류에 대한 전압의 비로 정의한다.

$$R = \frac{V}{I} \left(\text{단위: } \Omega(\text{옴}), 1\ \Omega = \frac{1\ \text{V}}{1\ \text{A}} \right)$$

(1) **비저항(ρ):** 어떤 물체의 저항 R는 길이 l에 비례하고, 단면적 S에 반비례한다.

$$R = \rho \frac{l}{S} \ (\rho: \text{비저항})$$

이때 비례 상수 ρ는 물질에 따라 정해지는 값으로, 비저항이라고 한다. 즉, 비저항은 물질의 전기적 특성을 나타내며, 단위는 $\Omega \cdot \text{m}$를 사용한다.

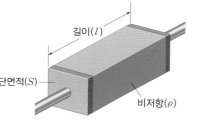

길이(l)

단면적(S)

비저항(ρ)

(2) **전기 전도도(σ):** 비저항의 역수를 전기 전도도라고 하며, 전기 전도도가 클수록 전류를 잘 흐르게 하는 물질임을 의미한다. 단위는 S/m나 $1/(\Omega \cdot \text{m})$를 사용한다.

$$\sigma = \frac{1}{\rho} \ (\sigma: \text{전기 전도도})$$

시야확장 ➕ 미시적 관점에서의 옴의 법칙

❶ **전류 밀도(J):** 단면적이 S이고 전류 I가 흐르는 도체에서 $J = \frac{I}{S}$로 정의되는 물리량이다.

❷ **옴의 법칙:** 대부분의 금속을 포함한 많은 물질은 그 물질 속의 전류 밀도 J를 전기장 E로 나눈 상수 σ를 가지며, 이 값은 전기장과 무관하다. ➡ $J = \sigma E$
이 비례 상수 σ가 전기 전도도로, 어떤 물질의 전기 전도도 σ가 전기장의 세기 E에 무관하게 일정하면, 그 물질은 옴의 법칙을 따른다고 한다.

여러 가지 물질의 비저항(20 °C)

물질	비저항($\Omega \cdot \text{m}$)
은	1.47×10^{-8}
구리	1.72×10^{-8}
금	2.44×10^{-8}
알루미늄	2.82×10^{-8}
텅스텐	5.6×10^{-8}
황동	8.0×10^{-8}
철	1.0×10^{-7}
백금	1.1×10^{-7}
납	2.2×10^{-7}
저마늄	4.6×10^{-1}
규소	6.4×10^{2}
유리	$10^{10} \sim 10^{14}$
고무	10^{11}
PET	10^{20}

저항과 비저항

비저항은 물질의 성질인 반면, 저항은 물체가 가지는 물리량이다. 이것은 마치 밀도가 물질의 성질인 반면, 질량이 물체가 가지는 물리량인 것과 비슷하다.

S/m

전기 전도도의 단위 S/m에서 S(지멘스)는 Ω^{-1}이다.

2. 고체의 전기 전도성에 따른 분류

탐구 2권 38쪽

같은 모양의 고체라도 전기 저항이 다른 것은 물질에 따라 전기 전도도가 다르기 때문이다. 물질의 전기 전도도가 크면 전류가 잘 흐르고, 전기 전도도가 작으면 전류가 잘 흐르지 않는다. 고체는 이러한 전기 전도성에 따라 도체, 절연체, 반도체로 분류할 수 있으며, 각각 온도에 따라 저항이 변하는 특성도 다르다.

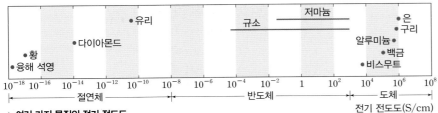

▲ 여러 가지 물질의 전기 전도도

(1) 도체: 금속과 같이 전기 전도도가 커서 전류가 잘 흐르는 물질이다.

① 도체에는 금속 내부를 자유롭게 이동할 수 있는 자유 전자가 많이 있다. 도체에 전압을 가하면 자유 전자가 전기력을 받아 양이온과 충돌하면서 이동하게 되어 전류가 흐른다.

② **온도에 따른 도체의 저항 변화:** 일반적으로 도체의 저항은 온도가 높아질수록 커진다. 이것은 온도가 높아짐에 따라 도체 내부 양이온의 열운동이 활발해져서 자유 전자의 이동을 방해하기 때문이다.

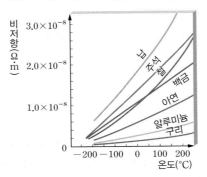

▲ 도체의 온도와 비저항의 관계

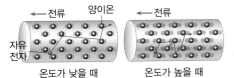

온도가 낮을 때   온도가 높을 때

(2) 절연체(부도체): 전기 전도도가 작아서 전류가 잘 흐르지 않는 물질이다.

① 절연체에는 자유 전자가 거의 없어 전압을 가해도 전류가 거의 흐르지 않는다.

② **온도에 따른 절연체의 저항 변화:** 온도가 높아질수록 절연체의 저항은 감소한다. 이것은 온도가 높아짐에 따라 원자에서 전자들이 분리되어 이동할 가능성이 높아지기 때문이다.

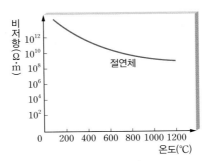

▲ 절연체의 온도와 비저항의 관계

(3) 반도체: 전기 전도도가 도체와 절연체 사이인 물질이다.

① 규소(Si), 저마늄(Ge) 등이 반도체에 속하며, 실온에서 일반적으로 $10^{-10} \sim 10^2/(\Omega \cdot m)$ 정도의 전기 전도도를 가진다.

② **온도에 따른 반도체의 저항 변화:** 절연체와 같이 온도가 높아질수록 저항이 감소한다.

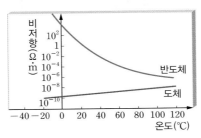

▲ 반도체와 도체의 비저항-온도 그래프

금속 결합과 자유 전자

금속은 자신의 원자가 전자를 내놓고 양이온이 되기 쉽다. 금속에서 떨어져 나온 전자들은 금속 양이온 사이를 자유롭게 돌아다니며 금속 양이온을 서로 결합시키는 역할을 하는데, 이와 같은 결합을 금속 결합이라고 한다. 따라서 금속 결합을 하는 물질들은 그 내부에 많은 자유 전자가 존재한다.

도체의 비저항의 온도 계수

어떤 도체의 0 °C에서의 비저항을 ρ_0이라고 하면 t °C에서의 비저항 ρ는 적당한 온도 범위에서 다음과 같이 나타낼 수 있다.

$$\rho = \rho_0(1 + \alpha t)$$

여기서 α는 도체의 고유한 상수인 비저항의 온도 계수이다.

초전도체

어떤 임계 온도 이하에서 전기 저항이 0이 되는 초전도 현상을 나타내는 물질이다. 임계 온도는 물질에 따라 달라진다.

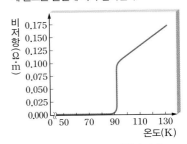

▲ 초전도체의 온도와 전기 저항의 관계

② 원자의 에너지 준위와 고체의 에너지띠

기체의 선 스펙트럼을 통해 원자의 에너지 준위가 불연속적임을 알 수 있었다. 그러나 고체는 수많은 원자들이 모여 있어 서로의 에너지 준위에 영향을 주게 되므로, 에너지 준위 분포가 기체와는 다른 특성을 갖게 된다.

1. 파울리 배타 원리와 에너지 준위의 변화

(1) **파울리 배타 원리**: 1924년에 볼프강 파울리가 제안한 것으로, 전자, 양성자, 중성자 등의 입자는 하나의 양자 상태에 동일한 2개 이상의 입자가 있을 수 없다는 원리이다. 즉, 한 원자 내의 어떤 전자도 같은 양자 상태로 존재할 수 없으며, 각각의 전자들은 모두 다른 양자수 조합을 가져야 한다.

(2) **밀집된 원자의 에너지 준위 변화**

① 기체 상태일 때 원자의 에너지 준위: 기체 상태일 때는 원자들이 멀리 떨어져 있어, 서로의 에너지 준위에 영향을 주지 않는다. 따라서 기체 상태일 때 원자들은 모두 그림과 같이 동일한 에너지 준위를 갖는다.

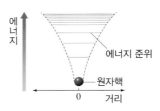

② 2개의 원자가 서로 결합할 때 에너지 준위의 변화: 2개의 원자가 서로 가까워지면, 가장 바깥쪽 전자부터 서로의 전자 궤도에 영향을 주기 시작한다. 파울리 배타 원리에 의해 두 원자의 전자들은 서로 다른 양자 상태를 가져야 하므로, 에너지 준위는 그림처럼 미세한 차이로 둘로 나누어지게 된다.

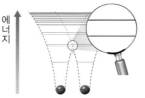

③ 고체 상태일 때 에너지 준위의 변화: 서로 인접한 원자의 수가 3개, 4개, …로 늘어나면, 에너지 준위도 3개, 4개, …로 나누어진다. 무수히 많은 원자들이 모여 있는 고체의 경우에는 에너지 준위가 미세하게 갈라져 거의 연속적인 띠로 나타나게 된다. 이를 에너지띠라고 한다.

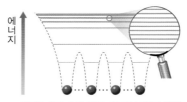

▲ **인접한 원자 수에 따른 에너지 준위의 변화**
가까이 있는 원자들이 많아질수록 에너지 준위가 더 많은 수로 분리되고, 수많은 원자들이 모여 고체를 이루면 연속적인 띠 모양을 이룬다.

기체의 원자핵과 속박 전자

전자는 원자핵과의 전기력에 의해 속박되어 있다. 전자의 전기력에 의한 퍼텐셜 에너지는 전자가 원자핵에서 멀어질수록 커진다. 전자의 에너지가 충분히 크지 않으면 원자핵에서 멀리 도망가지 못하고, 원자핵 주위를 돌게 되는데, 이 상태의 전자를 속박 전자라고 한다.

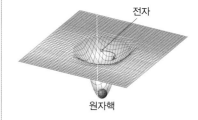

시야확장 ➕ 원자 내부 전자의 양자 상태

양자 역학에서 원자에 있는 전자의 양자 상태를 표현할 때는 다음의 네 가지 양자수를 사용한다.

이름	기호	허용된 값	관련된 물리량
주양자수	n	1, 2, 3, ……	전자가 가지는 에너지
궤도 양자수	l	0, 1, 2, ……, $(n-1)$	궤도 각운동량의 크기
자기 양자수	m_l	0, ± 1, ± 2, ……, $\pm l$	궤도 각운동량의 방향
스핀 양자수	m_s	$\pm \dfrac{1}{2}$	전자의 스핀 방향

여러 개의 전자를 가진 원자에서 전자가 배열될 때 파울리 배타 원리에 의해 에너지가 가장 낮은 양자 상태부터 각각의 양자 상태에 전자가 1개씩 차례대로 채워진다.

2. 고체의 에너지띠와 전기 전도성

(1) 고체의 에너지띠: 보통의 물질은 아보가드로수만큼 많은 수의 원자로 이루어져 있다. 따라서 수 eV 정도의 폭을 갖는 1개의 에너지띠 안에는 10^{24}개 정도 규모의 에너지 준위가 매우 촘촘하게 모여 거의 연속적인 띠의 형태를 이룬다.

① **에너지띠:** 원자 내의 전자가 에너지 준위에만 존재할 수 있는 것처럼, 고체에서 전자도 에너지띠의 영역에서만 존재할 수 있다. 이렇게 고체 내의 전자가 가질 수 있는 일정한 폭의 에너지 영역을 에너지띠라고 한다.

② 전자는 에너지띠 사이 영역의 에너지를 가질 수 없다.

(2) 원자가 띠와 전도띠

① **원자가 띠:** 절대 온도 0 K일 때 고체 내의 수많은 전자들은 에너지띠의 가장 낮은 에너지 준위부터 차례대로 채워 나간다. 전자가 채워진 에너지띠 중에서 에너지가 가장 높은 에너지띠를 원자가 띠라고 한다.

② **전도띠:** 원자가 띠 바로 위의 전자가 채워지지 않은 에너지띠이다.

③ **띠 간격:** 원자가 띠와 전도띠 사이의 간격으로, 원자가 띠의 가장 높은 에너지 준위와 전도띠의 가장 낮은 에너지 준위의 에너지 차이다.

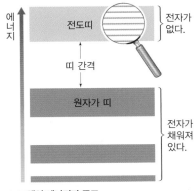

▲ 고체의 에너지띠 구조

(3) 고체의 전기 전도성: 외부에서 전압을 가했을 때 전자가 이동하는 정도로 고체의 전기 전도성을 비교할 수 있다. 고체 내부의 전자에 전기력이 작용하여 이동하려면, 전자의 에너지가 증가해야 한다. 즉, 일부 전자가 더 높은 에너지 준위로 이동해야 한다. 그런데 파울리 배타 원리에 의해 이미 채워져 있는 에너지 준위로는 전자가 전이할 수 없으므로, 빈 에너지 준위가 있어야만 전자가 전이하여 전류가 흐를 수 있다.

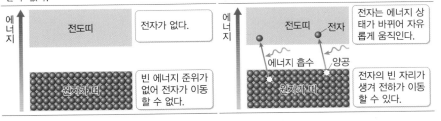

전자가 이동할 수 없는 경우	전자가 이동하는 경우
원자가 띠가 전자로 모두 채워져 있으면, 전자가 전이할 수 있는 빈 에너지 준위가 없어서 전자가 이동할 수 없다.	전도띠에는 비어 있는 에너지 준위들이 띠 안에 있으므로, 전도띠로 전이한 전자는 고체 내부를 이동할 수 있다.

① **자유 전자:** 전도띠로 전이한 전자로, 작은 에너지만 주어져도 전자가 고체 내부를 자유롭게 움직이면서 에너지 상태가 바뀔 수 있다.

② **양공:** 원자가 띠의 전자가 전도띠로 전이하여 원자가 띠에 생긴 전자의 빈 자리이다. 원자가 띠의 전자가 빈 자리를 차례대로 메우면서 양공이 이동할 수 있으므로, 양공은 마치 (+)전하처럼 이동한다.

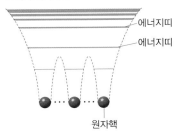

고체의 에너지띠

고체의 에너지띠는 물리적인 공간이 아니라 전자가 가질 수 있는 에너지값을 의미한다. 에너지띠 사이에 전자가 존재할 수 없다는 것은 이 영역에 해당하는 에너지를 갖는 전자가 없다는 것을 의미한다.

아보가드로수

탄소 12 g에 들어 있는 원자의 개수로 정의되며, 값은 6.02×10^{23} mol^{-1}이다.

에너지띠의 폭

에너지띠 구조를 보면 에너지가 낮은 에너지띠의 폭이 에너지가 높은 에너지띠의 폭보다 좁은 것을 알 수 있다. 그 까닭은 낮은 에너지띠의 전자들은 원자핵에 가까운 곳에서 오랜 시간 머무르기 때문에 바깥쪽의 높은 에너지 준위의 전자들에 비해 서로 덜 겹치므로, 에너지 준위가 갈라지는 정도도 작기 때문이다.

절대 온도 0 K

절대 온도 0 K은 이론적인 온도의 최저점으로, 분자나 원자 등 어떤 계를 이루는 입자의 에너지가 최소 상태일 때의 온도이다. 0 K일 때도 전자들은 파울리 배타 원리에 의해 에너지가 0이 될 수 없으므로, 정지하지 않고 원자핵 주위를 움직인다.

원자가 띠에 있던 전자가 전도띠로 전이하기 위한 조건

전자가 열에너지나 전기장으로부터 띠 간격 이상의 에너지를 흡수해야 한다.

③ 도체, 절연체, 반도체

전기 전도도는 고체 내부에서 전자의 이동이 얼마나 자유로운지에 따라 결정된다. 이러한 고체의 전기적 특성은 고체의 에너지띠 구조와 에너지띠에 전자가 어떻게 배치되어 있는지에 따라 결정된다.

1. 도체

(1) **에너지띠의 구조:** 도체는 전자가 채워진 에너지 준위 중 가장 높은 에너지 준위가 에너지띠의 중간쯤에 위치한다. 즉, 원자가 띠에 전자가 일부만 차 있거나 원자가 띠와 전도띠가 서로 겹쳐져 있어서 띠 간격이 없다.

(2) **전자의 이동과 전기 전도도**

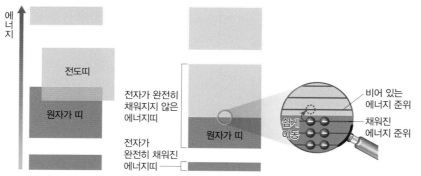

▲ **도체의 에너지띠 구조**

① 약간의 에너지만 가해도 원자가 띠의 전자들이 빈 에너지 준위로 쉽게 들뜰 수 있다. 따라서 도체는 작은 전압을 가해 주어도 전자가 도체 안에서 쉽게 이동할 수 있으므로 전류가 잘 흐른다.
② 전기 전도도가 높다.

2. 절연체(부도체)

(1) **에너지띠의 구조:** 절연체는 원자가 띠가 모두 전자로 채워져 있고, 띠 간격이 크다. 파울리 배타 원리에 의해 이미 채워져 있는 에너지 준위로는 전자가 전이할 수 없으므로, 전자들은 원자가 띠 내에서 이동할 수 없다.

(2) **전자의 이동과 전기 전도도**

① 절연체에서 전류가 흐르려면 원자가 띠의 전자가 에너지를 얻어 전도띠로 전이해야 하는데, 절연체의 띠 간격이 커서 전자가 쉽게 전이할 수 없다. 따라서 전압을 가해도 전류가 거의 흐르지 않는다.
② 절연체에서도 띠 간격 이상의 에너지를 흡수하면 전도띠로 전자가 전이하여 전류가 흐를 수 있다. 이를 절연 파괴라고 한다.
③ 전기 전도도가 낮다.

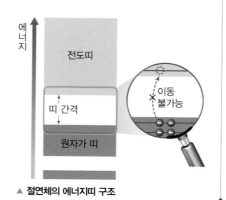

▲ **절연체의 에너지띠 구조**

여러 가지 물질의 전기 전도도(300 K)

물질	전기 전도도($1/\Omega \cdot m$)
은	6.8×10^7
구리	5.8×10^7
금	4.1×10^7
알루미늄	3.5×10^7
철	1.0×10^7
저마늄	2.2
규소	1.6×10^{-3}
유리	$10^{-14} \sim 10^{-10}$
고무	10^{-11}

3. 반도체

(1) 에너지띠의 구조: 반도체의 에너지띠는 절연체와 같이 원자가 띠가 모두 전자로 채워져 있으나 띠 간격이 $0.5\text{ eV} \sim 3.0\text{ eV}$ 정도로 절연체에 비해 훨씬 작다. 따라서 반도체에서는 일부 전자가 열에너지를 얻어 전도띠로 전이하는 것이 상온에서도 가능하다.

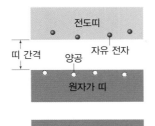

(가) 온도가 0 K일 때: 모든 전자가 원자가 띠에 분포하고 전도띠에는 존재하지 않아 절연체에 가깝다.

(나) 상온일 때: 일부 전자가 열에너지를 얻어 전도띠로 전이하여 자유 전자와 양공 쌍이 생긴다.

▲ **0 K일 때와 상온일 때 반도체의 에너지띠 모습**

(2) 반도체의 전하 나르개: 상온에서 일부 전자가 전도띠로 전이하여 자유 전자가 되면 원자가 띠에는 같은 수의 양공이 생기며, 자유 전자와 양공이 모두 전하 나르개 역할을 한다. 즉, 반도체에 전압을 가하면 자유 전자와 양공이 반대 방향으로 이동하여 약한 전류가 흐른다.

양공
원자가 띠의 전자가 빈 자리를 차례로 채우면서 양공이 이동하므로, 마치 (+)전하처럼 이동한다.

자유 전자
전원의 (−)극에서 나와 (+)극으로 들어가는 방향으로 전기력을 받아 이동한다.

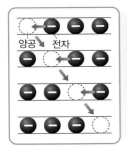

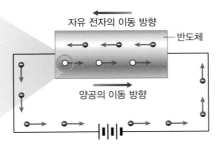

▲ **반도체에 전압을 가했을 때 자유 전자와 양공의 이동** 자유 전자와 양공이 서로 반대 방향으로 이동한다.

(3) 온도와 반도체의 전기 전도도: 반도체는 온도가 높아질수록 열에너지를 얻어 전도띠로 전이하는 전자의 수가 많아지므로, 전기 전도도가 증가한다.

시선 집중 ★ 도체, 절연체, 반도체의 에너지띠와 전기 전도도 비교

구분	도체	절연체	반도체
에너지띠 구조 (0 K일 때)	원자가 띠가 일부만 차 있거나 전도띠와 겹쳐져 있다.	원자가 띠가 모두 전자로 채워져 있다.	원자가 띠가 모두 전자로 채워져 있다.
띠 간격	없다.	크다.	작다.
전자의 이동	약간의 에너지만 가해도 전자가 쉽게 전도띠로 들뜬다.	전자가 전도띠로 전이할 수 없어, 전류가 거의 흐르지 않는다.	상온에서 일부 전자가 전도띠로 전이하여 약한 전류가 흐른다.
전기 전도도	크다.	매우 작다.	도체보다 작고 절연체보다 크다.

반도체와 절연체의 띠 간격
일반적으로 띠 간격이 3 eV 이상이면 절연체, 0.5 eV~3 eV 사이이면 반도체, 0.5 eV 이하이면 도체라고 한다. 그러나 이는 일반적인 기준일 뿐. 물질이 어떻게 쓰이느냐에 따라 반도체와 절연체를 구분한다.

종류	물질	띠 간격(eV)
반도체	규소(0 K)	1.17
	규소(300 K)	1.14
	저마늄(0 K)	0.744
	저마늄(300 K)	0.67
절연체	다이아몬드(300 K)	5.33

반도체의 전하 나르개 밀도
순수한 규소 결정을 이루는 규소 원자의 밀도는 5×10^{22} 개/cm^3 정도이다. 실온일 때 규소 결정에서 원자가 띠의 전자가 전도띠로 전이하여 생기는 자유 전자−양공 쌍의 밀도는 10^{10} 개/cm^3 정도로 규소 원자의 수에 비해 매우 적다. 반면, 도체인 구리의 전하 나르개 밀도는 9×10^{22} 개/cm^3 정도로 규소 결정에 비해 매우 크다.

탐구

여러 가지 고체의 전기 전도도 측정

여러 가지 고체의 전기 전도도를 측정하여 도체, 절연체, 반도체로 구분할 수 있다.

과정

1 그림과 같이 연필심의 양 끝에 전지, 전류계, 전압계를 연결한다.

2 연필심에 흐르는 전류와 전압을 측정하여, 연필심의 저항을 구한다.

3 연필심에서 전압을 측정한 부분의 길이와 단면적을 측정하여 비저항과 전기 전도도를 구한다.

• 비저항: $\rho = R\dfrac{S}{l}$ (R: 저항, S: 단면적, l: 길이)

• 전기 전도도: $\sigma = \dfrac{1}{\rho}$

4 철선, 구리 선, 플라스틱 막대 등으로 같은 실험을 반복하여 각 물질의 전기 전도도를 구한다.

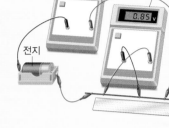

전류계　전압계
전지　연필심

유의점

• 철과 구리는 도체이므로 전기 저항이 작아 큰 전류가 흐를 수 있다. 반드시 저항을 사용하여 회로를 구성하고, 최대 전류가 0.5 A를 넘지 않도록 한다.

• 연필심에 센 전류가 흐르면 과열되어 유해 물질이 나올 수 있으므로 전류의 세기를 0.1 A 이하가 되도록 한다.

결과

각 물질의 저항, 비저항, 전기 전도도는 다음과 같다.

물질	저항(Ω)	비저항(Ω·m)	전기 전도도(Ω·m)$^{-1}$
연필심	5.7	3.0×10^{-4}	3.3×10^{3}
철	0.0637	1.00×10^{-7}	1.00×10^{7}
구리	0.0107	1.68×10^{-8}	5.95×10^{7}
플라스틱	측정 불가	측정 불가	측정 불가

정리

• 전기 전도도는 구리 > 철 > 연필심 ≫ 플라스틱 순이다.
• 연필심을 기준으로 할 때 구리와 철은 도체, 플라스틱은 절연체이다.

탐구 확인 문제

> 정답과 해설 51쪽

01 이 실험에 대한 설명으로 옳은 것은?

① 전기 전도도는 비저항의 역수이다.
② 전기 전도도는 절연체가 도체보다 크다.
③ 전기 전도도가 연필심보다 작은 물체는 도체이다.
④ 전압계는 전압을 측정하려고 하는 물체에 직렬로 연결한다.
⑤ 동일한 모양의 물체에 같은 전압을 걸었을 때 전류가 세게 흐를수록 전기 전도도가 작은 물질이다.

02 그림은 원통형 연필심의 전기 전도도를 측정하는 모습을 나타낸 것이다. 연필심에 연결한 두 전압 측정 단자 사이의 거리가 10 cm이고, 연필심의 반지름은 1.0 mm이다. 전압계와 전류계로 측정한 값이 각각 1.50 V, 0.15 A일 때 연필심의 전기 전도도는?

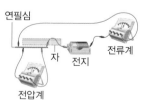

연필심　자　전류계　전지　전압계

① $2.8 \times 10^{2}\ (\Omega\cdot m)^{-1}$ ② $3.18 \times 10^{3}\ (\Omega\cdot m)^{-1}$
③ $5.6 \times 10^{3}\ (\Omega\cdot m)^{-1}$ ④ $6.36 \times 10^{3}\ (\Omega\cdot m)^{-1}$
⑤ $1.16 \times 10^{4}\ (\Omega\cdot m)^{-1}$

심화

페르미 에너지와 전기 전도도

양자 역학을 바탕으로 고체의 에너지띠 이론과 전기 전도도의 관계를 살펴보자.

① 페르미 준위

0 K에서 고체 내의 전자가 가질 수 있는 가장 높은 에너지 준위를 페르미 준위라고 한다. 0 K에서 페르미 준위의 에너지 값을 페르미 에너지라고 하는데, 페르미 에너지는 고체의 종류에 따라 다르다. 그림 (가)와 같이 0 K에서는 페르미 준위보다 낮은 에너지 준위에 전자가 존재할 확률은 1이고, 페르미 준위보다 높은 에너지 준위에 전자가 존재할 확률은 0이 된다.

0 K이 아닌 임의의 온도에서 페르미 준위는 (나)와 같이 전자가 채워질 확률이 $\frac{1}{2}$이 되는 에너지 준위로 정의한다. 따라서 이보다 낮은 에너지 준위는 전자로 채워질 가능성이 크고, 페르미 준위보다 높은 에너지 준위는 비워질 가능성이 크다. 온도가 높아지면 페르미 준위 아래에 있던 전자들이 페르미 준위보다 높은 에너지 준위로 올라갈 확률이 커지므로, 각 에너지 준위에 전자가 존재할 확률 분포는 그림 (다)와 같이 달라진다.

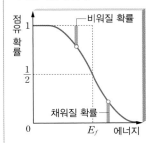

페르미-디랙 분포

페르미-디랙 분포는 임의의 온도 T에서 에너지 준위 E가 입자에 의해 채워질 확률을 나타내는 것으로, 고체 내의 전자는 페르미-디랙 분포를 따른다. 페르미-디랙 분포함수를 그래프로 나타내면 다음과 같다.

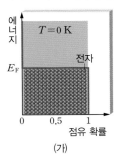
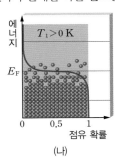
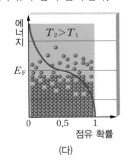

(가)　　　　(나)　　　　(다)

② 도체, 절연체, 반도체에서의 전기 전도도

(1) **도체:** 나트륨과 같은 도체에서 전자들이 채워진 가장 높은 띠에는 그림과 같이 전자가 일부만 채워져 있다. 그림 왼쪽의 그래프는 임의의 에너지 상태 E가 $T>0$ K인 온도에서 채워질 페르미-디랙 분포를 나타낸 것이다. 0 K에서 페르미 에너지 E_F보다 낮은 에너지 준위들은 전자들

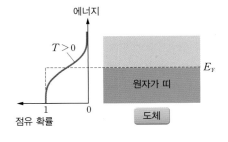

로 모두 채워져 있고, E_F보다 높은 에너지 준위들은 모두 비어 있다. 0 K보다 높은 온도에서 열적 들뜸으로 인해 약간의 전자들이 E_F보다 높은 곳에 존재한다.

만일 금속에 전기장이 가해지면, E_F보다 약간 낮은 에너지 준위에 존재하던 전자는 전기장으로부터 에너지를 얻어 비어 있는 에너지 준위로 이동할 수 있다. 따라서 도체에서는 전자들이 채워진 에너지 상태로부터 아주 가까운 곳에 채워지지 않은 많은 에너지 상태들이 존재하기 때문에 약한 전기장이 가해져도 전자들은 자유롭게 움직인다.

(2) **절연체:** 그림과 같이 0 K에서 절연체의 원자가 띠는 전자들로 완전히 채워져 있고 전도띠는 완전히 비어 있다. 이때 페르미 에너지 E_F는 띠 간격의 중간에 존재한다.

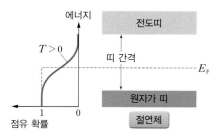

절연체에서 띠 간격은 약 10 eV 정도로 상온(300 K)에서 전자의 평균적인 열적 에너지인 0.025 eV보다 훨씬 크기 때문에 페르미 – 디랙 분포에서 매우 작은 수의 전자들만 열적 들뜸이 일어난다. 즉, 절연체에서 열적 들뜸에 의해 전도띠에 존재하는 전자의 수는 거의 없다. 따라서 절연체에서는 전도띠에 비어 있는 에너지 준위가 많이 있지만, 상온에서 전도띠를 채우는 전자가 매우 작기 때문에 전기 전도도가 매우 낮다.

(3) **반도체:** 반도체는 띠 간격이 절연체에 비해 작다. 0 K에서 원자가 띠는 전자들로 모두 채워져 있고, 전도띠에는 전자가 존재하지 않는다. 따라서 낮은 온도에서 반도체의 전기 전도도는 낮다.

결정	띠 간격(eV)		결정	띠 간격(eV)	
	0 K	300 K		0 K	300 K
Si	1.17	1.14	CdS	2.582	2.42
Ge	0.744	0.67	CdTe	1.607	1.45
InP	1.42	1.35	ZnO	3.436	3.2
GaAs	1.52	1.43	ZnS	3.91	3.6

▲ 몇 가지 반도체의 띠 간격

상온에서는 그림과 같이 반도체의 전자 밀도가 변한다. 페르미 준위 E_F는 띠 간격의 중간쯤에 존재하고, 띠 간격이 작으므로 열적 들뜸에 의해 적당한 수의 전자가 원자가 띠에서 전도띠로 전이한다. 전도띠에서 가까이 있는 빈 상태들이 많이 존재하기 때문에 전기장이 가해지면 전도띠에 존재하는 전자들의 에너지가 쉽게 증가하여 전류가 흐르게 된다.

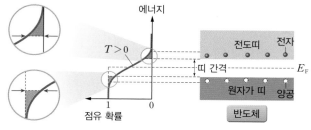

온도가 높을수록 열적 들뜸을 통해 전도띠로 이동하는 전자의 수가 많아지므로, 반도체는 온도가 높을수록 전기 전도도가 증가한다.

02 고체의 에너지띠 이론과 물질의 전기 전도성 1. 물질의 구조와 성질

① 고체의 전기적 특성

1. (❶   )**의 법칙**   물체에 흐르는 전류의 세기 I는 물체에 걸린 전압 V에 비례한다.

- 전류, 전압, 저항의 관계: $V=$(❷   ) $\Rightarrow R=\dfrac{V}{I}$

- 비저항: 물체의 저항 R는 길이 l에 비례하고 단면적 S에 반비례한다. 이때 비례 상수 ρ를 비저항이라고 하며, 물질의 특성이다. $\Rightarrow R=\rho\dfrac{l}{S}$

- (❸   ): 비저항의 역수로, 전기 전도도가 클수록 전류가 잘 흐르는 물질이다. $\Rightarrow \sigma=\dfrac{1}{\rho}$

2. **고체의 전기 전도도에 따른 분류**

구분	(❹)	절연체	반도체
전기 전도도	크다.	작다.	(❺)
예	모든 금속	다이아몬드, 유리, 고무	규소(Si), 저마늄(Ge)

② 원자의 에너지 준위와 고체의 에너지띠

1. **에너지띠**   수많은 원자가 모인 고체에서 에너지 준위가 미세하게 갈라져 거의 연속적인 띠 모양으로 나타나는 것

- 원자가 띠: 전자가 채워진 에너지띠 중에서 에너지가 가장 높은 에너지띠

- (❻   ): 원자가 띠 바로 위의 전자가 채워지지 않은 에너지띠
  ➡ 원자가 띠의 가장 높은 에너지 준위와 전도띠의 가장 낮은 에너지 준위 사이의 에너지 간격을 (❼   )이라고 한다.

2. **자유 전자와 양공**   전하를 운반하여 전류를 흐르게 한다.

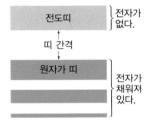

자유 전자	양공
전도띠로 전이한 전자로, 작은 에너지만 주어져도 고체 내부를 자유롭게 움직인다.	원자가 띠의 전자가 전도띠로 전이하여 생긴 전자의 빈 자리로, 마치 (❽)전하처럼 움직인다.

③ 도체, 절연체, 반도체

1. **고체의 에너지띠와 전기 전도성**

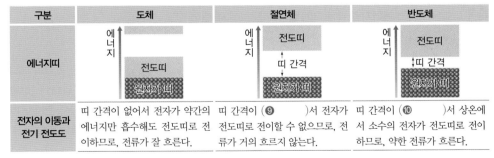

구분	도체	절연체	반도체
에너지띠			
전자의 이동과 전기 전도도	띠 간격이 없어서 전자가 약간의 에너지만 흡수해도 전도띠로 전이하므로, 전류가 잘 흐른다.	띠 간격이 (❾)서 전자가 전도띠로 전이할 수 없으므로, 전류가 거의 흐르지 않는다.	띠 간격이 ❿)서 상온에서 소수의 전자가 전도띠로 전이하므로, 약한 전류가 흐른다.

2. **온도와 반도체의 전기 전도도**   온도가 높아질수록 전도띠로 전이하는 전자의 수가 늘어나므로, 전기 전도도가 (⓫   )한다.

01 그림과 같이 일정한 온도에서 길이가 l, 단면적이 S인 직육면체 모양 물체의 저항이 R이었다. 이 물체의 전기 전도도를 l, S, R를 사용하여 식으로 나타내시오.

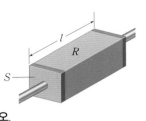

02 그림은 여러 가지 물질의 비저항을 온도에 따라 나타낸 그래프이다. (가), (나), (다)에 해당하는 물질을 보기에서 골라 기호를 쓰시오.

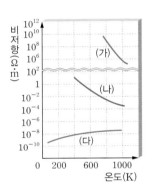

보기
ㄱ. 도체　　　ㄴ. 절연체　　　ㄷ. 반도체

03 다음은 고체의 에너지 준위에 대한 설명이다. ㉠, ㉡에 들어갈 알맞은 말을 쓰시오.

> 기체 상태일 때 원자들은 서로 멀리 떨어져 있으므로 모두 동일한 에너지 준위를 가진다. 그러나 고체 상태일 때는 수많은 원자가 서로 가까이 위치한다. (㉠) 원리에 의해 하나의 양자 상태에 2개 이상의 전자가 있을 수 없으므로, 이때 원자의 에너지 준위는 미세하게 갈라져 (㉡)적인 띠의 형태를 이룬다.

04 그림 (가)와 (나)는 각각 기체에서 원자의 에너지 준위와 고체의 에너지띠를 나타낸 것이다.

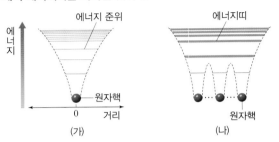

이에 대한 설명으로 옳은 것만을 보기에서 있는 대로 고르시오.

보기
ㄱ. (가)에서 원자핵에서 멀어질수록 에너지 준위가 높다.
ㄴ. (나)에서 각 에너지띠에는 에너지 준위가 하나만 존재한다.
ㄷ. (나)에서 에너지띠 사이에는 전자가 존재할 수 없다.

05 고체에서 전자의 에너지 영역에 대한 설명으로 옳은 것만을 보기에서 있는 대로 고르시오.

보기
ㄱ. 자유 전자는 전도띠에 존재한다.
ㄴ. 전자가 갖는 에너지 값은 모두 연속적이다.
ㄷ. 전자가 존재할 수 있는 영역을 에너지띠라고 한다.

06 그림은 어떤 고체의 에너지띠 구조를 나타낸 것이다. A~D 중에서 원자가 띠를 골라 기호를 쓰시오.

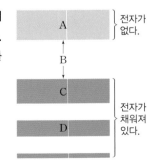

07 다음은 고체에서 전류가 흐르는 까닭을 설명한 것이다.

(가) 전자가 모두 채워진 에너지띠 B에 있던 (㉠)이/가 빈 에너지띠 A로 전이하면 B에는 (㉡)이/가 생긴다. A의 (㉠)은/는 외부 전기장을 따라 쉽게 이동할 수 있어 전류가 흐르게 할 수 있다. 또, B의 (㉡)에도 주변의 (㉠)이/가 이동할 수 있어 전류가 흐르게 할 수 있다.

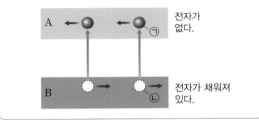

(1) ㉠, ㉡에 들어갈 알맞은 말을 쓰시오.

(2) (가)와 같이 ㉠이 전이하기 위한 조건을 쓰시오.

08 표는 상온에서 여러 가지 고체 물질의 띠 간격을 나타낸 것이다.

물질	띠 간격(eV)	물질	띠 간격(eV)
Si	1.14	다이아몬드	5.33
Ge	0.67	AgCl	3.20
InSb	0.23		

이에 대한 설명으로 옳은 것만을 보기에서 있는 대로 고르시오.

보기
ㄱ. Si는 반도체이다.
ㄴ. 다이아몬드는 전도띠와 원자가 띠가 겹쳐 있다.
ㄷ. 상온에서 InSb는 AgCl보다 전기 전도성이 좋다.

09 그림 (가)~(다)는 전기 전도도를 기준으로 구분한 고체의 에너지띠 구조를 모식적으로 나타낸 것으로, 파란색 부분은 에너지띠에 전자가 차 있는 것을 나타낸다.

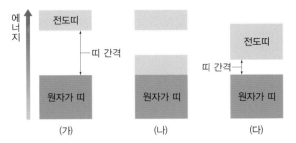

(1) 다음은 상온에서 여러 가지 물질의 전기 전도도를 나타낸 표이다. (가)와 (나)에 해당하는 물질을 각각 있는 대로 골라 쓰시오.

물질	전기 전도도 $((\Omega \cdot m)^{-1})$	물질	전기 전도도 $((\Omega \cdot m)^{-1})$
구리	5.9×10^7	규소	1.6×10^{-3}
알루미늄	3.5×10^7	유리	$10^{-15} \sim 10^{-11}$
저마늄	2.2	고무	10^{-14}

(2) (다)에 대한 설명으로 옳은 것만을 보기에서 있는 대로 고르시오.

보기
ㄱ. 절연체의 에너지띠 구조이다.
ㄴ. 상온에서 자유 전자와 양공이 모두 전하 나르개 역할을 한다.
ㄷ. 온도가 높아질수록 전하 나르개 밀도가 증가한다.

10 그림 (가)는 온도가 0 K일 때 반도체의 에너지띠 구조이고, (나)는 상온일 때 반도체의 에너지띠 구조이다. 파란색 부분은 에너지띠에 전자가 차 있는 것을 나타낸다. (가), (나) 중 전기 전도도가 더 높은 상태를 고르시오.

01 › 고체의 전기적 특성
그림은 두 물질 A, B의 온도에 따른 비저항을 나타낸 그래프이다.

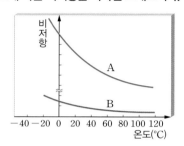

이에 대한 설명으로 옳은 것만을 보기에서 있는 대로 고른 것은?

보기
ㄱ. B가 A보다 전기 전도도가 더 좋다.
ㄴ. A는 절연체, B는 도체이다.
ㄷ. A와 B 모두 띠 간격이 존재한다.

① ㄱ   ② ㄴ   ③ ㄷ   ④ ㄱ, ㄷ   ⑤ ㄴ, ㄷ

• 온도에 따라 비저항이 변하는 특성에 따라 물질을 도체, 절연체, 반도체로 구분할 수 있다.

02 › 고체의 에너지띠
그림은 고체의 에너지띠 구조를 모식적으로 나타낸 것이다.

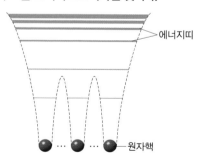

이에 대한 설명으로 옳은 것만을 보기에서 있는 대로 고른 것은?

보기
ㄱ. 전자는 에너지띠에 해당하는 에너지만 가질 수 있다.
ㄴ. 에너지띠 안에서 전자의 에너지 준위는 불연속적이다.
ㄷ. 같은 에너지띠 안의 전자는 모두 같은 에너지를 가진다.

① ㄱ   ② ㄴ   ③ ㄱ, ㄴ   ④ ㄱ, ㄷ   ⑤ ㄴ, ㄷ

• 에너지띠 사이의 에너지 영역에는 전자의 에너지 준위가 존재하지 않는다.

$\underset{\text{03}}{\bigcirc\bigcirc}$ > 에너지 준위의 변화

그림 (가)는 기체 원자 내부에 속박된 전자의 에너지 준위를, (나)는 인접한 2개의 원자에 의한 에너지 준위를 나타낸 것이다.

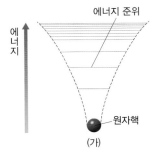
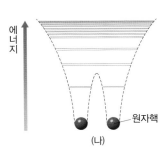

이에 대한 설명으로 옳은 것만을 보기에서 있는 대로 고른 것은?

> 보기
> ㄱ. (가)에서 같은 종류의 원자는 동일한 에너지 준위를 가진다.
> ㄴ. (나)에서 에너지 준위 사이의 영역에는 전자가 존재할 수 없다.
> ㄷ. (나)에서 인접한 원자의 수가 늘어나면 에너지 준위가 나누어지는 수도 늘어난다.

① ㄱ   ② ㄴ   ③ ㄷ   ④ ㄴ, ㄷ   ⑤ ㄱ, ㄴ, ㄷ

• 파울리 배타 원리에 의해 원자들이 가까이 있으면 전자들의 에너지 준위가 미세하게 갈라진다.

$\underset{\text{04}}{\bigcirc\text{4}}$ > 고체의 에너지띠

그림 (가)는 어떤 원자 1개의 에너지 준위를 나타낸 것이고, 그림 (나)는 (가)와 동일한 원소로 이루어진 고체의 에너지띠의 구조를 나타낸 것이다.

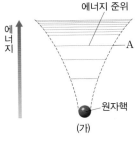
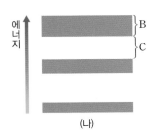

이에 대한 설명으로 옳은 것만을 보기에서 있는 대로 고른 것은?

> 보기
> ㄱ. (가)의 A와 (나)의 B가 수용할 수 있는 최대 전자 수는 같다.
> ㄴ. (나)에서 전자는 C 영역의 에너지를 가질 수 없다.
> ㄷ. 전자가 가질 수 없는 에너지 영역은 (가)와 (나)가 동일하다.

① ㄱ   ② ㄴ   ③ ㄱ, ㄴ   ④ ㄱ, ㄷ   ⑤ ㄴ, ㄷ

• 고체에서는 원자 1개에 있던 여러 개의 에너지 준위가 여러 개의 에너지띠로 나타난다.

05 ❯ 에너지띠와 전기 전도성

그림은 고체 A, B의 에너지띠 구조를 나타낸 것으로, A와 B는 각각 도체와 반도체 중 하나이다. 파란색 부분은 에너지띠에 전자가 차 있는 것을 나타낸다. 표는 상온에서 A, B의 전하 나르개 밀도를 순서 없이 나타낸 것이다.

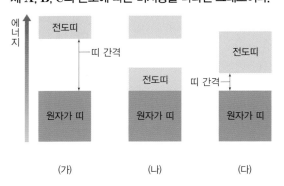

구분	전하 나르개 밀도
㉠	9×10^{28} /m³
㉡	1×10^{16} /m³

이에 대한 설명으로 옳은 것만을 보기에서 있는 대로 고른 것은?

> 보기
>
> ㄱ. A는 도체이다.
> ㄴ. A는 ㉡, B는 ㉠에 해당한다.
> ㄷ. 온도가 높아질수록 B의 전하 나르개 밀도는 증가한다.

① ㄱ   ② ㄴ   ③ ㄱ, ㄷ   ④ ㄴ, ㄷ   ⑤ ㄱ, ㄴ, ㄷ

- 반도체는 절연체보다 띠 간격이 작아서 적당한 에너지를 흡수하면 전도띠로 전자가 전이할 수 있다.

06 ❯ 온도에 따른 고체의 전기 전도성 변화

그림 (가)~(다)는 각각 도체, 절연체, 반도체 중 하나인 고체 A, B, C의 에너지띠 구조를 순서 없이 나타낸 것으로, 파란색 부분은 에너지띠에 전자가 차 있는 것을 나타낸다. 그림 (라)는 고체 A, B, C의 온도에 따른 비저항을 나타낸 그래프이다.

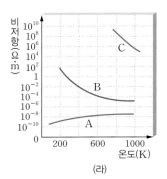

이에 대한 설명으로 옳은 것만을 보기에서 있는 대로 고른 것은?

> 보기
>
> ㄱ. (가)의 전자들은 약간의 에너지만 주어도 고체 내에서 자유롭게 이동할 수 있다.
> ㄴ. A는 (나)에 해당한다.
> ㄷ. 상온에서 자유 전자 수는 B가 C보다 많다.

① ㄱ   ② ㄴ   ③ ㄱ, ㄴ   ④ ㄱ, ㄷ   ⑤ ㄴ, ㄷ

- 반도체는 온도가 높아지면 전도띠로 전이하는 전자가 많아져 비저항이 감소한다.

07 > 띠 간격과 전기 전도성

그림은 어떤 고체 내에서 전류가 흐르는 과정을 에너지띠를 이용하여 모식적으로 나타낸 것이고, 표는 규소와 다이아몬드의 띠 간격을 나타낸 것이다. 파란색 부분은 에너지띠에 전자가 차 있는 것을 나타낸다.

물질	띠 간격(eV)
규소(300 K)	1.14
다이아몬드	5.33

> 전자가 전도띠로 전이하기 위해서는 띠 간격 이상의 에너지를 흡수해야 한다.

이에 대한 설명으로 옳은 것만을 보기에서 있는 대로 고른 것은?

보기
ㄱ. ㉠의 A는 고체 내부를 자유롭게 이동할 수 있다.
ㄴ. B로는 전자가 이동할 수 없다.
ㄷ. 규소는 온도가 높아질수록 ㉠으로 전이하는 A의 수가 많아진다.
ㄹ. 상온에서 다이아몬드는 ㉠으로 전이하는 A의 밀도가 규소보다 크다.

① ㄱ, ㄷ　　② ㄱ, ㄹ　　③ ㄴ, ㄷ　　④ ㄴ, ㄹ　　⑤ ㄷ, ㄹ

08 > 고체의 전기 전도성과 에너지띠

그림 (가)~(다)는 전기적 성질에 따라 분류한 고체의 에너지띠 구조를 나타낸 것으로, 파란색 부분은 에너지띠에 전자가 차 있는 것을 나타낸다.

> 띠 간격에 따라 고체를 도체, 절연체, 반도체로 나눌 수 있다.

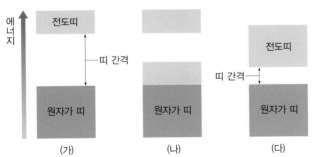

(가)　　(나)　　(다)

이에 대한 설명으로 옳은 것만을 보기에서 있는 대로 고른 것은?

보기
ㄱ. (가)는 아무리 큰 에너지를 흡수해도 원자가 띠의 전자가 전도띠로 전이할 수 없다.
ㄴ. 전기 전도도는 (나)>(다)>(가) 순으로 크다.
ㄷ. 상온에서 (다)의 전도띠에는 전자가 존재하지 않는다.

① ㄴ　　② ㄷ　　③ ㄱ, ㄴ　　④ ㄱ, ㄷ　　⑤ ㄴ, ㄷ

고난도

09 > 반도체의 전기 전도성

그림은 수소 원자의 에너지 준위를 양자수 n에 따라 나타낸 것이고, 표는 규소와 저마늄의 띠 간격을 온도에 따라 나타낸 것이다.

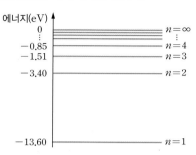

물질	띠 간격(eV)
규소(0 K)	1.17
규소(300 K)	1.14
저마늄(0 K)	0.744
저마늄(300 K)	0.67

이에 대한 설명으로 옳은 것만을 보기에서 있는 대로 고른 것은?

보기
ㄱ. 규소와 저마늄은 온도가 높아지면 비저항이 증가한다.
ㄴ. 발머 계열의 빛은 규소 원자의 원자가 띠에 있는 전자를 전도띠로 전이시킬 수 있다.
ㄷ. 수소 원자에서 $n=4$인 상태에서 $n=3$인 상태로 전이할 때 방출하는 빛은 0 K인 저마늄의 전기 전도성을 높일 수 있다.

① ㄱ   ② ㄴ   ③ ㄱ, ㄴ   ④ ㄱ, ㄷ   ⑤ ㄴ, ㄷ

• 띠 간격이 작을수록 원자가 띠에서 전도띠로 전이할 수 있는 전자의 수가 많아진다.

10 > 수소 원자와 고체의 에너지띠

그림 (가)는 수소 원자의 에너지 준위 E_n을 $n=1$에서 $n=4$까지 나타낸 것이고, (나)는 어떤 고체의 에너지띠 구조를 나타낸 것이다. (나)에서 띠 간격은 E_4-E_3이고, 파란색 부분은 에너지띠에 전자가 차 있는 것을 나타낸다.

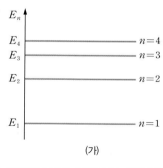

(가)

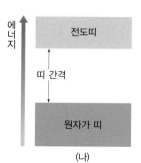

(나)

이에 대한 설명으로 옳은 것만을 보기에서 있는 대로 고른 것은?

보기
ㄱ. (가)에서 방출하는 빛은 선 스펙트럼을 나타낸다.
ㄴ. (나)는 도체의 에너지띠 구조이다.
ㄷ. (나)의 원자가 띠에 있는 전자가 E_3-E_2의 에너지를 갖는 빛을 흡수하면 전도띠로 전이할 수 있다.

① ㄱ   ② ㄴ   ③ ㄱ, ㄴ   ④ ㄱ, ㄷ   ⑤ ㄴ, ㄷ

• 띠 간격 이상의 에너지를 갖는 빛을 흡수하면 원자가 띠의 전자가 전도띠로 전이한다.

11 ❯ 절연체와 반도체의 에너지띠

그림은 규소와 다이아몬드의 에너지띠 구조를 나타낸 것이고, 파란색 부분은 에너지띠에 전자가 차 있는 것을 나타낸다.

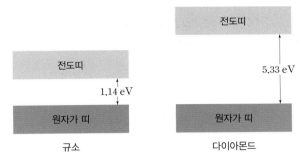

규소

다이아몬드

이에 대한 설명으로 옳은 것만을 보기에서 있는 대로 고른 것은?

보기

ㄱ. 규소의 원자가 띠에 있는 전자들의 에너지는 모두 같다.

ㄴ. 규소가 다이아몬드보다 전기 전도성이 좋다.

ㄷ. 1.2 eV의 에너지를 갖는 빛을 흡수하면 규소의 전기 전도성이 좋아진다.

① ㄱ   ② ㄴ   ③ ㄷ   ④ ㄱ, ㄷ   ⑤ ㄴ, ㄷ

• 띠 간격이 작을수록 전기 전도성이 좋다.

---

12 ❯ 반도체와 절연체의 띠 간격

그림은 어떤 고체의 에너지띠 구조로 E는 두 에너지띠 사이의 에너지 간격이고, 파란색 부분은 에너지띠에 전자가 차 있는 것을 나타낸다. 표는 물질에 따른 E의 값과 전기 전도성에 따라 구분한 고체의 종류를 나타낸 것이다.

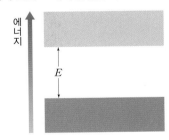

물질	E(eV)	종류
규소	1.14	반도체
비화 갈륨	1.52	㉠
다이아몬드	㉡	절연체

이에 대한 설명으로 옳은 것만을 보기에서 있는 대로 고른 것은?

보기

ㄱ. ㉠은 도체이다.

ㄴ. ㉡은 1.14 eV보다 크다.

ㄷ. 1.00 eV의 에너지를 갖는 빛은 규소의 원자가 띠에 있던 전자를 전도띠로 전이시킬 수 있다.

① ㄱ   ② ㄴ   ③ ㄱ, ㄴ   ④ ㄱ, ㄷ   ⑤ ㄴ, ㄷ

• 띠 간격보다 큰 에너지를 갖는 빛을 흡수하면 원자가 띠의 전자가 전도띠로 전이한다.

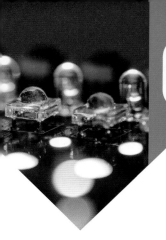

03 다이오드

학습 Point　반도체의 도핑 〉 p형 반도체, n형 반도체 〉 p-n 접합 다이오드의 전류-전압 특성 〉 다양한 다이오드의 활용

1 반도체의 도핑

저마늄이나 규소와 같은 반도체는 도체나 절연체와는 달리 불순물이라고 불리는 특정한 원자들을 약간 첨가하는 도핑이라는 과정을 통해 그 전기적 특성을 변화시킬 수 있다.

1. 순수한 (고유) 반도체

(1) 규소 원자의 원자가 전자

① 원자가 전자: 원자에서 양자수 n에 따른 전자의 에너지 준위를 전자껍질로 나타내며, 각 전자껍질은 내부에 여러 양자 상태를 가지고 일정한 수의 전자를 수용할 수 있다. 이때 가장 바깥쪽 전자껍질에 존재하며 화학 결합에 참여하는 전자를 원자가 전자라고 한다.

② 규소(Si) 원자의 원자가 전자: 원자 번호 14번인 규소는 그림과 같이 14개의 전자가 낮은 에너지 준위부터 차례대로 채워지며, 원자가 전자는 4개이다.

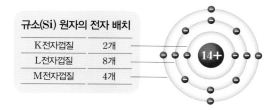

규소(Si) 원자의 전자 배치	
K전자껍질	2개
L전자껍질	8개
M전자껍질	4개

규소(Si) 원자의 원자가 전자는 4개이다.

(2) 규소 원자의 결합

반도체인 규소 결정은 원자가 전자 4개가 이웃한 4개의 규소 원자들과 전자 1개씩을 서로 공유하는 공유 결합을 한다. 온도가 0 K일 때는 규소 원자의 모든 원자가 전자가 공유 결합에 참여하고 있어 전기 전도성이 낮다. 온도가 높아지면 일부 전자가 띠 간격 이상의 에너지를 얻어 결합에서 빠져나오며 자유 전자와 양공 쌍이 생성된다.

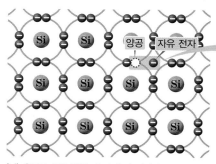

(가) 온도가 0 K일 때: 모든 원자가 전자가 공유 결합에 참여한다.

(나) 온도가 300 K일 때: 소수의 전자가 공유 결합에서 벗어나 자유 전자와 양공 쌍이 생긴다.

▲ 규소 결정의 공유 결합 모형에서의 자유 전자 양공 쌍

전자껍질

전자는 원자핵 주위의 특정한 에너지 준위에 해당하는 궤도에서만 돈다. 이 궤도를 전자껍질이라고 하며, 원자핵에 가장 가까운 껍질부터 양자수가 $n=1, 2, 3, 4, \cdots$인 상태를 각각 K, L, M, N, $\cdots$의 기호를 사용하여 나타낸다. 양자수가 n인 껍질에는 궤도 양자수, 자기 양자수, 스핀 양자수에 따라 총 $2n^2$개의 양자 상태가 존재하여, 이 수만큼의 전자를 수용할 수 있다.

공유 결합

비금속 원자끼리 결합하여 화합물을 만들 때 원자들이 전자를 내놓아 전자쌍을 서로 공유하여 안정한 화합물이 생성되는 결합

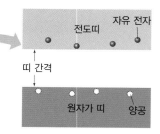

일부 전자가 열에너지를 얻어 원자가 띠에서 전도띠로 전이한다. 이렇게 전이하는 전자의 수는 규소 결정의 경우 상온에서 약 $1.5 \times 10^{10}/cm^3$ 정도이다.

2. 도핑

순수한 반도체에 특정한 불순물을 약간 첨가하는 과정이다.

(1) 불순물 반도체: 순수한 반도체 결정에 다른 물질을 도핑하여 전기 전도성을 좋게 한 반도체이다. 불순물의 종류에 따라 n형 반도체와 p형 반도체로 나뉜다.

(2) 불순물의 농도와 반도체의 전기 전도도

① 순수한 반도체 결정을 도핑할 때 불순물을 많이 넣을수록 양공 또는 자유 전자의 수가 많아져 전류가 잘 흐르게 된다. 즉, 불순물의 함량이 증가할수록 전기 전도도가 높아진다.

② 불순물 반도체에서 도핑한 불순물 원자의 수는 보통 $10^{13} \sim 10^{19}/cm^3$이다.

3. n형(negative type) 반도체

순수한 반도체에 자유 전자가 더 많이 생기도록 도핑한 불순물 반도체이다.

(1) 불순물 종류: 인(P), 비소(As), 안티모니(Sb)와 같이 원자가 전자가 5개인 15족 원소 ➡ 반도체에 전자를 공급할 수 있으므로, 이들을 주개 원자라고 한다.

인(P) 원자의 원자가 전자는 5개이다.

▲ 인(P) 원자의 전자 배치

(2) 주개 원자가 반도체에 전자를 공급하는 원리: 순수한 반도체 결정에 원자가 전자가 5개인 인(P)을 도핑하면, 인의 원자가 전자 중 4개는 공유 결합에 참여하고 여분의 전자 1개가 약하게 결합된 상태가 된다. 이 여분의 전자의 에너지 준위(주개 준위)는 전도띠 바로 아래에 생기므로, 작은 열에너지로도 전도띠로 쉽게 전이하여 자유 전자가 된다.

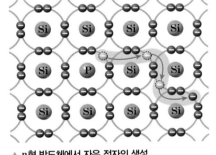

▲ n형 반도체에서 자유 전자의 생성

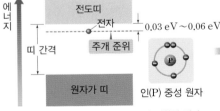

(가) 온도 0 K일 때: 인 원자에 약하게 결합된 전자의 에너지 준위가 전도띠 바로 아래에 생긴다.

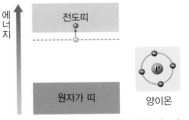

(나) 온도 50 K일 때: 전자가 열에너지를 얻어 전도띠로 들떠서 자유 전자가 되고, 인 원자는 양이온이 된다.

▲ n형 반도체의 에너지띠 구조

(3) 주요 전하 나르개: n형 반도체의 전도띠에는 원자가 띠에서 전이한 전자와 인 원자에 의해 주개 준위에서 전이한 전자가 있다. 원자가 띠의 양공은 전자가 전도띠로 전이할 때만 생긴다. 따라서 n형 반도체에서는 원자가 띠의 양공 수보다 전도띠의 자유 전자 수가 훨씬 많으므로, 주로 자유 전자에 의해 전류가 흐른다.

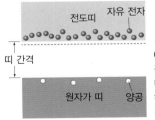

반도체 소자를 만드는 과정

반도체를 만드는 데에는 모래에서 추출한 규소가 사용된다. 뜨거운 열로 규소를 녹여 순도가 높은 액체 상태로 만든 다음, 서서히 냉각하면서 소량의 불순물을 섞는다. 이렇게 만들어진 원기둥 모양의 단결정 덩어리를 잉곳(ingot)이라고 하는데, 잉곳의 단면을 일정한 두께로 얇게 썰어 낸 것이 웨이퍼(wafer)이다. 웨이퍼를 연마하고 그 위에 전자 회로를 새겨 넣어 반도체 소자를 만든다.

13~15족 원소

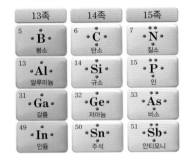

인의 양이온

인의 양이온은 전하를 가지고 있으나, 반도체 결정에 고정되어 있기 때문에 전하 나르개가 될 수 없다.

◀ 도핑으로 인한 전하 나르개 수의 변화 원자가 띠에서 전이한 전자의 수가 약 $10^{10}/cm^3$ 정도인 규소 결정에 불순물 원자를 $10^{15}/cm^3$만큼 도핑하면 전하 나르개 수가 약 10^5배가 된다. 이것은 도핑으로 인해 이 규소 결정의 저항이 10^{-5}배만큼 감소한다는 것을 의미한다.

4. p형(positive type) 반도체

순수한 반도체에 양공이 더 많이 생기도록 도핑한 불순물 반도체이다.

(1) **불순물 종류:** 붕소(B), 알루미늄(Al), 갈륨(Ga), 인듐(In)과 같이 원자가 전자가 3개인 13족 원소 ➡ 반도체로부터 전자를 받으며 양공을 공급할 수 있으므로, 이들을 받개 원자라고 한다.

알루미늄(Al) 원자의 원자가 전자는 3개이다.

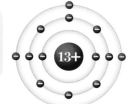

▲ **알루미늄(Al) 원자의 전자 배치**

(2) **받개 원자가 반도체에 양공을 공급하는 원리:** 순수한 반도체 결정에 원자가 전자 3개인 알루미늄(Al)을 도핑하면, 알루미늄 원자는 3개의 이웃한 규소 원자와 공유 결합을 하고, 하나의 결합에는 전자 1개가 부족한 빈 자리가 생긴다. 이 빈 자리에 해당하는 에너지 준위(받개 준위)는 원자가 띠 바로 위에 생기므로, 작은 열에너지로도 원자가 띠의 전자가 받개 준위로 쉽게 전이하여 양공이 생긴다.

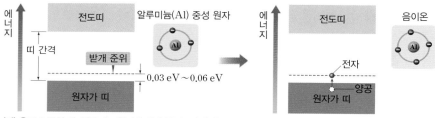

▲ **p형 반도체에서 자유 양공의 생성**

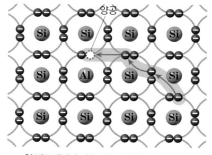

(가) 온도 0 K일 때: 알루미늄 원자에 의해 생긴 받개 준위가 원자가 띠 바로 위에 생긴다.

(나) 온도 50 K일 때: 원자가 띠의 전자가 열에너지를 얻어 받개 준위로 들떠서 양공이 생기고, 알루미늄 원자는 음이온이 된다.

▲ **p형 반도체의 에너지띠 구조**

(3) **주요 전하 나르개:** p형 반도체의 원자가 띠에는 알루미늄 원자에 의해 받개 준위로 전자가 전이하며 생긴 양공과 전도띠로 전자가 전이하며 생긴 양공이 있고, 전도띠에는 원자가 띠에서 전이한 전자만 있다. 따라서 p형 반도체에서는 전도띠의 자유 전자 수보다 원자가 띠의 양공 수가 훨씬 많으므로, 주로 양공에 의해 전류가 흐른다.

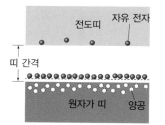

알루미늄의 음이온
알루미늄의 음이온은 전하를 가지고 있으나, 반도체 결정에 고정되어 있기 때문에 전하 나르개가 될 수 없다.

불순물 반도체에서 전기 전도성의 주요 요인
도핑한 반도체의 불순물 농도는 순수한 반도체 자체의 전자와 양공 농도의 수백에서 수십만 배이다. 따라서 불순물 반도체에서는 불순물에 의해 추가된 양공이나 자유 전자가 전기 전도성의 주요 요인이다.

시선 집중 ⭐ **도핑된 불순물 반도체의 특성**

특성	불순물의 원자가 전자	불순물의 종류	전하 나르개의 수 비교	주요 전하 나르개	불순물 이온의 전하
n형 반도체	5개	주개 원자	자유 전자≫양공	자유 전자	$+e$
p형 반도체	3개	받개 원자	자유 전자≪양공	양공	$-e$

② p-n 접합 다이오드

p형 반도체와 n형 반도체를 접합하여 만든 p-n 접합 다이오드는 전류의 방향을 제어할 수 있는 가장 기초적인 반도체 소자이다.

1. p-n 접합 다이오드

순수한 반도체를 한쪽은 p형 도핑을 하고 한쪽은 n형 도핑을 하여 접합한 후 양 끝에 전극을 붙인 전기 소자로, 한쪽 방향으로만 전류를 흐르게 하는 특성이 있다.

▲ 전기 소자의 실제 모습　　　▲ 내부 구조　　　▲ 전기 기호

2. p-n 접합

p형 반도체 막대와 n형 반도체 막대를 접합하였다고 가정하면, 각 반도체 내부에 있는 주요 전하 나르개의 움직임에 의해 다음과 같은 현상이 나타난다.

(1) **양공과 자유 전자의 확산:** p형 반도체에는 양공이 많고, n형 반도체에는 자유 전자가 많다. 따라서 이 둘을 접합시키면, 양공과 자유 전자의 상대적 농도 차이로 인해 양공과 자유 전자가 접합면을 넘어 서로 확산한다.

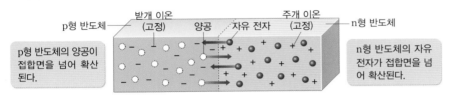

p형 반도체의 양공이 접합면을 넘어 확산된다.

n형 반도체의 자유 전자가 접합면을 넘어 확산된다.

▲ **p형 반도체와 n형 반도체의 접합**

(2) **전위 장벽 형성**

① **공핍층:** 서로 확산한 일부 자유 전자와 양공이 접합면 근처에서 재결합하여 소멸되면, 접합면 근처에는 전하 나르개의 밀도가 상대적으로 적은 영역이 생기게 되는데, 이를 결핍층 또는 공핍층이라고 한다.

② **전위 장벽:** 공핍층에는 전하를 띠는 고정된 불순물 이온만 남게 되므로, 접합면 근처에 각각 전하를 띤 영역이 생기게 된다. 따라서 이 전하에 의해 전기장이 형성되어 에너지 준위 차이가 발생하는데, 이를 전위 장벽이라고 한다. 전위 장벽에 의해 양공과 자유 전자는 더 이상의 확산을 멈추게 된다.

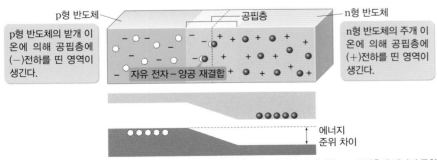

p형 반도체의 받개 이온에 의해 공핍층에 (−)전하를 띤 영역이 생긴다.

n형 반도체의 주개 이온에 의해 공핍층에 (+)전하를 띤 영역이 생긴다.

에너지 준위 차이

▲ **p-n 접합 다이오드의 전하 분포와 에너지띠 구조** 확산된 자유 전자와 양공의 재결합으로 공핍층에 에너지 준위 차이가 생긴다.

---

p-n 접합 다이오드의 전기 기호

p-n 접합 다이오드의 전기 기호에서 화살표의 방향은 전류가 흐를 수 있는 방향을 나타낸다.

확산

원자나 분자와 같은 입자들이 끊임없이 움직여서 다른 물질 사이로 퍼져 나가는 현상으로, 농도가 높은 곳에서 낮은 곳으로 일어난다.

자유 전자와 양공의 재결합

전도띠의 자유 전자와 원자가 띠의 양공이 만나서 함께 소멸하는 것을 재결합이라고 한다. 양공이 전자의 빈 자리이므로 자유 전자가 양공을 채우면 전자가 더 이상 이동할 수 없다.

소수 전하 나르개의 운동

p형 반도체 내부에 있는 소수의 자유 전자는 공핍층에 형성된 전기장에 의해 n형 반도체 쪽으로 이동한다. n형 반도체 내부에 있는 소수의 양공도 이 전기장에 의해 p형 반도체 쪽으로 이동한다. 이렇게 이동한 전류와 확산에 의해 이동하는 전류가 서로 상쇄되어 균형을 이룬다.

3. 다이오드 회로

집중 분석 2권 58쪽~59쪽

(1) **정류 작용:** p-n 접합 다이오드에 전압을 걸어 주면, 한쪽 방향으로는 전류가 잘 흐르지만 다른 방향으로는 전류가 잘 흐르지 않는데, 이를 정류 작용이라고 한다.

구분	순방향 바이어스	역방향 바이어스
뜻	p-n 접합 다이오드에서 전류가 잘 흐르는 방향으로 가해진 외부 전압	p-n 접합 다이오드에서 전류가 거의 흐르지 않는 방향으로 가해진 외부 전압
연결 방법	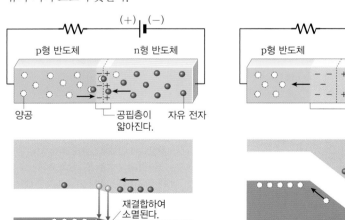 p형 반도체 쪽에 전원의 (+)극, n형 반도체 쪽에 전원의 (−)극을 연결한다.	p형 반도체 쪽에 전원의 (−)극, n형 반도체 쪽에 전원의 (+)극을 연결한다.

(2) **순방향 바이어스일 때:** 외부 전압에 의한 전기장과 공핍층의 전기장이 서로 반대 방향이 되므로, 전위 장벽이 작아지고 공핍층이 얇아진다.

① 작아진 전위 장벽으로 인해 자유 전자와 양공의 확산이 크게 증가한다.

② 확산한 자유 전자와 양공이 접합면 근처에서 서로 재결합하여 소멸한다. 그리고 전원에 의해 p형 반도체에서 자유 전자가 (+)극 쪽으로 빠져나가며 양공이 지속적으로 생기고, 전원의 (−)극에서 n형 반도체 쪽으로 자유 전자를 지속적으로 공급하므로, 다이오드에 전류가 계속해서 흐른다.

(3) **역방향 바이어스일 때:** 외부 전압에 의한 전기장과 공핍층의 전기장이 서로 같은 방향이 되므로, 전위 장벽이 커지고 공핍층이 두꺼워진다.

① 역방향으로 전압이 걸리면 일시적으로 p형 반도체에서 양공이, n형 반도체에서 자유 전자가 빠져나가면서 접합면 부근의 전위 장벽이 커진다.

② 다이오드 내부에서 양공과 자유 전자가 계속 생성될 수 없으므로, 외부에서 가한 전압과 내부 전압이 균형을 이룰 때 자유 전자와 양공의 이동이 멈춘다. 따라서 다이오드에 전류가 거의 흐르지 못한다.

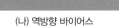

바이어스

신호 전압이나 전류에 일정한 직류 또는 교류를 가하여 두는 것으로, 가해진 전압을 뜻할 때도 있고 반도체 소자의 접합부 따위의 전압을 뜻할 때도 있다. 다이오드에 흐르는 전류를 조절하기 위해 다이오드에 걸리는 전압의 방향과 크기를 조절하는 것을 말한다.

◀ **p-n 접합 다이오드의 바이어스 회로** 순방향 바이어스에서는 전위 장벽이 작아져 전류가 잘 흐르고, 역방향 바이어스에서는 전위 장벽이 커져 전류가 흐르지 못한다.

(4) p−n 접합 다이오드의 전류−전압 특성

그림은 p−n 접합 다이오드에 걸린 전압에 따른 전류를 나타낸 그래프로, 순방향 바이어스가 0.3∼1.6 V 이상일 때 전류가 급격히 흐른다. 이 전압은 전위 장벽에 따라 다른데, 규소 접합에서는 0.7 V, 저마늄 접합에서는 0.3 V 정도이고, 반도체 레이저에 쓰이는 비소화 갈륨(GaAs) 접합에서는 1.6 V이다. p−n 접합 다이오드에 역방향 바이어스가 걸리면 조금씩 누설 전류가 흐르고, 어느 한계에 도달하면 역방향으로 급격한 전류가 흐르게 되는데, 이를 접합 파괴라고 한다.

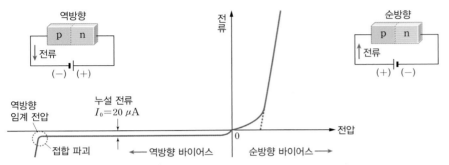

▲ p−n 접합 다이오드의 전류−전압 그래프

구분	역방향 바이어스	순방향 바이어스
전하 나르개의 이동	대부분의 전하 나르개가 접합면을 통과할 수 없다.	대부분의 전하 나르개가 접합면을 가로질러서 이동한다.
전류	작은 누설 전류만 흐른다.	센 전류가 흐를 수 있다.

(5) 정류 회로: 전류를 한 방향으로만 흐르도록 하는 회로를 정류 회로라고 한다. 일반 가정에는 교류가 공급되는데, 전기 기구 중에는 직류를 이용하는 것이 많다. 이럴 때 교류를 직류로 변환하는 정류 회로가 필요하다.

① 반파 정류 회로: 다이오드로 교류 전압이 입력되었을 때 순방향 전류는 다이오드를 통과하지만, 역방향 전류는 통과하지 못한다. 따라서 출력 전압은 순방향 전류만 남는 모양이 된다.

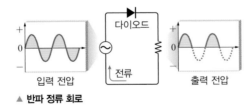

▲ 반파 정류 회로

② 전파 정류 회로: 다이오드를 하나만 연결하면 역방향 전류가 흐르지 못하므로, 전력이 손실된다. 다이오드 4개로 그림과 같은 회로를 만들면 입력 신호 전체를 한 방향으로 흐르는 직류로 변환할 수 있다.

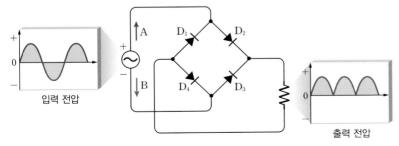

▲ 전파 정류 회로에서 입력 전압에 따른 출력 전압

누설 전류

역방향 바이어스일 때 전위 장벽이 커져도 소수 전하 나르개의 이동으로 인한 전류는 거의 영향을 받지 않는다. 따라서 다이오드에 역방향 바이어스가 걸렸을 때도 아주 작은 누설 전류가 흐른다.

직류 기구의 전원

원형 플러그를 사용하는 전기 기구의 전원에는 아래와 같은 표시가 있는 경우가 많다. 이 표시는 플러그의 바깥쪽이 (−)극이고 중심이 (+)극이라는 뜻이다.

이런 기구는 교류 전원에 연결하는 어댑터 내부에 정류 회로가 들어 있어 직류를 출력하도록 되어 있다.

전파 정류 회로 분석

· 전류가 A 방향으로 흐를 때: D_2, D_4에 순방향 바이어스가 걸려 파란색 경로를 따라 전류가 흐른다.

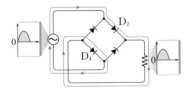

· 전류가 B 방향으로 흐를 때: D_3, D_1에 순방향 바이어스가 걸려 빨간색 경로를 따라 전류가 흐른다.

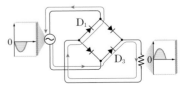

→ 어느 경우든 저항에는 위에서 아래 방향으로 전류가 흐른다.

③ 다양한 다이오드의 활용

다이오드는 정류 작용 외에도 다양한 기능을 하고 있으며, 그 구조 또한 다양하다. 널리 이용되는 다이오드에는 발광 다이오드, 광 다이오드, 반도체 레이저 다이오드 등이 있다.

1. 발광 다이오드(Light Emitting Diode, LED)

전류가 흐를 때 빛을 방출하는 다이오드로, 소모 전력이 작고 수명이 길며 작은 크기로 제작할 수 있어 각종 영상 표시 장치나 리모컨, 조명 장치 등에 널리 사용된다.

(1) **작동 원리:** 반도체에서 전도띠 바닥에 있는 전자가 원자가 띠 꼭대기의 양공과 재결합하면, 띠 간격에 해당하는 에너지가 방출된다. 규소(Si)나 저마늄(Ge) 혹은 다른 많은 반도체에서는 대부분 이 에너지가 열로 변환되어 방출된다. 그러나 비소화 갈륨(GaAs)이나 인화 갈륨(GaP)과 같은 일부 반도체를 이용하면 전자가 양공과 재결합할 때 빛이 방출되도록 할 수 있다. 이때 전자가 전이하여 방출되는 광자의 에너지는 반도체의 띠 간격과 같다.

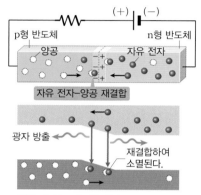

▲ 발광 다이오드의 작동 원리

(2) **발광 다이오드에서 방출하는 빛의 파장**

다이오드에 사용한 반도체 물질의 띠 간격이 E_g일 때, 순방향 바이어스가 걸려 자유 전자 1개와 양공 1개가 재결합할 때 에너지가 hf인 광자 1개를 방출한다. 따라서 방출하는 빛의 파장 λ는 대략 다음과 같다.

$$E_g = hf \Rightarrow \lambda = \frac{c}{f} = \frac{hc}{E_g} \ (f: \text{빛의 진동수}, \ h: \text{플랑크 상수}, \ c: \text{빛의 속력})$$

따라서 적당한 띠 간격 E_g를 갖는 반도체 물질을 선택하면, 다양한 색깔의 빛을 내는 발광 다이오드를 만들 수 있다.

2. 광 다이오드

발광 다이오드와는 반대로, 빛을 비추면 전류가 발생하는 다이오드이다. 화재 경보기, 자동문, 리모컨 수신 장치, 광감지 센서 등 여러 곳에 쓰인다.

(1) **작동 원리:** 다이오드의 접합면에 띠 간격 이상의 에너지를 가진 빛을 비추면 원자가 띠의 전자가 광자를 흡수하여 전도띠로 전이되며 양공과 자유 전자의 쌍이 생성된다. 이들이 공핍층에 형성된 전기장에 의하여 각각 p형 반도체와 n형 반도체 쪽으로 분리되면서 전류와 전압을 생성한다.

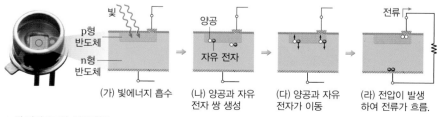

▲ 광 다이오드의 작동 원리

발광 다이오드의 색깔에 따른 반도체 물질

발광 다이오드는 반도체 물질의 띠 간격에 의해 빛의 색깔이 정해지는 특성 때문에 규소 결정은 발광 다이오드로 이용할 수 없고, 다음과 같이 주로 화합물 반도체가 이용된다.

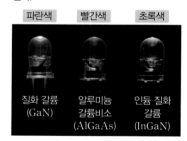

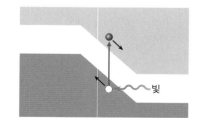

3. 반도체 레이저 다이오드

반도체 레이저 다이오드는 전압을 가하면 레이저 빛이 나오는 다이오드로, 작고 가벼우면서 저렴하게 대량 생산할 수 있어 광통신, 레이저 포인터, 디스플레이, 디지털 A/V 기기, CD나 DVD의 입출력 시스템, 의료용 기기, 레이저 거리 측정기 등의 광원으로 활용되고 있다.

▲ 레이저 포인터

(1) 작동 원리

① 기체 레이저의 유도 방출: 그림은 레이저를 발생시키는 기체 매질의 에너지 준위이다. 이 기체에 진동수 f_0인 빛을 강하게 비추어 바닥상태에 있던 전자를 에너지 준위 E_2로 전이시킨다. 이 전자는 다시 에너지 준위 E_1로 빠르게 스스로 전이하지만, 준안정 상태인 E_1에 꽤 오랫동안 머무른다. 이 과정이 반복되면 전자가 바닥상태 E_0보다 E_1인 상태에 더 많이 존재하는 밀도 반전이 일어난다. 이때 에너지가 E_1-E_0와 같은 광자가 입사되면, 이 광자와 진동수, 위상, 방향이 같은 대량의 광자들이 유도 방출되어 증폭된 레이저 빛이 방출된다.

▲ 기체 레이저

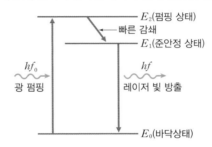
▲ 기체 매질의 에너지 준위

② 반도체 레이저의 작동 원리: 반도체 레이저도 원리는 기체 레이저와 같다. 다만 에너지 준위 대신 에너지띠가 이용된다는 차이가 있다. 열적 평형 상태에 있는 p-n 접합 다이오드에 강한 빛이나 큰 전기 에너지가 공급되면 원자가 띠의 깊이 X까지의 전자들이 전도띠의 높이 Y까지 채워지게 되어 밀도 반전이 일어난다. 이때 파울리 배타 원리 때문에 원자가 띠의 X 조금 아래에 있던 전자가 전도띠로 전이할 때는 Y보다 높은 준위로 전이해야 하기 때문에 에너지가 E_g인 광자가 입사되어도 원자가 띠에서 전도띠로 전이가 일어나기는 어렵다. 이러한 밀도 반전 상태에서 에너지가 E_g인 광자가 입사되면 전도띠 바닥의 전자들이 원자가 띠로 떨어지며 진동수가 $f=\dfrac{E_g}{h}$인 빛이 방출되는 유도 방출이 일어난다.

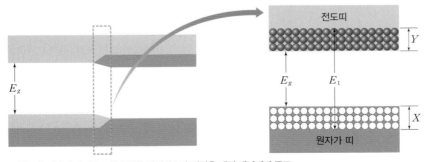
▲ 반도체 레이저 다이오드에 순방향 바이어스가 걸렸을 때의 에너지띠 구조

레이저

레이저는 유도 방출에 의한 빛의 증폭(Light Amplification by the Stimulated Emission of Radiation)의 머릿글자를 딴 용어이다. 레이저 빛은 파장과 위상이 같고, 강한 방향성을 가져서 잘 퍼지지 않는 성질이 있다.

반도체 레이저 다이오드의 활용 분야

· 광통신/광 연결용 반도체 레이저: 광통신용 반도체 레이저는 광섬유에서의 손실이 적은 적외선 파장 대역을 이용한다.

· 광디스크의 정보를 읽는 데 쓰이는 레이저: CD의 정보를 읽는 헤드에 780 nm인 반도체 레이저가 사용되며, GaAs 계열의 화합물 반도체로 제작된다. CD보다 정보 저장 용량이 더 큰 DVD에서는 파장이 635~650 nm인 반도체 레이저 다이오드가 사용되며, 용량이 더 큰 블루레이 디스크는 파장이 400~500 nm(청록색)인 InGaN 계열의 반도체 레이저를 활용한다.

· 가시광선 레이저: InGaP나 AlGaAs 계열의 화합물 반도체를 이용한 650~670 nm의 가시광선 레이저도 레이저 포인터, 바코드 스캐너 등 많은 곳에 쓰인다.

· 레이저 프린터용 레이저: 780 nm인 AlGaAs 계열의 반도체 레이저로, CD용과 파장이 같지만 프린터의 속도를 증가시키기 위하여 고출력의 반도체 레이저를 활용한다.

실전에 대비하는

집중분석

p-n 접합 다이오드 회로

p-n 접합 다이오드가 있는 전기 회로에서 다이오드에 가한 전압에 따른 다이오드의 동작 특성을 아는 것은 반도체 회로를 이해하는 데 가장 기본이 된다. 특히, 전기 회로에 제시된 미지의 다이오드에 대해 묻거나, 순방향 바이어스와 역방향 바이어스가 가해졌을 때 다이오드의 동작 특성과 내부의 자유 전자와 양공의 이동에 대해 묻는 문제가 자주 출제된다.

❶ 미지의 p-n 접합 다이오드에서 p형 반도체와 n형 반도체 찾기

그림과 같이 미지의 다이오드가 연결된 전기 회로를 이용한 문제는 꾸준히 출제되는 편이다. 이러한 문제를 풀 때는 먼저 문제에 제시된 여러 가지 단서들을 이용하여 어느 쪽이 p형 반도체이고, 어느 쪽이 n형 반도체인지 찾아내는 것이 중요하다.

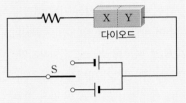

구분	p형 반도체	n형 반도체
공유 결합 모형과 에너지띠의 모습	• 결합 모형: 불순물 원자(Al) 주변 공유 결합에 전자의 빈 자리가 1개 있다. • 에너지띠 – 원자가 띠 바로 위에 받개 준위가 있다. – 원자가 띠에 양공이 있다.	• 결합 모형: 불순물 원자(P) 주변에 여분의 전자가 1개 있다. • 에너지띠 – 전도띠 바로 아래에 주개 준위가 있다. – 전도띠에 자유 전자가 있다.
도핑한 불순물의 종류	• 원자가 전자가 3개이다. • 13족 원소(B, Al, Ga, In)로 도핑한다.	• 원자가 전자가 5개이다. • 15족 원소(P, As, Sb)로 도핑한다.
주요 전하 나르개	주로 양공이 전류를 흐르게 한다.	주로 자유 전자가 전류를 흐르게 한다.
전류가 흐를 때	• 양공이 접합면 쪽으로 움직인다. • 전원의 (+)극 쪽에 연결되어 있다.	• 자유 전자가 접합면 쪽으로 움직인다. • 전원의 (−)극 쪽에 연결되어 있다.

p형 반도체와 n형 반도체의 구분

p형 반도체 (positive type)	n형 반도체 (negative type)
▼	▼
양공이 전하 운반	자유 전자가 전하 운반
▼	▼
원자가 전자 3개인 불순물 → 13족 원소	원자가 전자 5개인 불순물 → 15족 원소

예제

❶ 그림은 p-n 접합 다이오드에서 B를 구성하는 물질의 공유 결합 모형을 나타낸 것이다.

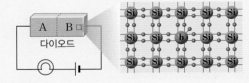

(1) A와 B는 각각 어떤 반도체인지 쓰시오.
(2) 이 전기 회로의 전구는 불이 켜진 상태인지, 꺼진 상태인지 쓰시오.

정답 (1) A: p형 반도체, B: n형 반도체 (2) 켜진 상태

해설 (1) B의 불순물 원자 b는 원자가 전자가 5개이므로, B는 n형 반도체이다.
(2) p형 반도체가 전지의 (+)극, n형 반도체가 전지의 (−)극 쪽에 연결되어 있으므로, 다이오드에 순방향 바이어스가 걸린 상태이다. 따라서 전구에 불이 켜진다.

❷ 순방향 바이어스와 역방향 바이어스 구분하기

다음 그림과 같은 전기 회로는 스위치의 연결 방향에 따라 p-n 접합 다이오드에 순방향 바이어스가 걸리기도 하고, 역방향 바이어스가 걸리기도 한다.

스위치 연결	a에 연결되었을 때	b에 연결되었을 때
다이오드의 연결	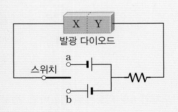 p형 반도체에 (−)극, n형 반도체에 (+)극이 연결된다. → 역방향 바이어스가 걸린다.	p형 반도체에 (+)극, n형 반도체에 (−)극이 연결된다. → 순방향 바이어스가 걸린다.
전류	전류가 거의 흐르지 않는다.	센 전류가 흐른다.
다이오드 내부의 자유 전자와 양공의 이동	자유 전자와 양공이 접합면을 넘지 못한다.	자유 전자와 양공이 접합면 쪽으로 이동하여 접합면 부근에서 재결합하며 소멸된다.
전원에 의한 자유 전자와 양공의 이동	p형 반도체에서 양공이 빠져나가고, n형 반도체에서 전자가 빠져나간다.	p형 반도체 쪽에서 양공이, n형 반도체 쪽에서 자유 전자가 계속해서 공급된다.

공핍층의 두께

p-n 접합 다이오드에 걸리는 전압의 방향에 따라 접합면 부근의 공핍층 두께가 달라진다.
· 순방향 바이어스: 공핍층이 얇아짐. → 전류가 흐름.
· 역방향 바이어스: 공핍층이 두꺼워짐. → 전류가 흐르지 않음.

예제

❷ 그림은 발광 다이오드(LED)를 연결한 전기 회로로, X, Y는 p형 반도체와 n형 반도체를 순서 없이 나타낸 것이다. 스위치를 a에 연결하였더니 발광 다이오드에 불이 켜지지 않았다.

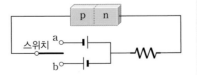

(1) X에서 주로 전류를 흐르게 하는 것은 자유 전자와 양공 중 어느 것인지 쓰시오.

(2) 스위치 S를 b에 연결하면 자유 전자는 발광 다이오드에서 어느 방향으로 이동하는지 쓰시오.

정답 (1) 양공 (2) Y → X

해설 (1) 스위치를 a에 연결했을 때 불이 켜지지 않았으므로, 발광 다이오드에는 역방향 바이어스가 걸렸다. 따라서 전지의 (−)극이 연결된 X는 p형 반도체로, 주요 전하 나르개는 양공이다.
(2) 스위치를 b에 연결하면 발광 다이오드에 순방향 바이어스가 걸리므로, 자유 전자는 접합면 쪽으로 이동한다.

❯ 정답과 해설 **54**쪽

유제

그림은 전지, 스위치, p-n 접합 다이오드, 저항을 이용하여 구성한 회로를 나타낸 것이다. 이에 대한 설명으로 옳은 것만을 보기에서 있는 대로 고른 것은?

보기

ㄱ. 스위치를 a에 연결하면 다이오드에 역방향 바이어스가 걸린다.

ㄴ. 스위치를 b에 연결하면 p형 반도체에 있는 양공이 p-n 접합면에서 멀어진다.

ㄷ. 다이오드에 전류가 흐르도록 스위치를 연결하였을 때 n형 반도체에서는 주로 자유 전자가 전류를 흐르게 한다.

① ㄷ   ② ㄴ   ③ ㄱ, ㄷ   ④ ㄴ, ㄷ   ⑤ ㄱ, ㄴ, ㄷ

페르미 에너지와 p-n 접합

반도체의 전기적 성질을 계산하고 분석하기 위해서는 전하 나르개의 농도를 알아야 할 때가 있다. 페르미 에너지를 이용하여 도핑한 반도체의 전하 나르개 분포를 이해하고, p-n 접합에 대해 더 깊이 알아보자.

❶ 불순물 반도체의 페르미 에너지

순수한 반도체는 상온에서 전도띠로 전이한 전자의 수와 원자가 띠의 양공의 수가 같다. 이때 페르미 에너지 E_F는 띠 간격의 중앙에 위치한다. 그러나 불순물을 도핑한 n형 반도체는 전도띠의 전자가 원자가 띠의 양공보다 많으므로, 페르미 에너지가 전도띠에 더 가까이 있다. 반대로 양공이 많은 p형 반도체는 페르미 에너지가 원자가 띠에 더 가까이 있다.

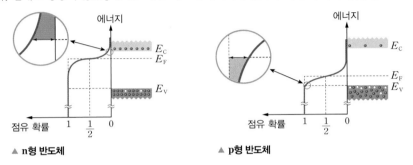

▲ n형 반도체   ▲ p형 반도체

페르미 에너지와 전하 나르개의 분포
보통 모든 에너지 대역에 $f(E)$의 관계를 그려 넣어서 자유 전자와 양공의 분포를 표시하는 것은 불편하다. 따라서 보통은 에너지띠 구조에 페르미 에너지 E_F의 위치만을 표시하여 자유 전자와 양공의 분포를 나타낸다.

❷ 페르미 에너지와 전위 장벽

페르미 에너지가 서로 다른 p형 반도체와 n형 반도체를 접합하면, 접합면을 통해 자유 전자와 양공이 확산되어 페르미 에너지가 같아지도록 한다. 확산에 의해 공핍층에 전기장이 형성되면, p형 반도체와 n형 반도체 사이에 전위차 V_d가 생긴다. 이 전위차에 해당하는 에너지 eV_d는 자유 전자와 양공의 확산을 막는 에너지 벽이 되기 때문에, 이를 전위 장벽이라고 한다. 한편, 전위 장벽이 형성된다는 것은 p형 반도체 쪽의 원자가 띠와 전도띠가 n형 반도체 쪽보다 eV_d만큼 높아지는 것을 의미하며, 그 크기는 두 반도체의 페르미 에너지가 같아질 수 있는 만큼이 된다. 이처럼 서로 떨어져 있는 물질에서 각각의 페르미 에너지 E_F를 포함한 에너지띠 구조를 알고 있으면, 페르미 에너지를 일치시켜 접합하였을 때 생기는 전위 장벽을 구할 수 있다.

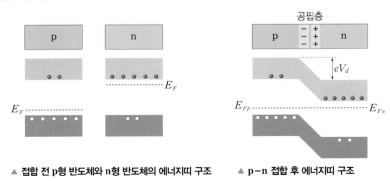

▲ 접합 전 p형 반도체와 n형 반도체의 에너지띠 구조   ▲ p-n 접합 후 에너지띠 구조

순방향 바이어스와 역방향 바이어스
p-n 접합 다이오드에 외부 전압을 가하면 전위 장벽의 크기가 다음과 같이 변한다.
• 순방향 바이어스: 외부 전압에 의해 전위 장벽이 작아진다.
• 역방향 바이어스: 외부 전압에 의해 전위 장벽이 커진다.

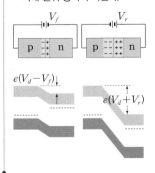

03 다이오드

① 반도체의 도핑

1. **반도체의 (❶   )** 순수한 반도체에 특정한 불순물을 약간 첨가하는 과정이다.
- 불순물은 13족 원소 또는 15족 원소를 사용한다.
- 불순물 함량이 증가할수록 반도체의 전기 전도도가 (❷   )진다.

2. **불순물 반도체의 비교**

구분	(❸)형 반도체		p형 반도체	
원자가 전자의 공유 결합 모습	(그림)	순수한 반도체에 원자가 전자가 (❹)개인 원소로 도핑하여 여분의 전자가 생긴다.	(그림)	순수한 반도체에 원자가 전자가 3개인 원소로 도핑하여 양공이 생긴다.
에너지띠 모습	전도띠 / 띠 간격 / 원자가 띠	주로 전도띠에 있는 다수의 자유 전자에 의해 전류가 흐른다.	전도띠 / 띠 간격 / 원자가 띠	주로 원자가 띠에 있는 다수의 (❺)에 의해 전류가 흐른다.

② p-n 접합 다이오드

1. **p-n 접합 다이오드** p형 반도체와 n형 반도체를 접합한 전기 소자로, (❻   ) 작용을 한다.

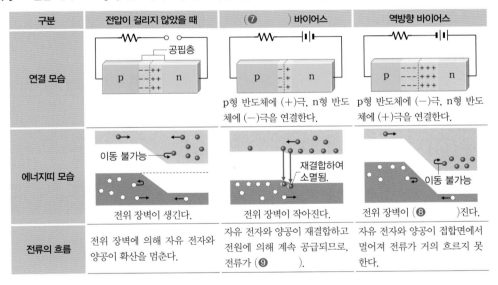

구분	전압이 걸리지 않았을 때	(❼) 바이어스	역방향 바이어스
연결 모습	공핍층 / p — n	p형 반도체에 (+)극, n형 반도체에 (−)극을 연결한다.	p형 반도체에 (−)극, n형 반도체에 (+)극을 연결한다.
에너지띠 모습	이동 불가능 / 전위 장벽이 생긴다.	재결합하여 소멸됨. / 전위 장벽이 작아진다.	이동 불가능 / 전위 장벽이 (❽)진다.
전류의 흐름	전위 장벽에 의해 자유 전자와 양공이 확산을 멈춘다.	자유 전자와 양공이 재결합하고 전원에 의해 계속 공급되므로, 전류가 (❾).	자유 전자와 양공이 접합면에서 멀어져 전류가 거의 흐르지 못한다.

③ 다양한 다이오드의 활용

1. **발광 다이오드(LED)** 접합면에서 자유 전자와 양공이 재결합하며 반도체의 (❿   )만큼의 에너지를 가진 광자가 방출된다. ➡ 반도체 물질의 띠 간격에 따라 방출되는 빛의 색깔이 다르다.

2. **광 다이오드** 빛을 비추면 원자가 띠의 전자가 (⓫   )를 흡수하여 전도띠로 전이한다. 따라서 양공과 자유 전자 쌍이 생기며, 이들에 의해 전류가 생성된다.

3. **반도체 레이저 다이오드** p-n 접합 다이오드를 응용하여 파장과 위상이 같은 레이저 빛을 방출한다.

01 그림은 규소(Si)로 이루어진 순수한 반도체의 결합 모습을 나타낸 것이다.

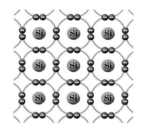

(1) 규소 원자의 원자가 전자는 몇 개인지 쓰시오.

(2) 규소 원자는 어떤 종류의 결합을 하는지 쓰시오.

02 순수한 반도체에 특정한 불순물을 넣는 것을 도핑이라고 한다. 순수한 반도체를 도핑하였을 때 반도체의 전기 전도도가 어떻게 바뀌는지 쓰시오.

03 그림 (가), (나)는 두 종류의 불순물 반도체의 구조를 모식적으로 나타낸 것이다.

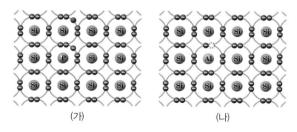

(가)   (나)

(1) (가)와 (나)에 해당하는 불순물 반도체의 종류를 각각 쓰시오.

(2) (가)와 (나)에서 주요 전하 나르개는 무엇인지 각각 쓰시오.

04 그림 (가)는 규소(Si)로 이루어진 순수한 반도체의 결합 모습을 나타낸 것이고, (나)는 규소에 원소 A를 도핑하여 만든 불순물 반도체의 결합 모습을 나타낸 것이다.

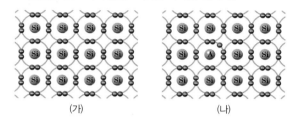

(가)   (나)

이에 대한 설명으로 옳은 것만을 보기에서 있는 대로 고르시오.

보기
ㄱ. A의 원자가 전자는 3개이다.
ㄴ. 상온에서 A는 양이온이 된다.
ㄷ. 상온에서 전기 전도도는 (가)가 (나)보다 높다.

05 다음 중 n형 반도체의 에너지띠 모습으로 옳은 것을 골라 쓰시오.

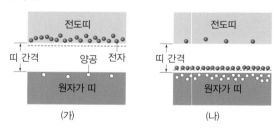

(가)   (나)

06 상온에서 규소로 이루어진 순수한 반도체의 자유 전자 밀도는 약 10^{16}개/m^3이다. 이 순수한 반도체를 15족 원소인 비소(As)로 도핑하여 자유 전자 밀도를 약 10^6배만큼 높이려고 한다. 1 m^3당 몇 개의 규소 원자가 비소 원자로 바뀌어야 하는지 쓰시오.

07 그림은 p형 반도체와 n형 반도체를 접합한 전기 소자의 구조와 전기 기호를 나타낸 것이다. (가)의 A, B가 (나)의 ㉠, ㉡ 중 무엇에 해당하는지 각각 짝 지어 쓰시오.

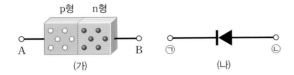

(가)

(나)

08 그림은 불순물 반도체 A와 B를 접합하여 만든 p-n 접합 다이오드를 나타낸 것이다. A와 B의 주요 전하 나르개는 각각 양공과 자유 전자이다.

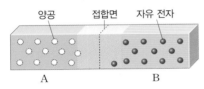

이에 대한 설명으로 옳은 것만을 보기에서 있는 대로 고르시오.

보기
ㄱ. A는 p형 반도체이다.
ㄴ. B에서 접합면에 가까운 영역은 (−)전하를 띤다.
ㄷ. 접합면에서는 B에서 A 방향으로 전기장이 형성된다.

09 다음은 p-n 접합 다이오드를 이용하여 전기 회로를 꾸미는 것에 대한 설명이다. ㉠~㉢에 들어갈 알맞은 말을 쓰시오.

p형 반도체에 전지의 (㉠)극 단자를, n형 반도체에 전지의 (㉡)극 단자를 연결하여 p-n 접합 다이오드에 (㉢) 바이어스를 걸어 주면 전류가 흐른다.

10 그림은 p-n 접합 다이오드를 전지와 저항에 연결한 전기 회로를 나타낸 것이다.

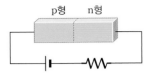

(1) p-n 접합 다이오드에 걸린 바이어스의 종류를 쓰시오.

(2) 이에 대한 설명으로 옳은 것만을 보기에서 있는 대로 고르시오.

보기
ㄱ. p형 반도체는 양공이 주요 전하 나르개이다.
ㄴ. n형 반도체의 자유 전자는 (−)극 쪽으로 이동한다.
ㄷ. 접합면에서 양공과 자유 전자가 재결합한다.

11 그림 (가)와 (나)는 각각 1개와 4개의 p-n 접합 다이오드를 이용해 만든 정류 회로를 나타낸 것이다.

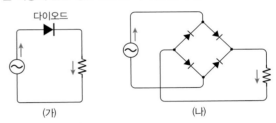

(가)

(나)

교류 전원의 입력 전압이 그림과 같을 때, (가)와 (나)의 저항에서 출력되는 전압을 각각 그리시오. (단, 교류 전원과 저항에서 화살표 방향으로 전류가 흐를 때의 입력 전압을 (+)로 나타낸다.)

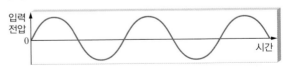

12 발광 다이오드에 대한 설명으로 옳은 것만을 보기에서 있는 대로 고르시오.

보기
ㄱ. 자유 전자와 양공이 재결합하며 빛을 방출한다.
ㄴ. 띠 간격에 따라 방출하는 빛의 색이 다르다.
ㄷ. 띠 간격이 클수록 파장이 긴 빛을 방출한다.

01 > 순수한 반도체와 불순물 반도체

그림 (가)는 규소(Si)로 이루어진 순수한 반도체의 에너지띠 구조를 나타낸 것이고, (나)는 규소에 불순물을 도핑한 불순물 반도체의 에너지띠 구조를 나타낸 것이다.

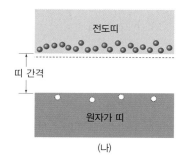

(가)   (나)

이에 대한 설명으로 옳은 것만을 보기에서 있는 대로 고른 것은?

보기

ㄱ. (가)에서 원자가 띠의 양공과 전도띠의 전자 수는 같다.

ㄴ. (나)는 원자가 전자가 3개인 원소로 도핑한 반도체의 에너지띠이다.

ㄷ. 전하 나르개의 밀도는 (나)가 (가)보다 더 높다.

① ㄱ   ② ㄴ   ③ ㄱ, ㄴ   ④ ㄱ, ㄷ   ⑤ ㄴ, ㄷ

- 순수한 반도체에 15족 원소인 인(P), 비소(As), 안티모니(Sb) 등을 도핑하면 n형 반도체가 된다.

02 > 반도체의 도핑

그림 (가)는 규소(Si)에 인듐(In)을 도핑하여 만든 불순물 반도체에서 양공이 이동하는 모습을 나타낸 것이고, (나)는 이 반도체의 에너지띠 구조를 나타낸 것이다.

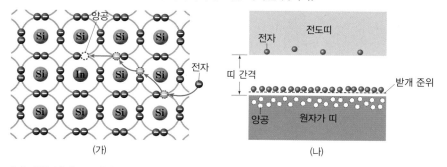

(가)   (나)

이에 대한 설명으로 옳은 것만을 보기에서 있는 대로 고른 것은?

보기

ㄱ. (가)에서 인듐은 음이온이 된다.

ㄴ. (나)에서 받개 준위의 전자는 반도체 내부를 자유롭게 이동한다.

ㄷ. (나)에서 양공은 전도띠로 전이한 전자에 의해서만 생긴다.

① ㄱ   ② ㄷ   ③ ㄱ, ㄴ   ④ ㄱ, ㄷ   ⑤ ㄱ, ㄴ, ㄷ

- 순수한 반도체에 13족 원소인 붕소(B), 알루미늄(Al), 갈륨(Ga), 인듐(In) 등을 도핑하면 p형 반도체가 된다.

03 〉p-n 접합

그림은 p형 반도체와 n형 반도체를 접합하는 순간 접합면에서 일어나는 현상을 나타낸 것이다. A, B는 각각 p형 반도체와 n형 반도체의 주요 전하 나르개를 표시한 것이다.

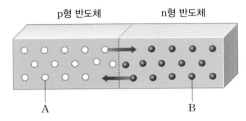

p형 반도체   n형 반도체

A   B

이에 대한 설명으로 옳은 것만을 보기에서 있는 대로 고른 것은?

보기
ㄱ. A는 전도띠에 존재한다.
ㄴ. A와 B가 결합하여 접합면 근처에 공핍층이 생긴다.
ㄷ. 접합면 근처에 전위 장벽이 생겨 자유 전자와 양공의 확산을 방해한다.

① ㄱ   ② ㄷ   ③ ㄱ, ㄴ   ④ ㄴ, ㄷ   ⑤ ㄱ, ㄴ, ㄷ

• p-n 접합 반도체의 접합면 부근에는 n형 반도체에서 p형 반도체 방향으로 전기장이 걸리는 공핍층이 생긴다.

04 〉p-n 접합 다이오드 회로

그림 (가)와 (나)는 각각 p-n 접합 다이오드를 전지에 연결한 것을 나타낸 것이다.

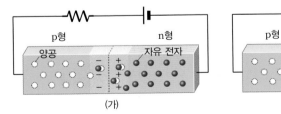

p형 양공   자유 전자 n형
(가)

p형   n형
(나)

(가)와 (나)를 비교한 것으로 옳은 것만을 보기에서 있는 대로 고른 것은?

보기
ㄱ. 전위 장벽은 (나)가 더 크다.
ㄴ. 전원에 의해 단위 시간당 다이오드로 공급되는 자유 전자와 양공의 수는 (나)가 더 많다.
ㄷ. 다이오드에 흐르는 전류의 세기는 (가)가 더 크다.

① ㄱ   ② ㄴ   ③ ㄱ, ㄴ   ④ ㄱ, ㄷ   ⑤ ㄴ, ㄷ

• p형 반도체 쪽에 (+)극을, n형 반도체 쪽에 (−)극을 연결할 때 전류가 흐른다.

05 〉순방향 바이어스와 전위 장벽

그림 (가)는 p−n 접합 다이오드를 직류 전원 장치에 연결한 것을 나타낸 것이고, (나)는 이 다이오드에 흐르는 전류의 세기를 전압에 따라 나타낸 것이다.

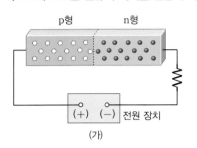

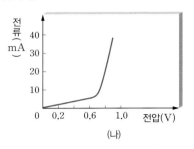

(가)

(나)

• 전류−전압 그래프의 기울기는 저항의 역수와 같다.

이에 대한 설명으로 옳은 것만을 보기에서 있는 대로 고른 것은?

보기

ㄱ. (가)의 다이오드에는 순방향 바이어스가 걸려 있다.

ㄴ. 다이오드의 저항은 전압에 관계없이 일정하다.

ㄷ. 다이오드에 걸리는 전압이 증가할수록 접합면의 공핍층이 두꺼워진다.

① ㄱ   ② ㄷ   ③ ㄱ, ㄴ   ④ ㄴ, ㄷ   ⑤ ㄱ, ㄴ, ㄷ

06 〉p−n 접합 다이오드의 전압−전류 특성

그림은 p−n 접합 다이오드에 걸린 전압에 따른 전류의 세기를 나타낸 그래프이다.

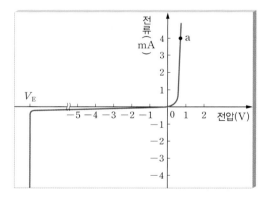

• 다이오드에 역방향 바이어스가 임계 전압 이상으로 걸리면 접합 파괴가 일어난다.

이에 대한 설명으로 옳은 것만을 보기에서 있는 대로 고른 것은?

보기

ㄱ. 순방향 바이어스가 걸렸을 때 다이오드에 흐르는 전류의 세기는 일정하다.

ㄴ. V_E보다 큰 역방향 바이어스가 걸려도 회로에 전류가 흐르지 않는다.

ㄷ. a는 p형 반도체에 (+)극을, n형 반도체에 (−)극을 연결했을 때 측정된 것이다.

① ㄱ   ② ㄴ   ③ ㄷ   ④ ㄱ, ㄷ   ⑤ ㄴ, ㄷ

07 > 정류 회로

그림 (가)는 **p-n 접합 다이오드 4개를 이용하여 만든 정류 회로의 모습을 나타낸 것이고,** (나)는 교류 전원의 전압을 시간에 따라 나타낸 것이다.

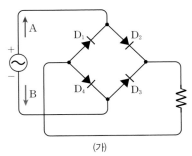

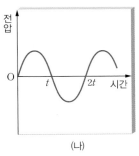

(가) (나)

• 4개의 p-n 접합 다이오드를 이용하면 전파 정류 회로를 만들 수 있다.

이에 대한 설명으로 옳은 것만을 보기에서 있는 대로 고른 것은?

보기
ㄱ. p-n 접합 다이오드는 한 방향으로만 전류를 흐르게 하는 특성이 있다.
ㄴ. A 방향으로 전류가 흐를 때 D_2에는 순방향 바이어스가 걸린다.
ㄷ. 시간이 $\frac{3}{2}t$일 때는 저항에 전류가 흐르지 않는다.

① ㄱ   ② ㄴ   ③ ㄱ, ㄴ   ④ ㄱ, ㄷ   ⑤ ㄴ, ㄷ

08 > 다이오드 회로

그림과 같이 직류 전원과 교류 전원에 저항값이 같은 두 저항과 반도체 **X, Y로 구성된 발광** 다이오드(LED)를 연결하였다. **X, Y는 p형 반도체와 n형 반도체를 순서 없이 나타낸 것이다.** 스위치를 a에 연결하였더니 발광 다이오드에서 빛이 방출되었다.

• 발광 다이오드에 순방향 바이어스가 걸릴 때 전류가 흘러 빛을 방출한다.

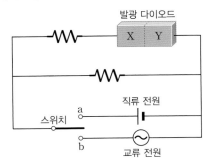

이에 대한 설명으로 옳은 것만을 보기에서 있는 대로 고른 것은?

보기
ㄱ. X는 자유 전자가 주요 전하 나르개이다.
ㄴ. 스위치를 a에 연결하였을 때 발광 다이오드에서는 접합면에서 자유 전자와 양공이 재결합한다.
ㄷ. 스위치를 b에 연결하면 발광 다이오드에서 빛이 방출되지 않는다.

① ㄱ   ② ㄴ   ③ ㄱ, ㄴ   ④ ㄱ, ㄷ   ⑤ ㄴ, ㄷ

09 › 발광 다이오드의 원리
다음은 발광 다이오드(LED)에서 빛이 방출되는 원리에 대한 설명이다.

> 발광 다이오드에 순방향 바이어스가 걸리면 n형 반도체의 (㉠)이/가 접합면 쪽으로 이동한다. 이때 전도띠의 전자가 원자가 띠의 양공과 재결합하며 잃는 에너지가 빛에너지로 전환되어 방출된다.

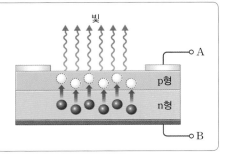

• 발광 다이오드는 자유 전자와 양공이 재결합할 때 띠 간격만큼의 에너지를 갖는 빛을 방출한다.

이에 대한 설명으로 옳은 것만을 보기에서 있는 대로 고른 것은?

보기
ㄱ. ㉠에 들어갈 말은 양공이다.
ㄴ. A에 전원의 (+)극이, B에 (−)극이 연결되었다.
ㄷ. 전도띠와 원자가 띠의 띠 간격이 클수록 파장이 짧은 빛을 방출한다.

① ㄱ   ② ㄴ   ③ ㄱ, ㄴ   ④ ㄱ, ㄷ   ⑤ ㄴ, ㄷ

10 › 발광 다이오드와 빛
그림은 발광 다이오드(LED)에 전압이 걸렸을 때 자유 전자와 양공의 이동 방향과 에너지띠의 구조를 모식적으로 나타낸 것이다. E_g는 원자가 띠와 전도띠의 띠 간격이고 발광 다이오드가 방출하는 빛의 파장은 λ이다.
이에 대한 설명으로 옳은 것만을 보기에서 있는 대로 고른 것은? (단, c는 빛의 속력이고, h는 플랑크 상수이다.)

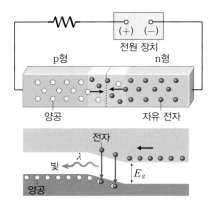

• 발광 다이오드에 순방향 바이어스가 걸리면 접합면에서 자유 전자와 양공의 재결합이 일어난다.

보기
ㄱ. 순방향 바이어스가 걸려 있다.
ㄴ. 접합면에서 전도띠의 전자가 원자가 띠의 양공으로 이동한다.
ㄷ. $\lambda = \dfrac{2hc}{E_g}$이다.

① ㄱ   ② ㄴ   ③ ㄱ, ㄴ   ④ ㄱ, ㄷ   ⑤ ㄴ, ㄷ

전기 회로를 내 마음대로 그리는 전도성 잉크

전선 없이 펜으로 슥슥 그어 주기만 하면 전기 회로가 완성되는 전도성 잉크는 반도체 회로 기판 등 미세한 전기 회로 인쇄용으로 널리 쓰이고 있다. 전도성 잉크가 들어 있는 펜으로 선을 그으면 풀처럼 5분 정도 후에 굳고, 작은 전자 부품도 고정시킬 수 있어 전선과 납땜 없이 전기 회로를 쉽게 만들 수 있다. 또, 프린터를 이용해 설계한 회로를 인쇄하거나 3차원 공간상에 전기 회로를 구현할 수도 있다. 전도성 잉크는 이미 컴퓨터 키보드, 자동차 센서, 터치스크린, RFID 안테나, 메모리, 디스플레이, 인쇄 회로 기판 등 다양한 분야에서 활용되고 있다.

전도성 잉크는 보통 도막 형성제에 금속 분말을 혼합하여 만드는데, 도막 형성제에 충분한 양의 금속 분말을 넣어 혼합하면 금속 분말 입자들이 서로 닿아 전류가 흐를 수 있는 전도성 페이스트가 만들어진다. 금속 분말로는 대개 은을 사용한다. 전도성 잉크는 크게 페이스트 잉크, 금속염 잉크, 나노 잉크로 구분된다. 페이스트 잉크는 대개 수백 nm에서 수 μm 단위의 금속 분말을 바인더 수지와 여러 가지 첨가제에 혼합한 형태로, 점도가 높은 것이 특징이다. 금속염 잉크는 용매와 이온 상태의 은과 상대 이온 및 첨가제로 구성된다. 금속염 잉크는 점도가 낮아 잉크젯 방식과 롤 방식 인쇄에 적합하다. 나노 잉크는 분산제로 안정화된 나노 입자와 용매, 첨가제로 구성된다. 나노 잉크는 낮은 온도에서 굳어지므로 PET 필름처럼 열에 약한 물질에도 인쇄를 할 수 있다는 장점이 있다.

최근에는 최첨단 전자 제품이 많이 활용되는 우주 개발, 군사 무기 등의 분야에서 전자 제품의 무게를 줄이기 위해 전도성 잉크를 적용하려는 연구가 활발히 이루어지고 있다. 뿐만 아니라 과학기술을 기반으로 하는 이러한 새로운 소재는 예술가들에게도 영감을 주어 재미있는 작품들을 만들어 내고 있다.

전도성 잉크로 그린 전기 회로

전도성 잉크가 들어 있는 펜

01 ▶ 보어의 수소 원자 모형

그림 (가)는 보어의 수소 원자 모형에서 전자의 전이 **a**, **b**, **c**를 나타낸 것으로, **a**, **b**, **c**에서 방출된 빛의 진동수는 각각 f_a, f_b, f_c이다. 그림 (나)는 수소 원자 스펙트럼의 일부를 파장에 따라 나타낸 것이다.

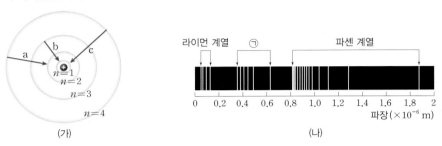

(가)   (나)

• 수소 원자에서 전자가 $n \geq 3$인 상태에서 $n=2$인 상태로 전이할 때 방출하는 빛이 발머 계열이다.

이에 대한 설명으로 옳은 것만을 보기에서 있는 대로 고른 것은? (단, h는 플랑크 상수이다.)

보기
ㄱ. **a**에서 방출되는 빛은 ㉠ 중에서 파장이 가장 짧은 빛이다.
ㄴ. **c**에서 방출되는 빛은 ㉠에 포함된다.
ㄷ. $n=3$인 상태에 있던 전자가 $h(f_c-f_b)$의 에너지를 흡수하면 $n=4$인 상태로 전이할 수 있다.

① ㄱ   ② ㄷ   ③ ㄱ, ㄴ   ④ ㄱ, ㄷ   ⑤ ㄴ, ㄷ

02 ▶ 선 스펙트럼의 해석

그림은 보어의 수소 원자 모형에서 양자수 $n=4$인 상태에 있던 전자가 전이하며 방출하는 선 스펙트럼을 진동수에 따라 나타낸 것이고, 표는 양자수에 따른 에너지 준위를 나타낸 것이다.

양자수(n)	에너지 준위(eV)
1	-13.6
2	-3.40
3	-1.51
4	-0.85

• 전자가 전이할 때 에너지 준위 차이가 클수록 진동수가 큰 빛을 방출한다.

이에 대한 설명으로 옳은 것만을 보기에서 있는 대로 고른 것은?

보기
ㄱ. $hf_a=12.75$ eV이다.
ㄴ. **b**는 발머 계열에 속한다.
ㄷ. $f_a=f_b+f_c$이다.

① ㄱ   ② ㄴ   ③ ㄱ, ㄴ   ④ ㄱ, ㄷ   ⑤ ㄴ, ㄷ

> 보어 원자 모형과 고체의 에너지띠

그림 (가)는 보어의 수소 원자 모형에서 양자수 n에 따른 에너지 준위를 나타낸 것이다. 바닥 상태의 전자가 파장이 λ_1인 빛을 흡수하여 $n=4$인 상태로 전이한 후 파장이 λ_2, λ_3인 빛을 순서대로 방출하며 $n=3$, $n=2$인 상태로 전이하였다. 그림 (나)는 어떤 고체의 에너지띠 구조를 나타낸 것으로 띠 간격이 $1.2\,\text{eV}$이다.

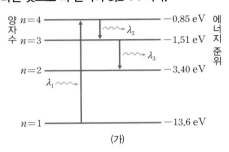

(가)   (나)

> 전자가 전이할 때 에너지 준위 차이만큼의 에너지를 갖는 빛을 흡수 또는 방출한다.

이에 대한 설명으로 옳은 것만을 보기에서 있는 대로 고른 것은?

보기

ㄱ. $\dfrac{1}{\lambda_1} < \dfrac{1}{\lambda_2} + \dfrac{1}{\lambda_3}$ 이다.

ㄴ. 광자 1개의 에너지는 파장이 λ_2인 빛이 파장이 λ_3인 빛보다 작다.

ㄷ. (나)의 물질에 파장이 λ_2보다 긴 빛을 비추면 원자가 띠의 전자가 전도띠로 전이한다.

① ㄱ   ② ㄴ   ③ ㄱ, ㄴ   ④ ㄱ, ㄷ   ⑤ ㄴ, ㄷ

04

> 에너지띠와 전기 저항

그림은 고체 A, B의 저항을 온도에 따라 나타낸 것이다. A, B는 각각 도체와 반도체 중 하나이다.

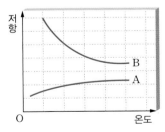

> 반도체는 온도가 높아질수록 전도띠로 전이하는 전자의 수가 많아진다.

이에 대한 설명으로 옳은 것만을 보기에서 있는 대로 고른 것은?

보기

ㄱ. A는 반도체이다.

ㄴ. B는 온도가 높아질수록 전도띠에 전자가 많아진다.

ㄷ. 상온에서 A가 B보다 전기 전도성이 좋다.

① ㄱ   ② ㄴ   ③ ㄱ, ㄴ   ④ ㄱ, ㄷ   ⑤ ㄴ, ㄷ

05 > 반도체의 도핑

그림 (가)는 상온(300 K)에서 순수한 저마늄(Ge)의 에너지띠 구조를 나타낸 것이고, (나)는 저마늄에 원소 **a**를 도핑하였을 때 결합 모형을 나타낸 것이다.

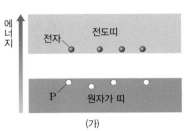

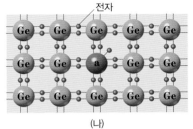

(가)   (나)

• 순수한 반도체를 도핑하여 만든 불순물 반도체는 전기 전도성이 순수한 반도체보다 좋다.

이에 대한 설명으로 옳은 것만을 보기에서 있는 대로 고른 것은?

> 보기

ㄱ. P는 원자가 띠의 전자가 전도띠로 전이하면서 생긴 것이다.

ㄴ. a의 원자가 전자는 3개이다.

ㄷ. (나)의 에너지띠에서는 전도띠의 전자가 원자가 띠의 P보다 많다.

① ㄱ   ② ㄴ   ③ ㄱ, ㄴ   ④ ㄱ, ㄷ   ⑤ ㄴ, ㄷ

06 > 다이오드

그림 (가)는 반도체 A~D로 구성된 발광 다이오드(LED) X, Y를 직류 전원 장치에 병렬로 연결한 회로를 나타낸 것이다. (나)는 전압을 가하지 않았을 때 X, Y의 에너지띠 구조를 나타낸 것이고, 순방향 바이어스를 가했을 때 X, Y는 각각 빨간색과 파란색 빛 중 하나를 방출하는 발광 다이오드이다.

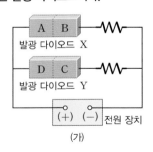

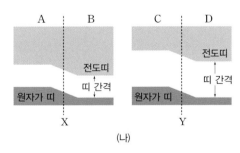

(가)   (나)

• 발광 다이오드에서 띠 간격이 클수록 방출하는 빛의 파장이 짧다.

이에 대한 설명으로 옳은 것만을 보기에서 있는 대로 고른 것은?

> 보기

ㄱ. A는 p형 반도체이다.

ㄴ. (가)의 X에서 빨간색 빛이 방출된다.

ㄷ. (가)의 Y에서 파란색 빛이 방출된다.

① ㄴ   ② ㄷ   ③ ㄱ, ㄴ   ④ ㄱ, ㄷ   ⑤ ㄱ, ㄴ, ㄷ

07
> p-n 접합 다이오드의 전류 – 전압 특성

그림은 발광 다이오드(LED)를 저항, 전원 장치에 연결했을 때 에너지띠에서 자유 전자와 양공의 재결합이 일어나는 모습을 모식적으로 나타낸 것이다. X, Y는 각각 p형 반도체와 n형 반도체 중 하나이다.

이에 대한 설명으로 옳은 것만을 보기에서 있는 대로 고른 것은? (단, h는 플랑크 상수이다.)

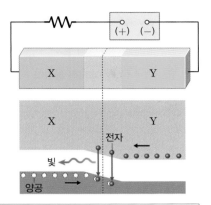

• 발광 다이오드에 순방향 바이어스가 걸리면 자유 전자와 양공의 재결합이 계속해서 일어난다.

보기

ㄱ. X에 도핑한 불순물의 원자가 전자는 5개이다.

ㄴ. 전자는 Y로 공급되고, X에서 빠져나간다.

ㄷ. 전원 장치의 단자를 바꾸어 연결하면 저항에 걸리는 전압이 커진다.

① ㄱ   ② ㄴ   ③ ㄷ   ④ ㄴ, ㄷ   ⑤ ㄱ, ㄴ, ㄷ

08
> 다이오드의 정류 작용

그림은 동일한 발광 다이오드(LED) A~D와 전지 2개, 저항, 스위치를 연결한 회로를 나타낸 것이다. 스위치를 a에 연결했을 때 A와 D가 켜지고, 스위치를 b에 연결했을 때 B와 C가 켜진다. X는 p형 반도체와 n형 반도체 중 하나이다.

• p-n 접합 다이오드에 순방향 바이어스가 걸리면 전류가 흐르고, 역방향 바이어스가 걸리면 전류가 거의 흐르지 않는다.

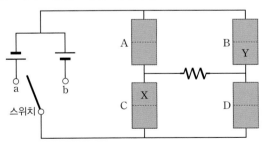

이에 대한 설명으로 옳은 것만을 보기에서 있는 대로 고른 것은?

보기

ㄱ. X는 n형 반도체이다.

ㄴ. 스위치를 a에 연결했을 때 Y에 전자가 계속해서 공급된다.

ㄷ. 스위치를 a에 연결했을 때와 b에 연결했을 때 저항에 흐르는 전류의 방향은 같다.

① ㄱ   ② ㄷ   ③ ㄱ, ㄴ   ④ ㄱ, ㄷ   ⑤ ㄴ, ㄷ

01 그림과 같이 전하량이 $-q$, $+q$인 두 전하가 x축 상의 위치 $-\dfrac{d}{2}$, $\dfrac{d}{2}$인 지점에 각각 고정되어 있다. x축상의 위치 a인 지점에 전하량이 $+Q$인 입자를 놓았다.

KEYWORDS
(2) 쿨롱 법칙

(1) a 지점에 놓인 전하량 $+Q$인 입자가 어느 방향으로 전기력을 받는지 쓰시오.

_____

(2) r가 매우 작을 때 $(1+r)^{-n} \simeq 1-nr$임을 이용하여, $a \gg d$인 경우에 전하량이 $+Q$인 입자가 받는 전기력을 풀이 과정과 함께 구하시오.

_____

02 그림 (가)는 수소 원자에서 전자가 전이할 때 방출 또는 흡수하는 빛의 스펙트럼을 관찰한 결과를 나타낸 것이고, (나)는 보어의 수소 원자 모형에서 양자수 n에 따른 에너지 준위와 (가)의 스펙트럼 선에 해당하는 전자 전이 과정을 나타낸 것이다.

KEYWORDS
(2) 선 스펙트럼, 양자화

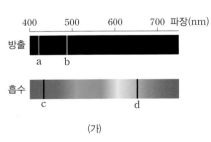

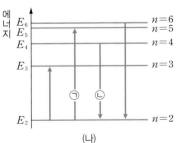

(가)　　　　　　　　　(나)

(1) ㉠과 ㉡에 해당하는 스펙트럼 선을 **a~d** 중에서 고르시오.

_____

(2) (가)로부터 수소 원자의 에너지 준위에 대해 추론할 수 있는 것을 서술하시오.

_____

03 그림은 19세기 초 독일의 과학자 프라운호퍼가 태양에서 오는 빛의 흡수 스펙트럼을 조사한 자료이다.

KEY WORDS
(1) 연속 스펙트럼, 저온의 기체
(2) 흡수 스펙트럼, 에너지 준위,
     원소

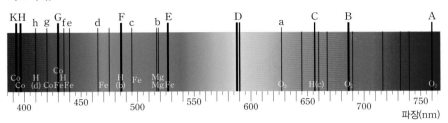

(1) 흡수 스펙트럼이 생기는 원리를 서술하시오.

(2) 위의 자료를 이용하여 파악할 수 있는 것이 무엇인지 서술하시오.

04 그림은 보어의 수소 원자 모형에서 전자의 전이와 수소 원자 스펙트럼의 관계를 나타낸 것이다. 보어의 수소 원자 모형에서 양자수 n에 따른 에너지 준위는 $E_n = -\dfrac{E_0}{n^2}$이다.

KEY WORDS
전자 전이, 발머 계열

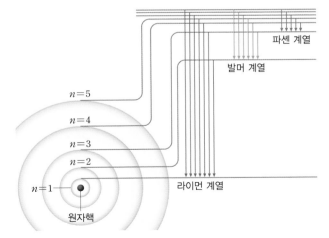

수소 원자 스펙트럼에서 발머 계열의 빛 중 파장의 최솟값과 최댓값을 풀이 과정과 함께 구하시오. (단, 빛의 속력은 c, 플랑크 상수는 h이다.)

05 그림 (가)는 절대 온도 0 K과 상온에서 반도체의 에너지띠 구조를 나타낸 것으로, 상온에서 원자가 띠의 일부 전자가 전도띠로 전이하였다. 그림 (나)는 반도체와 도체의 비저항을 온도에 따라 나타낸 것이다.

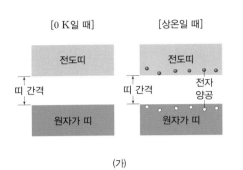

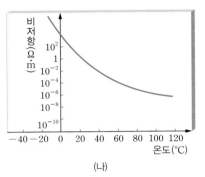

(가)

(나)

온도가 높아짐에 따라 반도체의 비저항이 감소하는 까닭을 (가)를 이용하여 서술하시오.

KEY WORDS
띠 간격, 열에너지, 전자

06 그림은 순수한 반도체인 규소(Si)에 불순물 ㉠을 첨가하여 만든 불순물 반도체의 결합 모습을 나타낸 것이다.

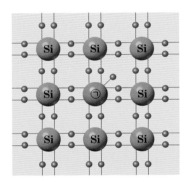

(1) ㉠의 원자가 전자는 몇 개인지 쓰시오.

(2) 오른쪽 그림은 상온에서 규소로 이루어진 순수 반도체의 에너지띠 구조를 나타낸 것이다. 불순물 ㉠을 첨가하였을 때 에너지띠에 나타나는 변화를 오른쪽 그림에 그리고, 이 불순물 반도체의 주요 전하 나르개는 무엇인지 쓰시오.

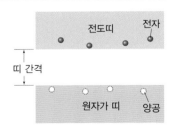

(3) 순수한 반도체에 불순물을 첨가하는 까닭을 서술하시오.

KEY WORDS
(2) 주개 준위
(3) 전하 나르개, 전기 전도성

07 그림 (가)와 (나)는 p-n 접합 다이오드에 전원 장치를 연결하였을 때 에너지띠 구조를 나타낸 것이다.

KEY WORDS
(2) 순방향 바이어스, 역방향 바이어스

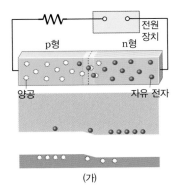 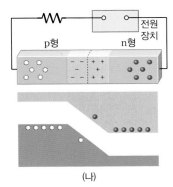

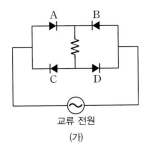 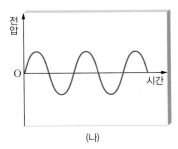

(가)　　　　　　　　　(나)

(1) (가)와 (나)의 바이어스를 쓰시오.

(2) (가)와 (나)에서 바이어스에 따른 자유 전자와 양공의 이동 방향을 각각 서술하시오.

08 그림 (가)는 p-n 접합 다이오드 A~D와 저항을 교류 전원에 연결한 모습을 나타낸 것이고, (나)는 교류 전원의 전압을 시간에 따라 나타낸 것이다.

KEY WORDS
(2) 다이오드, 정류 회로

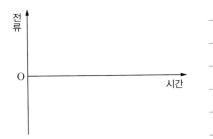

(1) A에 순방향 바이어스가 걸릴 때, B~D 중 순방향 바이어스가 걸린 것과 역방향 바이어스가 걸린 것을 분류하시오.

(2) 저항에 흐르는 전류를 시간에 따라 나타내고 특징을 서술하시오.

2

전자기장과 우리 생활

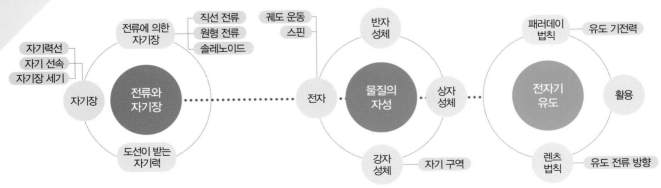

자기력선
자기 선속
자기장 세기

전류에 의한
자기장

직선 전류
원형 전류
솔레노이드

자기장

**전류와
자기장**

도선이 받는
자기력

전류에 의한 자기 작용

궤도 운동
스핀

반자
성체

전자

**물질의
자성**

상자
성체

강자
성체 ─ 자기 구역

물질의 자성

패러데이
법칙 ─ 유도 기전력

**전자기
유도**

활용

렌츠
법칙 ─ 유도 전류 방향

전자기 유도

01 전류에 의한 자기 작용

학습 Point 자기장 〉 전류에 의한 자기장 〉 자기장 속에서 전류가 흐르는 도선이 받는 자기력 〉 전류에 의한 자기장의 활용

 자석과 자기장

자석의 어원은 철이 자석에 붙는 것이 아기가 엄마에게 다가가는 것처럼 보인다고 하여 '자애의 돌(慈石)'이라고 불리던 것이 후에 자석(磁石)이 되었다고 한다. 이렇게 자석이 철을 끌어당기는 현상은 패러데이가 고안한 '장'이란 개념으로 설명할 수 있다.

1. 자석

(1) **자극**: 자석 주위에 철가루를 뿌리면 자석의 양 끝 부분에는 철가루가 많이 달라붙지만, 가운데 부분에는 거의 달라붙지 않는다. 이처럼 자성이 강하게 나타나는 자석의 양 끝 부분을 자극이라고 하며, N극과 S극이 있다. 자석을 수평으로 매달았을 때 지구의 북쪽을 가리키는 극은 N극이고, 남쪽을 가리키는 극은 S극이다.

▲ 자석 주위에 철가루를 뿌린 모습

(2) **자기력**: 두 자석의 자극을 서로 가까이 하면 서로 밀어내거나 끌어당기는 힘이 작용한다. 이처럼 자성을 띤 물체 사이에 작용하는 힘을 자기력이라고 한다.

척력	인력
자석의 같은 극 사이에는 서로 밀어내는 힘이 작용한다.	자석의 다른 극 사이에는 서로 끌어당기는 힘이 작용한다.
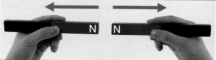	

(3) **자기 쌍극자**: 막대자석을 2개로 자르면 N극과 S극이 분리되지 않고 잘린 면에 새로운 자극이 생기며 2개의 작은 자석이 된다. 이 과정을 여러 번 되풀이해서 원자나 전자가 될 때까지 잘라도 고립된 하나의 자극, 즉 자기 홀극은 발견할 수 없다. 원자의 크기로 작게 자르더라도 N극과 S극이 함께 존재한다. 이처럼 자극은 항상 N극과 S극이 한 쌍으로 존재하는데, 이것을 자기 쌍극자라고 한다.

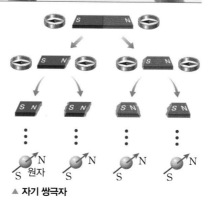
▲ 자기 쌍극자

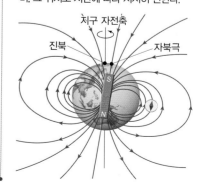

2. 자기장

(1) **자기장:** 자석 주위에 나침반을 놓으면 나침반 자침이 자기력을 받아 일정한 방향으로 배열된다. 자석은 그 주위에 자기력을 미치는 공간을 만드는데, 이와 같이 자기력이 미치는 공간을 자기장이라고 한다.

▲ **자기장의 방향**

- **자기장의 방향:** 자기장의 한 지점에 나침반을 놓았을 때 자침의 N극이 가리키는 방향이 그 지점에서 자기장의 방향이다.

(2) **자기력선:** 자기장 내에서 자침의 N극이 가리키는 방향을 따라 조금씩 이동해 가면 그림과 같이 하나의 곡선이 그려지는데, 이러한 선들을 자기력선이라고 한다. 자기력선은 자기장을 시각적으로 나타낸 것으로, 다음과 같은 특징이 있다.

▲ **자석 주위의 자기력선**

① 자기력선은 N극에서 나와 S극을 향하는 방향으로 폐곡선을 이룬다.
② 자기력선상의 한 점에서 그은 접선 방향이 그 지점에서 자기장의 방향이다.
③ 자기력선의 간격이 조밀할수록 그 위치에서 자기장이 센 것을 나타낸다.
④ 자기력선은 도중에 끊어지거나 서로 교차하지 않는다.

(3) **자기 선속(Φ):** 자기장에 수직인 어떤 단면을 지나는 자기력선의 총 개수를 자기 선속이라고 하며, 단위는 Wb(웨버)를 사용한다.

(4) **자기장의 세기(B):** 자기장에 수직인 단위 면적($1\ \mathrm{m^2}$)을 지나는 자기 선속을 자기장의 세기라고 한다. 자기장에 수직인 단면적 S를 지나는 자기 선속이 Φ일 때 자기장의 세기 B는 다음과 같다.

$$B = \frac{\Phi}{S}$$

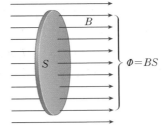

▲ **면적 S를 지나는 자기 선속**

- **자기장의 세기 단위:** $\mathrm{Wb/m^2}$을 사용하며, 이것을 T(테슬라)라고 한다. 즉, $1\ \mathrm{m^2}$의 면적에 $1\ \mathrm{Wb}$의 자기 선속이 수직으로 지날 때 자기장의 세기를 $1\ \mathrm{T}$라고 한다.

$$1\ \mathrm{T} = 1\ \mathrm{Wb/m^2} = 1\ \mathrm{N/(A \cdot m)}$$

시야확장 ➕ 전기와 자기의 차이

전기는 (+)전하와 (−)전하가 분리되어 독립적으로 존재할 수 있지만, 자기는 독립적인 N극 또는 S극이 존재하지 않고 항상 N극과 S극이 동시에 존재한다. 또, 전기력선은 (+)전하에서 시작하여 (−)전하에서 끝나지만, 자기력선은 처음과 끝이 없는 폐곡선을 이룬다.

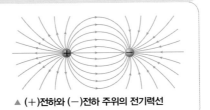

▲ **(+)전하와 (−)전하 주위의 전기력선**

패러데이와 자기력선
자기력선은 패러데이가 자기장을 설명하기 위해 도입하였다.

자석 주위의 자기력선
자석 주위의 자기력선은 N극에서 나와 S극으로 들어가는 방향이다. 자석 내부에서는 자기력선이 S극에서 N극을 향하는 방향으로 형성되어 전체 자기력선은 폐곡선을 이룬다.

자기력선에 대한 오개념
자기력선은 N극이 가리키는 방향을 연속적으로 이은 선일뿐 실제로 자기장에 놓인 작은 자석이 움직이는 경로는 아니다. 자기력을 받아 운동하는 물체는 관성 때문에 자기력선을 따라 운동하지 않는다.

자기장의 단위
T(테슬라)는 매우 큰 단위이기 때문에 일상생활에서는 G(가우스)를 주로 사용한다.
$$1\ \mathrm{T} = 10000\ \mathrm{G}$$
지표면에서 지구 자기장의 세기는 약 $0.25\ \mathrm{G}$ $\sim 0.65\ \mathrm{G}$이며, 우리나라에서는 약 $0.4\ \mathrm{G}$ $\sim 0.5\ \mathrm{G}$ 정도이다.

2 전류에 의한 자기 작용

1819년, 덴마크의 물리학자 외르스테드는 우연히 전류가 흐르는 도선 근처에 있던 나침반 자침의 N극이 북쪽을 가리키지 않는다는 것을 발견하였다. 이 현상으로부터 전류에 의해서도 자기장이 만들어진다는 사실이 밝혀졌고, 전기와 자기가 서로 관련이 있음을 알게 되었다.

1. 직선 도선에 흐르는 전류에 의한 자기장　　　**탐구** 2권 89쪽　**집중 분석** 2권 90쪽

직선 도선에 전류가 흐르지 않을 때는 그림 (가)와 같이 도선 주위에 놓인 나침반 자침의 N극은 모두 북쪽을 가리킨다. 그러나 도선에 강한 전류가 흐르면, 나침반 자침은 그림 (나)와 같이 원의 접선 방향으로 정렬된다. 이처럼 직선 도선에 전류가 흐르면 그 주위에는 도선을 중심으로 한 동심원 모양의 자기장이 생긴다.

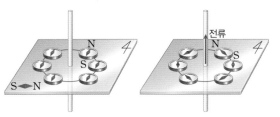 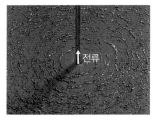 

(가) 전류가 흐르지 않을 때　　(나) 전류가 흐를 때　　(다) 전류가 흐르는 도선 주위의 철가루 배열

▲ **직선 도선에 흐르는 전류에 의한 자기장 형성**

(1) **자기장의 방향:** 직선 도선에 전류가 흐를 때 자기장은 도선에 수직인 면에 동심원 모양으로 생기며, 그 방향은 그림과 같이 오른손 법칙 또는 오른나사 법칙으로 알 수 있다.
① **오른손 법칙:** 직선 도선에 전류가 흐를 때 그 주변에 생기는 자기장의 방향은 오른손의 엄지손가락이 전류의 방향을 향하게 할 때 나머지 네 손가락이 도선을 감아쥐는 방향이다.
② 도선에 흐르는 전류의 방향이 반대로 바뀌면 자기장의 방향도 반대로 바뀐다. 이때 자기력선의 모양은 그대로 유지된다.

동심원
같은 중심을 가지며 반지름이 다른 여러 개의 원을 말한다.

오른나사 법칙
전류가 흐르는 직선 도선 주위의 자기장 방향은 오른나사를 전류의 방향으로 진행시킬 때 나사가 돌아가는 방향이다.

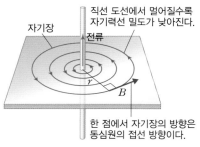 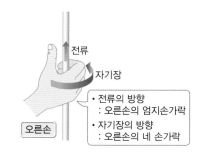

▲ **전류가 흐르는 직선 도선 주위의 자기력선과 자기장 방향**

(2) **자기장의 세기:** 무한히 긴 직선 도선에 전류가 흐를 때 직선 도선 주위의 한 지점에서의 자기장 세기 B는 도선에 흐르는 전류의 세기 I에 비례하고, 도선으로부터의 수직 거리 r에 반비례한다.

$$B = k\frac{I}{r} \ (\text{진공에서 } k = 2 \times 10^{-7} \text{ T·m/A})$$

이때 비례 상수 k의 값은 도선 주위의 물질의 종류에 따라 달라지며, 진공에서 그 값은 2×10^{-7} T·m/A이다.

그림과 같이 직선 도선에 위쪽으로 전류가 흐를 때 자기장의 방향은 오른손 법칙에 따라 도선 아래에서는 왼쪽, 도선 위쪽에서는 오른쪽 방향이 된다.

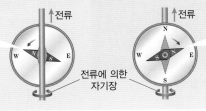

도선 아래에 놓인 나침반 자침
자침이 시계 반대 방향으로 회전한다.

도선 위에 놓인 나침반 자침
자침이 시계 방향으로 회전한다.

2. 원형 도선에 흐르는 전류에 의한 자기장

집중 분석 2권 91쪽

원형 도선에 전류가 흐를 때에도 도선 주위에 자기장이 형성된다. 이때 도선 주위의 한 지점에서의 자기장은 원형 도선을 아주 작게 나누어 무수히 많은 작은 직선 도선의 합으로 생각할 때, 각각 작은 직선 도선에 의한 자기장을 합성한 것과 같다.

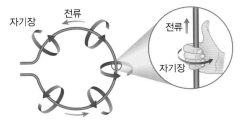

▲ **원형 도선에 흐르는 전류에 의한 자기장 형성**

특히, 원형 전류의 중심에서는 다음과 같은 방향과 세기의 자기장이 생긴다.

(1) **원형 전류 중심에서 자기장의 방향:** 원형 도선에 전류가 흐를 때 원형 도선이 이루는 원의 중심에는 도선이 이루는 면에 수직인 방향으로 자기장이 생긴다.

① **자기장의 방향을 찾는 방법:** 오른손의 네 손가락을 원형 도선에 흐르는 전류의 방향으로 감아줄 때 엄지손가락이 가리키는 방향이 원형 전류 중심에서 자기장의 방향이 된다.

② 전류의 방향이 바뀌면 자기장의 방향이 반대가 된다.

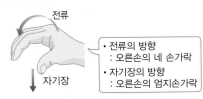

• 전류의 방향
: 오른손의 네 손가락
• 자기장의 방향
: 오른손의 엄지손가락

▲ **전류가 흐르는 원형 도선 주위의 자기력선과 중심에서 자기장 방향**

(2) **원형 전류 중심에서 자기장의 세기:** 원형 전류 중심에서 자기장의 세기 B는 전류의 세기 I에 비례하고, 도선이 만드는 원의 반지름 r에 반비례한다.

$$B = k' \frac{I}{r} \text{ (진공에서 } k' = 2\pi \times 10^{-7} \text{ T·m/A)}$$

원형 전류 외부의 자기장 방향
원형 전류 외부의 자기장 방향은 원형 전류 내부의 자기장 방향과 서로 반대이다.

원형 전류에 의한 자기장 세기
비례 상수 k'은 직선 전류에 의한 자기장 세기를 나타내는 비례 상수의 π배이다. 따라서 원형 전류의 중심에 형성된 자기장의 세기는 같은 거리만큼 떨어져 있고, 같은 세기의 전류가 흐르는 직선 도선에 의해 형성된 자기장의 세기보다 π배만큼 세다.

3. 솔레노이드에 흐르는 전류에 의한 자기장

솔레노이드란 나선형으로 감은 무한히 긴 도선
으로, 이러한 모양으로 도선을 연속적으로 감
고 전류를 흘려 주면, 내부에 비교적 균일한 자
기장을 만들 수 있다. 도선을 촘촘하게 감으면
각각을 원형 전류로 생각할 수 있고, 솔레노이
드 주위의 어느 한 지점에서의 자기장은 이들
원형 전류에 의한 자기장을 합성하여 구할 수

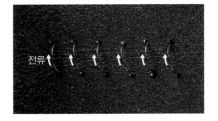

▲ 솔레노이드 주변의 철가루 모습

있다. 이 경우 솔레노이드 내부 자기장의 방향과 세기는 다음과 같다.

(1) **솔레노이드 내부의 자기장 방향**: 솔레노이드에 전류가 흐를 때 내부에는 솔레노이드의
축에 평행한 방향으로 자기장이 생긴다.

- **자기장의 방향을 찾는 방법**: 오른손의 네 손가락을 전류의 방향으로 감아줄 때 엄지손가락
이 가리키는 방향이 솔레노이드 내부의 자기장 방향으로, 자석의 N극에 해당한다.

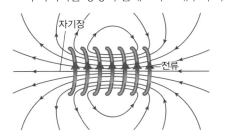

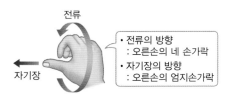

- 전류의 방향
: 오른손의 네 손가락
- 자기장의 방향
: 오른손의 엄지손가락

◀ **전류가 흐르는 솔레노이드에 의한 자기력선과 솔레
노이드 내부의 자기장 방향**

(2) **솔레노이드 내부의 자기장 세기**: 솔레노이드 내부에는 지름이나 길이에 관계없이 세기가
균일한 자기장이 생기는데, 자기장 세기 B는 전류의 세기 I에 비례하고, 단위 길이당 도
선을 감은 수 n에 비례한다.

$$B = k''nI \text{ (진공에서 } k'' = 4\pi \times 10^{-7} \text{ T·m/A)}$$

이때 비례 상수 k''은 진공에서 $4\pi \times 10^{-7}$ T·m/A로, 직선 전류에 의한 자기장의 세기를
나타내는 비례 상수의 2π배가 된다. 이 식은 무한히 긴 이상적인 솔레노이드에 대한 것이
지만 실제 솔레노이드에서도 양 끝에 너무 가깝지 않은 내부 영역에서는 잘 성립한다.

(3) **전자석**: 솔레노이드 내부에 연철로 만든 철심을
넣은 것

① 철심에 코일을 감는 까닭: 솔레노이드에 전류가
흐르면 철심이 내부 자기장 방향으로 강하게 자기
화되어, 도선만 감았을 때보다 훨씬 강한 자기장
을 얻을 수 있다.

② 전류가 흐를 때만 자성을 띤다.

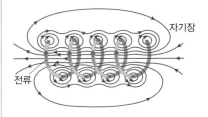

▲ **내부에 철심을 넣은 전자석에 의한 자기
장** 솔레노이드 속에 철심을 넣으면 내부 자기
장 세기가 1000배 이상 세어진다.

③ 전류의 세기를 바꾸어 자기장의 세기를 조절할 수 있고, 전류의 방향을 바꾸면 전자석
의 극을 바꿀 수 있다.

느슨하게 감은 솔레노이드 주위의 자기장
각각의 고리에 전류가 흐를 때 도선에 가까
운 곳에서는 자기력선이 원형이다. 솔레노
이드의 중심축 근처에서는 각 원형 고리가
만드는 자기장이 합쳐져 중심축 방향의 센
자기장이 형성된다. 솔레노이드의 외부는
자기장이 약해서 자기력선 사이의 간격이
넓다.

솔레노이드 외부에 생기는 자기장 모양
솔레노이드 외부에는 길이와 굵기가 같은
막대자석이 만드는 자기장 모양과 비슷한
모양의 자기장이 생긴다. 이때 자기력선이
솔레노이드로 들어가는 쪽은 자석의 S극에
해당하고, 자기력선이 나오는 쪽은 자석의
N극에 해당한다.

단위 길이당 도선을 감은 수 n
솔레노이드 내부의 자기장 세기를 나타내는
식 $B = k''nI$에서 n이 도선의 감은 수가 아
니라 단위 길이당 감은 수임에 주의한다. 도
선을 감은 수가 N이고, 솔레노이드의 길이
가 l일 때 $n = \dfrac{N}{l}$으로, 도선이 조밀하게 감
겨 있을수록 솔레노이드 내부의 자기장이
세다.

4. 토로이드에 흐르는 전류에 의한 자기장

솔레노이드를 도넛 모양으로 구부려 놓은 것을 토로이드(toroid)라고 한다. 토로이드에 전류가 흐르면 자기력선은 토로이드를 따라 동심원을 그리고, 이상적인 경우에 바깥 지점의 자기장은 0이 된다. 토로이드 내부의 자기장 세기는 솔레노이드와는 달리 균일하지 않다. 반지름 r인 원을 따라 자기장의 세기가 일정하며, 전류의 세기가 I, 도선을 감은 수가 N일 때 반지름 r인 지점의 자기장의 세기는 다음과 같다.

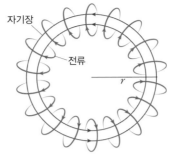

▲ 토로이드에 의한 자기장

토로이드

$$B = k\frac{NI}{r} \text{ (진공에서 } k=2\times10^{-7} \text{ T·m/A)}$$

5. 자기장 속에 놓인 전류가 흐르는 도선이 받는 자기력

도선에 전류가 흐르면 도선 주위에 자기장이 생기므로, 자석 등에 의한 외부 자기장 속에 놓인 전류가 흐르는 도선은 자기력을 받는다. 이때 전류가 흐르는 도선이 받는 자기력의 방향과 크기는 다음과 같다.

(1) **자기력의 방향:** 전류가 흐르는 도선이 외부 자기장 속에 놓였을 때 도선은 전류의 방향과 자기장의 방향에 수직인 방향으로 자기력을 받는다. 오른손의 네 손가락이 자기장의 방향을 향하게 하고, 엄지손가락이 전류의 방향을 향하게 할 때 손바닥이 향하는 방향이 도선이 받는 자기력의 방향이다.

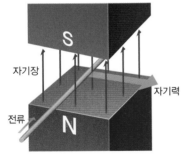

• 전류의 방향: 오른손의 엄지손가락
• 자기장의 방향: 오른손의 네 손가락
• 자기력의 방향: 오른손의 손바닥 방향

▲ 자기장 속에서 전류가 흐르는 도선이 받는 자기력의 방향

(2) **자기력의 크기:** 자기장의 세기를 B, 전류의 세기를 I, 자기장 내에 들어 있는 도선의 길이를 l, 자기장의 방향과 전류의 방향이 이루는 각을 θ라고 하면, 이 도선에 작용하는 자기력 F는 다음과 같다.

▲ 도선과 자기장이 이루는 각도와 자기력

$$F = BIl\sin\theta$$

① 자기력의 크기는 자기장이 셀수록, 전류의 세기가 셀수록, 자기장 속에 놓인 도선의 길이가 길수록 크다.

② 자기력의 크기는 자기장의 방향과 전류의 방향이 수직일 때($\theta=90°$) $F=BIl$로 최대이며, 평행할 때($\theta=0°$) 0이다.

③ 전류에 의한 자기 작용의 활용

전류가 흐르는 도선이 만드는 자기장은 자석이나 다른 도선의 자기장과 상호 작용 한다. 이런 성질은 일상생활에서 널리 활용되고 있다.

1. 전동기

전동기는 전류가 흐르는 도선이 자기장 속에서 받는 자기력을 이용하여 회전하는 장치로, 전기 자동차, 휴대 전화의 진동, 세탁기, 전동휠 등 전기 에너지를 역학적 에너지로 전환하는 대부분의 전기 기구에 이용된다.

(1) **직류 전동기의 구조:** 두 자석 사이에 전류가 흐르는 코일이 놓여 있고, 코일은 정류자와 브러시를 통하여 외부 전원에 연결되어 있다.

(2) **작동 원리**

① 코일에 전류가 흐르면 AB 부분과 CD 부분에 서로 반대 방향으로 자기력이 작용하여 코일을 회전시킨다.

② 코일이 회전하여 코일이 이루는 면이 자기장의 방향과 수직이 되는 순간 정류자에 의해 전류가 잠시 끊어지고, 코일은 관성에 의해 계속 회전한다.

③ 코일에 다시 반대 방향으로 전류가 흐르므로, 코일은 계속 같은 방향으로 회전한다.

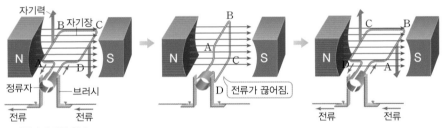

▲ **전동기의 작동 원리**

(3) **특징**

① 코일에 흐르는 전류의 방향이 반대가 되면 자기력의 방향도 반대가 되므로, 코일이 반대 방향으로 회전한다.

② 코일의 감은 수가 많을수록, 코일에 흐르는 전류의 세기가 셀수록 코일이 큰 자기력을 받는다.

2. 스피커 전기 신호를 소리로 전환하는 장치이다.

(1) **구조:** 고정된 영구 자석과 코일이 붙어 있는 진동판으로 이루어져 있다.

(2) **작동 원리**

① 코일에 소리의 신호를 담은 교류 전류가 흐르면 코일 내부에 전류에 따라 변하는 자기장이 발생한다.

② 이 자기장이 영구 자석의 자기장과 상호 작용 하면 코일과 영구 자석 사이에서 자기력이 작용하여 코일을 진동시킨다.

▲ **스피커의 구조**

③ 코일의 진동이 진동판에 전달되고, 진동판이 공기를 진동시키면 소리가 발생한다.

정류자

전동기의 코일이 일정한 방향으로 회전하도록 하는 장치로, 브러시와의 접촉에 의해 코일에 전류를 흐르게 한다. 직류 전동기의 정류자는 코일이 반 바퀴 돌 때마다 코일에 흐르는 전류의 방향을 바꾸어 코일이 계속 같은 방향으로 회전하게 한다.

코일의 AD, BC 부분이 받는 자기력

왼쪽 그림에서 코일이 이루는 면이 자기장과 나란할 때 코일의 AD, BC 부분은 전류의 방향과 자기장의 방향이 나란하므로 자기력을 받지 않는다. 그 외의 경우에는 코일의 AD, BC 부분이 자기력을 받지만 두 힘이 서로 상쇄되어 코일의 회전에 기여하지 않는다.

3. 그 외에 전류에 의한 자기 작용을 활용한 예

(1) **하드 디스크:** 컴퓨터 정보 저장 장치인 하드 디스크는 정보를 기록하는 부분인 플래터와 정보를 읽고 쓰는 장치인 헤드로 구성된다. 플래터에는 강자성체 가루가 발라져 있는데, 플래터에 정보를 기록할 때 헤드에 있는 작은 전자석으로 강자성체의 자화 방향을 재배열한다. 기록할 정보에 따라 코일에

▲ 하드 디스크 내부 모습

흐르는 전류의 방향이 바뀌면, 헤드에 발생하는 자기장의 방향도 바뀌며 플래터에 정보가 기록된다.

(2) **자기 공명 영상(MRI) 장치:** 자기 공명 영상은 핵자기 공명 현상을 이용해 인체 내부의 영상을 얻는 기술로, 인체의 장기, 조직 등의 단층 영상을 통해 질병을 진단하는 데 이용한다. 인체에 자기장을 걸어주고 특정 진동수의 고주파를 짧은 시간 동안 공급하면, 공급한 전자기파와 동일한 고유 주파수를 가진 인체 내 특정 수소 원자핵이 에너지를 흡수하였다가 방출한다. 이때 방출되는 전자기파의 위치를 분석하여 특정 원자의 분포를 영상화한다. 이를 위해서는

▲ 자기 공명 영상 장치의 구조

강한 자기장이 필요한데, 자기 공명 영상 장치에서는 원통 속에 들어 있는 초전도체를 이용한 솔레노이드에 센 전류를 흘려 약 $1\ \mathrm{T} \sim 3\ \mathrm{T}$의 강한 자기장을 만든다.

(3) **전자석 기중기:** 솔레노이드 내부에 철심을 넣어 만든 강력한 전자석을 이용해 철로 된 무거운 물체를 들어 올리거나 운반한다. 물체를 옮긴 후에는 스위치를 열어 코일에 전류가 흐르지 않게

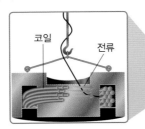

▲ 전자석 기중기

하면 전자석에서 물체를 분리할 수 있다.

(4) **자기 부상 열차:** 자기 부상 열차에 고정된 전자석에 센 전류를 흐르게 하면 레일과 열차 사이에 서로 끌어당기는 자기력이 작용하는데, 이 힘을 이용해 열차를 레일 위에 띄운다. 갭센서로 열차가 떠 있는 간격을 측정하고, 이 값을 제어기로 보내 전자석에 흐르는 전류의 세기와 방향을 미세하게 조정하는 방법으로 열차와 레일 사이의 간격을 일정하게 유지한다.

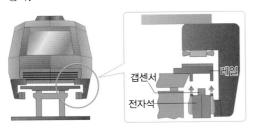

◀ 자기 부상 열차의 부상 원리

강자성체

외부 자기장을 가했을 때 외부 자기장 방향으로 강하게 자기화되며, 외부 자기장을 제거해도 자기화된 상태를 유지하는 성질을 강자성이라 하고, 강자성을 나타내는 물질을 강자성체라고 한다.
➡ 105쪽에서 자세히 다룬다.

헤드

U자 모양의 철심에 코일이 감긴 구조로 되어 있는 부품이다. 철심은 코일에 의한 자기장을 가두면서, 끝 부분으로 자기장을 모아주는 역할을 한다.

(5) **토카막(Tokamak):** 지구에서 핵융합을 하기 위해서는 인공적으로 1억 ℃ 이상의 초고온 플라스마를 담고 핵융합 반응이 유지되도록 가둬 둘 용기가 필요하다. 플라스마는 전하를 띠고 있어 자기장에 반응하는데, 토카막은 토로이드로 만든 강한 자기장을 이용해 초고온의 플라스마를 가두어 핵융합이 일어나도록 한다.

▲ 토카막 내부

우리나라의 핵융합 장치인 KSTAR에서도 토카막을 사용한다.

(6) **뇌자도:** 사람의 뇌에서 발생하는 자기장을 측정하는 뇌자도(MEG)는 전류가 만드는 자기장을 활용하는 기술이다. 두뇌가 활동할 때 뇌세포에서 미세한 전류가 발생하는데, 이 전류 때문에 주변에 미세한 자기장이 발생한다. 뇌자도 장비는 이 미세한 자기장을 측정하여 영상 신호로 바꿔 준다.

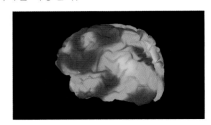

▲ 뇌자도

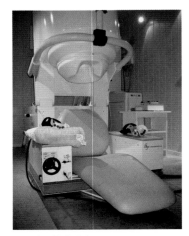

▲ 뇌자도 측정 장치

(7) **솔레노이드 밸브:** 솔레노이드 밸브는 전류가 흐를 때 생기는 자기장을 이용해 밸브를 열거나 닫을 수 있는 장치를 말한다. 전동기가 자기장을 이용해 회전 운동을 만드는 장치라면 솔레노이드 밸브는 솔레노이드에 생기는 자기장을 이용해 운동 봉을 직선 운동하도록 하는 장치이다. 주로 유체의 양을 전기적으로 조절하는 데 쓰이며, 스프링과 연결하여 정전되었을 때 가스 밸브 등을 자동으로 닫히게 하는 안전 장치로도 사용된다.

코일

운동 봉

▲ 솔레노이드 밸브의 구조

(8) **디지털카메라의 보이스 코일 모터:** 보이스 코일 모터란 전류에 의한 자기장과 영구 자석에 의한 자기장의 상호 작용으로 움직이는 전동기이다. 디지털카메라의 렌즈에는 코일과 영구 자석이 감겨 있다. 코일에 전류가 흐르면 자기장이 생기는데, 이 자기장이 영구 자석의 자기장과 상호 작용 하여 렌즈를 앞뒤로 움직인다. 이를 통해 렌즈 위치의 미세한 조정이 가능하다.

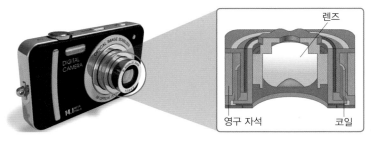

렌즈

영구 자석

코일

◀ 보이스 코일 모터의 구조

직선 전류에 의한 자기장 관찰

직선 도선에 흐르는 전류 주위에 만들어지는 자기장의 모양과 방향을 알아보고, 전류의 세기와 자기장의 세기를 비교할 수 있다.

과정

1 그림과 같이 굵은 에나멜선, 직류 전원 장치, 가변 저항기, 스위치를 연결하고 에나멜선을 남북 방향으로 지면과 수평하게 놓은 후 나침반을 에나멜선 아래에 놓는다.

2 스위치를 닫아 전류가 흐르게 한 후 나침반 자침이 가리키는 방향을 관찰한다.

3 가변 저항기로 전류의 세기를 더 세게 하여 과정 2를 반복한다.

4 전원 장치의 극을 반대로 연결하고 과정 2를 반복한다.

5 나침반을 에나멜선 위로 가져가고 과정 2를 반복한다.

직류 전원 장치
가변 저항기 (−) (+)
스위치
에나멜선
북 남

유의점

· 에나멜선은 전기 저항이 작아 큰 전류가 흐를 수 있으므로 최대 전류가 0.5 A를 넘지 않도록 한다.
· 에나멜선에 전류가 흐르면 열이 발생하므로, 에나멜선을 만지지 않도록 주의한다.

결과

각 과정에서 나침반 자침의 모습은 다음과 같다.

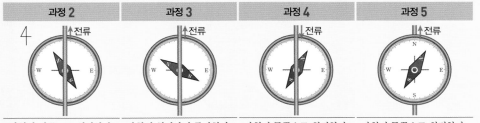

과정 2	과정 3	과정 4	과정 5
자침이 서쪽으로 회전한다.	자침의 회전각이 증가한다.	자침이 동쪽으로 회전한다.	자침이 동쪽으로 회전한다.

정리

· 전류가 남쪽에서 북쪽으로 흐를 때 도선 아래에 있는 나침반 자침은 서쪽으로 회전하고, 도선 위에 있는 나침반 자침은 동쪽으로 회전한다.
· 전류의 방향이 반대가 되면 나침반 자침이 회전하는 방향도 반대가 된다.
· 전류의 세기가 증가하면 나침반 자침의 회전각도 증가한다.

나침반 자침이 가리키는 방향
나침반 자침의 N극은 그림과 같이 지구 자기장과 전류에 의한 자기장을 합성한 방향을 가리킨다. 따라서 자침의 회전각은 전류에 의한 자기장의 세기가 클수록 증가한다.

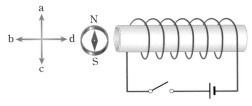

지구 자기장
전류에 의한 자기장

탐구 확인 문제

▶ 정답과 해설 61쪽

01 그림과 같이 전류가 흐르는 직선 도선 주위의 P점에 나침반을 놓았더니 자침의 N극이 45° 회전하여 북서쪽을 가리켰다. P점과 Q점은 도선을 중심으로 한 원 위의 두 점이다.

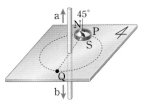

(1) a, b 중 직선 도선에 흐르는 전류의 방향을 고르시오.

(2) Q점에 나침반을 놓았을 때 자침의 N극이 가리키는 방향과 회전각을 각각 쓰시오.

02 그림과 같이 솔레노이드를 전지에 연결하고 스위치를 닫았다.

```
      a
      ↑
  b ←─┼─→ d
      ↓
      c
```

N
S

나침반 자침의 N극이 가리키는 방향을 a∼d 중에서 고르시오. (단, 지구 자기장은 무시한다.)

두 도선에 흐르는 전류에 의한 합성 자기장

전류가 흐르는 도선 주위의 자기장에 대해 묻는 문제에서는 하나의 도선 주위의 자기장보다 여러 도선에 의한 자기장의 합성에 대해 묻는 문제가 더 자주 출제된다. 이런 문제를 해결하기 위해서는 먼저 직선 도선, 원형 도선, 솔레노이드에 흐르는 전류에 의한 자기장의 세기와 방향을 이해하고, 자기장의 방향을 고려하여 합성 자기장을 구할 수 있어야 한다.

❶ 두 직선 도선에 흐르는 전류에 의한 합성 자기장

(1) 무한히 길고 평행한 두 직선 도선에 같은 방향으로 같은 세기의 전류가 흐를 때

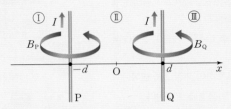

위치	영역 Ⅰ	영역 Ⅱ	영역 Ⅲ
P, Q에 의한 자기장 방향	같다.	반대이다.	같다.
합성 자기장 세기	P, Q에 의한 자기장 세기의 합	• P, Q에 의한 자기장 세기의 차 • 중앙에서 $B=0$	P, Q에 의한 자기장 세기의 합
합성 자기장 방향	종이면에서 수직으로 나오는 방향	가까운 도선에 의한 자기장 방향	종이면에 수직으로 들어가는 방향

(2) 무한히 길고 평행한 두 직선 도선에 반대 방향으로 같은 세기의 전류가 흐를 때

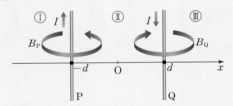

위치	영역 Ⅰ	영역 Ⅱ	영역 Ⅲ
P, Q에 의한 자기장 방향	반대이다.	같다.	반대이다.
합성 자기장 세기	P, Q에 의한 자기장 세기의 차	P, Q에 의한 자기장 세기의 합	P, Q에 의한 자기장 세기의 차
합성 자기장 방향	종이면에서 수직으로 나오는 방향	종이면에 수직으로 들어가는 방향	종이면에서 수직으로 나오는 방향

위치에 따른 합성 자기장

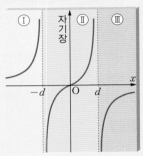

영역 Ⅰ과 Ⅲ의 합성 자기장 방향이 반대이고, 영역 Ⅱ에 $B=0$인 지점이 존재한다.

위치에 따른 합성 자기장

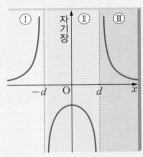

영역 Ⅰ과 Ⅲ의 합성 자기장 방향이 같고, 영역 Ⅱ는 이와 반대 방향이다.

❶ 그림과 같이 무한히 길고 평행한 두 직선 도선 P, Q가 점 a, b, c와 같은 간격 d만큼 떨어진 채로 고정되어 있다. 도선 P에 세기가 I인 전류가 화살표 방향으로 흐를 때, b에서 자기장은 0이다.

(1) 도선 Q에 흐르는 전류의 방향을 쓰시오.
(2) a에서 P에 의한 자기장의 세기를 B라고 할 때 c에서 P, Q에 의한 자기장 세기를 쓰시오.

정답 (1) 위쪽 (2) $\dfrac{4}{3}B$

해설 (1) b에서 P, Q에 의한 자기장은 크기가 같고 방향이 반대여야 하므로, Q에는 세기가 I인 전류가 위쪽으로 흐른다.

(2) c에서 P, Q에 의한 자기장의 방향은 같으므로, 자기장의 세기는 $\dfrac{kI}{3d}+\dfrac{kI}{d}=\dfrac{4kI}{3d}=\dfrac{4}{3}B$이다.

② 원형 도선에 흐르는 전류에 의한 합성 자기장

(1) 원형 도선의 중심 O에서 직선 도선과 원형 도선에 흐르는 전류에 의한 합성 자기장

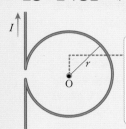

- 직선 도선에 의한 자기장(B_1): 종이면에 수직으로 들어가는 방향 ⇒ $B_1 = -k\dfrac{I}{r}$
- 원형 도선에 의한 자기장(B_2): 종이면에서 수직으로 나오는 방향 ⇒ $B_2 = k'\dfrac{I}{r}$
- $k < k'$이므로, $|B_1| < |B_2|$이다.
- ⇒ O에서 합성 자기장은 종이면에서 수직으로 나오는 방향이다.

k와 k'
직선 전류에 의한 자기장 식에서 k는 진공에서 $k = 2 \times 10^{-7}$ T·m/A이고, 원형 전류에 의한 자기장 식에서 k'은 진공에서 $k' = 2\pi \times 10^{-7}$ T·m/A이다. 즉, $k' = \pi k$이므로, $k < k'$이다.

(2) 중심 O에서 같은 세기의 전류가 흐르는 두 동심원 P, Q에 의한 합성 자기장

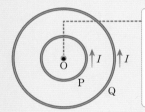

- P, Q에 의한 자기장의 방향이 같다.
- 종이면에서 수직으로 나오는 방향
- $B = B_P + B_Q$

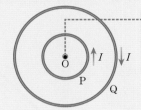

- P, Q에 의한 자기장의 방향이 반대이다.
- 작은 원(P)에 의한 자기장 방향
- $B = B_P - B_Q$

원형 전류에 의한 자기장 세기
원형 도선의 중심에서 반지름 r인 원형 전류에 의한 자기장의 세기는 전류의 세기 I에 비례하고 반지름 r에 반비례한다.
$$B \propto \frac{I}{r}$$

예제

② 그림과 같이 일정한 세기의 전류가 흐르고 있는 원형 도선과 $+y$ 방향으로 세기가 I인 전류가 흐르는 무한히 긴 직선 도선이 있다. 원형 도선의 중심 O점에서 자기장의 세기가 0이다.

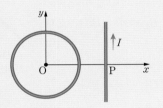

(1) 원형 도선에 흐르는 전류의 방향을 쓰시오.
(2) 원형 도선에 흐르는 전류의 세기를 I와 비교하시오.
(3) 직선 도선을 $+x$ 방향으로 이동시킬 때 O에서 자기장의 세기는 어떻게 변하는지 쓰시오.

정답 (1) 시계 방향 (2) I보다 작다. (3) 점점 증가한다.

해설 (1) O에서 직선 도선에 의한 자기장이 종이면에서 수직으로 나오는 방향이므로 원형 도선에 의한 자기장은 종이면에 수직으로 들어가는 방향이어야 한다.
　　　(2) $k < k'$이고, 직선 도선이 떨어진 거리가 원형 도선의 반지름보다 크므로, 직선 도선에 더 센 전류가 흘러야 한다.
　　　(3) 직선 도선에 의한 자기장의 세기가 점점 약해지므로, O에서 자기장의 세기는 점점 증가한다.

▷ 정답과 해설 **61**쪽

유제

그림과 같이 xy 평면에 전류가 흐르는 무한히 긴 직선 도선 A, B, C가 고정되어 있다. A에는 $+y$ 방향으로 세기가 I_0인 전류가 흐르고, p점과 q점에서 세 도선에 의한 자기장은 세기가 같고 방향이 반대이다.
B에 흐르는 전류의 세기와 방향을 옳게 짝 지은 것은?

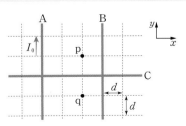

	세기	방향		세기	방향		세기	방향
①	$\dfrac{I_0}{2}$	$+y$	②	$\dfrac{I_0}{2}$	$-y$	③	I_0	$+y$
④	I_0	$-y$	⑤	$2I_0$	$+y$			

심화

앙페르 법칙

어떤 전류에 의한 자기장을 구할 때는 먼저 전류를 작게 나눈 후 각 부분에 의한 자기장을 구하고, 이것을 전체 전류에 대해 더하면 된다. 만약 전류의 분포가 대칭성을 가지고 있다면, 앙페르 법칙으로 알려진 식을 이용해 쉽게 구할 수 있다. 그러면 앙페르 법칙을 통해 전류에 의한 자기장 식에 대해 좀 더 명확히 이해해 보자.

앙페르 법칙이란 프랑스 물리학자 앙페르(Ampere, A. M., 1775~1836)가 발견한 자기장에 대한 법칙으로, 후에 맥스웰이 변위 전류를 포함한 형태로 발전시켰으며, 그 식은 다음과 같다.

$$\oint B\cos\theta ds = \mu_0 I$$

여기서 μ_0는 진공 투자율로 값은 $4\pi \times 10^{-7}$ T·m/A이다. 적분 기호에서 원은 ds를 앙페르 고리라고 하는 폐경로를 따라 적분한다는 의미이다. I는 폐경로에 의해 둘러싸인 면을 통과하는 전체 전류이다.

❶ 전류가 흐르는 긴 직선 도선이 만드는 자기장

그림과 같이 전류 I가 흐르는 무한히 긴 직선 도선에서 거리 r만큼 떨어진 원형의 폐경로를 생각해 보자. 대칭성에 의해 자기장의 세기는 도선에 수직인 평면 위에 형성된 하나의 원주상의 모든 점에서 일정하다. 원주상의 작은 길이 요소 ds를 따라 각 점에서 B와 ds는 평행하므로 $\theta=0$이고, $B\cos\theta ds=Bds$가 된다. 따라서 앙페르 법칙은

$$\oint B\cos\theta ds = B\oint ds = 2\pi r B = \mu_0 I$$

이다. 따라서 직선 도선 주변의 자기장 B는 다음과 같다.

$$B = \frac{\mu_0}{2\pi}\frac{I}{r}\left(\frac{\mu_0}{2\pi} = 2 \times 10^{-7} \text{ T·m/A}\right)$$

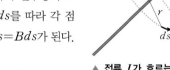

▲ 전류 I가 흐르는 무한히 긴 직선 도선

❷ 솔레노이드 내부의 자기장

그림과 같이 내부의 자기장 세기가 B로 균일하고, 자기장 방향은 축에 평행하며 전류 I가 흐르는 솔레노이드의 단면에서 폐경로 abcda를 따라 적분하면

$$\oint B\cos\theta ds = \int_a^b Bdl + \int_b^c Bdl + \int_c^d Bdl + \int_d^a Bdl$$

이다. 여기서 B와 ds가 수직인 경로는 $\cos 90° = 0$이 되므로 적분한 값은 0이 되고, c → d 경로의 경우에는 $B=0$이므로, 위 식은 다음과 같다.

$$\oint B\cos\theta ds = Bl + 0 + 0 + 0 = Bl$$

여기서 앙페르 법칙의 우변의 전류는 적분 경로를 관통하는 전체 전류로 NI이므로,

$$Bl = \mu_0 NI \rightarrow B = \mu_0 \frac{N}{l} I = \mu_0 nI$$

이고, 여기서 $n = \frac{N}{l}$으로 단위 길이당 감은 수이다.

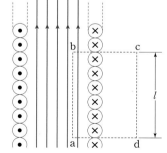

▲ 전류 I가 흐르는 이상적인 솔레노이드의 단면

앙페르 법칙에서 전류의 부호

오른손의 엄지손가락을 펴고 나머지 네 손가락이 폐경로의 적분 방향과 일치하도록 고리를 감싸 쥘 때 엄지손가락이 가리키는 방향으로 흐르는 전류를 (+) 부호로 정한다.

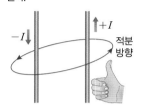

이상적인 솔레노이드

도선을 촘촘하게 감은 무한히 긴 솔레노이드를 이상적인 솔레노이드라고 한다. 이 솔레노이드 내부의 자기장 세기는 균일하고 솔레노이드의 축과 평행하며, 솔레노이드의 외부 자기장은 0이다.

01 전류에 의한 자기 작용

① 자석과 자기장

1. **자기력** 자성을 띤 물체 사이에 작용하는 힘으로, 같은 자극 사이에는 척력, 다른 자극 사이에는 인력이 작용한다.

2. **자기장** 자석 주위와 같이 자기력이 미치는 공간

• 자기장의 방향: 자기장을 나타낸 자기력선의 한 점에서 그은 (**❶**   ) 방향

• 자기장의 세기: 자기장에 수직인 단면적 S를 지나는 자기 선속이 Φ일 때 자기장의 세기 B는 다음과 같다. ➡ $B=($**❷** $)$ [단위: $\text{Wb/m}^2=\text{T}$]

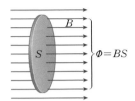

② 전류에 의한 자기 작용

1. **전류에 의한 자기장**

구분	직선 도선	원형 도선의 중심	솔레노이드 내부
자기장 모양	도선을 중심으로 한 (**❸**) 모양의 자기장이 생긴다.	원형 도선이 이루는 면에 수직인 직선 모양의 자기장이 생긴다.	솔레노이드 축에 평행하고 세기가 (**❻**) 자기장이 생긴다.
자기장 방향	자기장 ↑전류 / 자기장 ↑전류	전류 / 전류 / 자기장	자기장 / 전류 / 자기장
자기장 세기	전류의 세기에 (**❹**)하고, 도선으로부터 수직 거리에 반비례한다. ➡ $B=k\dfrac{I}{r}$	전류의 세기에 비례하고, 도선의 (**❺**)에 반비례한다. ➡ $B=k'\dfrac{I}{r}$	전류의 세기에 비례하고, (**❼**)에 비례한다. ➡ $B=k''nI$

2. **자기장 속에 놓인 도선이 받는 자기력** 전류가 흐르는 도선은 주위에 자기장이 생기므로 외부 자기장 속에 놓이면 (**❽**   )을 받는다.

• 자기력의 방향: 전류와 자기장의 방향에 수직이다.

• 자기력의 세기: 자기장의 세기가 셀수록, 전류의 세기가 셀수록, 자기장 속에 놓인 도선의 (**❾**   )가 길수록 크다. ➡ $F \propto BIl$ (자기장과 전류의 방향이 수직일 때)

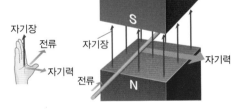

③ 전류에 의한 자기 작용의 활용

전동기, 스피커, 뇌자도, 하드 디스크의 헤드, 자기 공명 영상(MRI) 장치, 토카막, 솔레노이드 밸브, 보이스 코일 모터 등

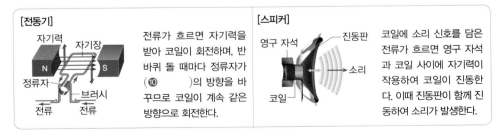

[전동기]
전류가 흐르면 자기력을 받아 코일이 회전하며, 반 바퀴 돌 때마다 정류자가 (**❿**   )의 방향을 바꾸므로 코일이 계속 같은 방향으로 회전한다.

[스피커]
코일에 소리 신호를 담은 전류가 흐르면 영구 자석과 코일 사이에 자기력이 작용하여 코일이 진동한다. 이때 진동판이 함께 진동하여 소리가 발생한다.

01 그림은 막대자석 주위와 내부의 자기장을 자기력선으로 나타낸 것이다.

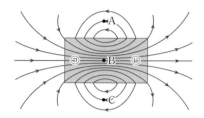

(1) ㉠과 ㉡은 각각 어떤 극인지 쓰시오.

(2) A~C 지점 중 자기장의 방향이 다른 것 하나를 골라 쓰시오.

02 그림은 남북 방향으로 놓인 직선 도선 아래에 나침반을 놓고, 도선에 전류를 흘려 주었을 때 나침반의 자침이 회전한 모습이다.

자침의 회전각이 더 증가하게 할 수 있는 방법을 보기에서 있는 대로 고르시오.

보기
ㄱ. 전류의 세기를 증가시킨다.
ㄴ. 전류의 방향을 반대로 바꾼다.
ㄷ. 도선과 나침반 사이의 거리를 더 멀리 한다.

03 그림은 종이면에서 수직으로 나오는 방향으로 같은 세기의 전류가 흐르는 무한히 긴 두 직선 도선 A, B를 나타낸 것이다.

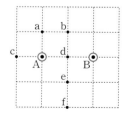

(1) 점 a~f 중 A와 B에 흐르는 전류에 의한 자기장의 방향이 서로 같은 점을 있는 대로 고르시오.

(2) 점 a~f 중 자기장의 세기가 같은 점을 고르시오.

04 그림과 같이 무한히 길고 평행한 직선 도선 A, B, C가 점 P, Q, R와 같은 간격 d만큼 떨어져 종이면에 고정되어 있다. A, B, C에는 화살표 방향으로 모두 세기가 I인 전류가 흐르고 있다.

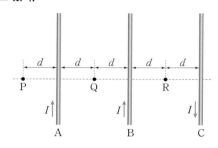

(1) P에서 A에 흐르는 전류에 의한 자기장의 방향과 세기를 구하시오.

(2) P, Q, R에서 A, B, C에 흐르는 전류에 의한 합성 자기장의 세기를 비교하시오.

05 그림과 같이 xy 평면에 각각 $+x$축 방향과 $+y$축 방향으로 일정한 세기의 전류 I가 흐르는 무한히 긴 두 직선 도선이 고정되어 있다. 반지름이 r이고 시계 방향으로 일정한 세기의 전류 I가 흐르는 원형 도선이 xy 평면에 놓여 있고, 원형 도선의 중심을 옮겨가며 A, B, C, D에서 측정한 자기장의 세기가 각각 B_A, B_B, B_C, B_D이다. A, B, C, D는 두 직선 도선에서 각각 $2r$만큼 떨어져 있다.

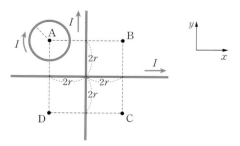

B_A, B_B, B_C, B_D의 크기를 등호나 부등호를 이용해 비교하시오. (단, 모든 도선은 같은 평면 위에 있다.)

06 그림은 전원에 솔레노이드와 저항이 R인 저항을 연결한 모습을 나타낸 것이고, 표는 솔레노이드의 길이, 감은 수, 전원의 전압을 변화시킬 때 솔레노이드 내부의 자기장의 세기를 나타낸 것이다.

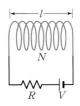

실험	I	II	III
길이(l)	L_0	L_0	$2L_0$
감은 수(N)	N_0	N_0	$2N_0$
전압(V)	V_0	$2V_0$	V_0
자기장 세기	B_1	B_2	B_3

B_1, B_2, B_3의 크기를 등호와 부등호를 이용해 비교하시오.

07 전류에 의한 자기장에 대한 설명으로 옳은 것만을 보기에서 있는 대로 고르시오.

보기
ㄱ. 직선 도선에 가까울수록 자기장의 세기가 증가한다.
ㄴ. 원형 도선에 흐르는 전류의 세기를 2배로 하면 중심에서의 자기장의 세기는 2배가 된다.
ㄷ. 솔레노이드의 길이를 2배로 하고 감은 수를 2배로 하면 내부의 자기장의 세기는 4배가 된다.

08 그림과 같이 전압이 V인 전지와 저항 값이 R인 저항이 연결된 ㄷ자형 도선 위에 도선 PQ가 올려져 있다.

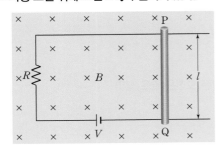

ㄷ자형 도선의 폭이 l이고, 종이면에 수직으로 들어가는 방향으로 세기가 B로 일정한 자기장을 걸어 줄 때 도선 PQ가 받는 자기력의 크기를 구하시오. (단, 도선 PQ의 저항과 모든 마찰은 무시한다.)

09 그림과 같이 전원 장치와 스위치를 연결한 구리 막대를 용수철저울에 매단 후 말굽자석 사이에 놓았다.

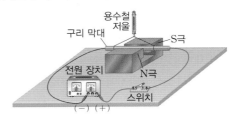

스위치를 닫았을 때 용수철저울의 눈금이 어떻게 변하는지 쓰시오.

10 그림은 전동기의 구조를 나타낸 것이다.

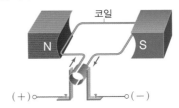

(1) 코일은 어느 방향으로 회전하는지 쓰시오.

(2) 전동기에 전원을 반대로 연결했을 때 코일의 회전은 어떻게 변하는지 쓰시오.

11 다음은 계전기에 대한 설명이다.

> 계전기는 작은 전압으로 전압이 큰 회로를 켜거나 끌 수 있는 장치이다. 스위치를 닫아 코일에 (㉠)이/가 흐르면 철편이 (㉡)력을 받아 코일 쪽으로 끌려온다. 이때 철편의 뒷부분이 전구가 연결된 회로의 스위치를 닫게 되므로 전구에 불이 켜진다.
>
>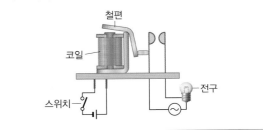

㉠, ㉡에 들어갈 알맞은 말을 쓰시오.

01 〉직선 전류에 의한 자기장

그림과 같이 x축상에서 종이면에 수직으로 고정된 무한히 긴 직선 도선 A, B, C에 각각 일정한 세기의 전류가 흐르고 있다. A에는 종이면에 수직으로 들어가는 방향으로 전류가 흐른다. 점 p에서 도선 B와 C에 의한 자기장의 방향은 $+y$ 방향이고, 점 q에서 A와 C에 의한 자기장은 0이다.

이에 대한 설명으로 옳은 것만을 보기에서 있는 대로 고른 것은? (단, 지구 자기장은 무시한다.)

─ 보기 ─────────────────────────────
ㄱ. A에 흐르는 전류의 세기가 C에 흐르는 전류의 세기보다 크다.
ㄴ. B와 C에 흐르는 전류의 방향은 같다.
ㄷ. A와 B 사이에 자기장이 0인 지점이 존재한다.
──────────────────────────────────

① ㄱ   ② ㄴ   ③ ㄱ, ㄴ   ④ ㄱ, ㄷ   ⑤ ㄴ, ㄷ

• 직선 전류에 의한 자기장의 세기는 전류의 세기에 비례하고, 도선으로부터 수직 거리에 반비례한다.

고난도
02 〉직선 전류에 의한 자기장

그림은 y축 방향으로 고정된 무한히 긴 직선 도선 A와 A로부터 $2d$만큼 떨어져 y축상에 고정된 무한히 긴 직선 도선 B, x축상에 고정된 무한히 긴 직선 도선 C를 나타낸 것이다. 점 p, q는 각각 좌표 $(-d, d)$, (d, d)에 있는 점이다. 세 도선에 흐르는 전류에 의한 자기장의 세기와 방향은 p와 q에서 같다. 표는 A, B, C에 흐르는 전류의 세기와 방향을 나타낸 것이다.

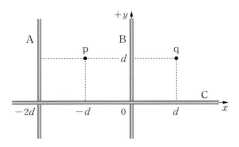

도선	전류의 세기	전류의 방향
A	(가)	$+y$
B	I_0	(나)
C	$2I_0$	$-x$

이에 대한 설명으로 옳은 것만을 보기에서 있는 대로 고른 것은? (단, 모든 도선은 같은 평면 위에 있고, 지구 자기장은 무시한다.)

─ 보기 ─────────────────────────────
ㄱ. (가)는 $3I_0$이다.
ㄴ. (나)는 $+y$이다.
ㄷ. C에 흐르는 전류의 방향만을 $+x$로 바꾸면 p에서의 자기장은 0이 된다.
──────────────────────────────────

① ㄱ   ② ㄷ   ③ ㄱ, ㄴ   ④ ㄴ, ㄷ   ⑤ ㄱ, ㄴ, ㄷ

• 직선 전류에 의한 자기장의 방향은 전류의 방향으로 오른손의 엄지손가락이 향할 때 네 손가락이 도선을 감아쥐는 방향이다.

03 › 직선 전류에 의한 자기장

다음은 전류에 의한 자기장에 관한 실험 과정과 결과이다.

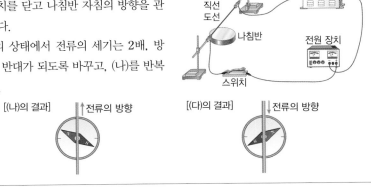

(가) 그림과 같이 실험 장치를 구성한다.

(나) 스위치를 닫고 나침반 자침의 방향을 관찰한다.

(다) (가)의 상태에서 전류의 세기는 2배, 방향은 반대가 되도록 바꾸고, (나)를 반복한다.

이에 대한 설명으로 옳은 것만을 보기에서 있는 대로 고른 것은? (단, 전선과 나침반 바늘이 이루는 각도는 (나)와 (다)에서 같다.)

> 보기

ㄱ. (가)에서 직선 도선은 남북 방향으로 설치되었다.

ㄴ. 나침반 자침의 회전각은 (다)에서가 (나)에서보다 크다.

ㄷ. 나침반이 있는 곳에서 전류에 의한 자기장의 방향은 (나)와 (다)에서 같다.

① ㄱ   ② ㄴ   ③ ㄱ, ㄴ   ④ ㄱ, ㄷ   ⑤ ㄴ, ㄷ

• 직선 전류의 세기가 증가하면 나침반 자침의 회전각도 증가한다.

04 › 원형 전류에 의한 자기장

그림 (가)는 점 O를 중심으로 하고, 종이면에 고정되어 있는 원형 도선 A, B에 화살표 방향으로 전류가 흐르는 모습을 나타낸 것이다. A, B의 반지름은 각각 $2r$, r이고, B에 흐르는 전류의 세기는 I_0로 일정하다. 그림 (나)는 A에 흐르는 전류의 세기 I를 시간 t에 따라 나타낸 것이다.

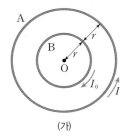

(가)

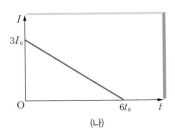

(나)

O에서의 자기장에 대한 설명으로 옳은 것만을 보기에서 있는 대로 고른 것은?

> 보기

ㄱ. t_0일 때 자기장의 방향은 종이면에서 수직으로 나오는 방향이다.

ㄴ. $2t_0$일 때 자기장은 0이다.

ㄷ. t_0일 때와 $3t_0$일 때 자기장의 세기는 같다.

① ㄱ   ② ㄷ   ③ ㄱ, ㄴ   ④ ㄴ, ㄷ   ⑤ ㄱ, ㄴ, ㄷ

• 원형 전류에 의한 자기장의 세기는 전류의 세기에 비례하고, 도선의 반지름에 반비례한다.

05 > 직선 전류와 원형 전류에 의한 자기장

그림과 같이 종이면에 고정된 원형 도선의 중심 O로부터 $2r$만큼 떨어진 곳에 무한히 긴 직선 도선이 종이면에 수직으로 놓여 있다. 원형 도선에는 시계 반대 방향으로 세기가 I_0인 전류가 흐르고, 직선 도선에는 위쪽으로 세기가 I인 전류가 흐른다. O에서 원형 도선에 흐르는 전류에 의한 자기장의 세기와 P에서 직선 도선에 흐르는 전류에 의한 자기장의 세기는 B_0으로 같다.

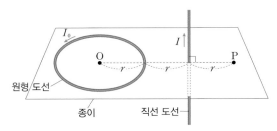

이에 대한 설명으로 옳은 것만을 보기에서 있는 대로 고른 것은? (단, 지구 자기장은 무시한다.)

> 보기

ㄱ. $I = 2\pi I_0$이다.

ㄴ. O에서 원형 도선에 흐르는 전류에 의한 자기장과 직선 도선에 흐르는 전류에 의한 자기장의 방향은 서로 수직이다.

ㄷ. O에서 합성 자기장의 세기는 $\dfrac{\sqrt{5}}{2}B_0$이다.

① ㄱ   ② ㄴ   ③ ㄱ, ㄴ   ④ ㄱ, ㄷ   ⑤ ㄴ, ㄷ

• 자기장은 방향을 가지는 물리량이므로, 두 전류에 의한 자기장을 합성할 때는 방향을 고려해야 한다.

06 > 솔레노이드에 의한 자기장

그림은 중심축이 같은 솔레노이드 A와 원형 도선 B 사이의 p점에 나침반을 놓고 각각 전원 장치에 연결하였을 때, 나침반 자침의 N극이 $+x$ 방향을 가리키고 있는 모습을 나타낸 것이다.

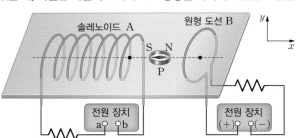

이에 대한 설명으로 옳은 것만을 보기에서 있는 대로 고른 것은? (단, 지구 자기장은 무시한다.)

> 보기

ㄱ. p에서 B가 만드는 자기장의 방향은 $+x$ 방향이다.

ㄴ. p에서 A가 만드는 자기장의 세기는 B가 만드는 자기장의 세기보다 크다.

ㄷ. a는 (+)극이다.

① ㄱ   ② ㄴ   ③ ㄷ   ④ ㄱ, ㄷ   ⑤ ㄴ, ㄷ

• P에서 자기장은 A, B에 흐르는 전류에 의한 자기장의 합이다.

07
> 자기장 속에 놓인 전류가 흐르는 도선이 받는 힘

그림과 같이 감은 수가 **100회**인 직사각형 코일을 용수철저울에 매달아 자석 사이에 넣었더니 용수철저울의 눈금이 **2 N**을 가리켰다. 코일의 AB 부분의 길이는 **2 cm**이고, 코일에 **0.1 A**의 전류를 흘렸을 때 용수철저울이 **2.2 N**을 가리켰다.

이에 대한 설명으로 옳은 것만을 보기에서 있는 대로 고른 것은?

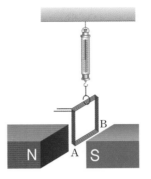

● 자기장 속에 놓인 도선이 받는 자기력은 도선의 길이에 비례한다.

보기

ㄱ. 코일이 있는 곳에서 자석에 의한 자기장의 세기는 1 T이다.

ㄴ. 전류의 방향을 반대로 하면 용수철저울은 2.2 N을 가리킨다.

ㄷ. 코일을 찌그러뜨려 AB의 길이가 1 cm가 되게 하면 용수철저울의 눈금은 2.1 N을 가리킨다.

① ㄱ   ② ㄴ   ③ ㄱ, ㄴ   ④ ㄱ, ㄷ   ⑤ ㄴ, ㄷ

08
> 전류에 의한 자기 작용의 이용

그림 (가)는 고정된 영구 자석과 코일이 붙어 있는 진동판으로 구성된 스피커의 구조를 나타낸 것이다. 그림 (나)는 스피커의 코일에 흐르는 전류를 시간에 따라 나타낸 것이다.

● 코일에 흐르는 전류의 방향이 반대가 되면 코일이 받는 자기력의 방향도 반대가 된다.

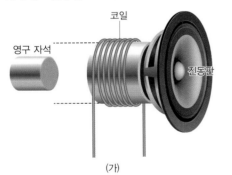

(가)

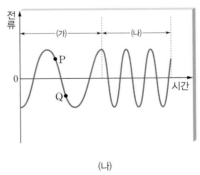

(나)

이에 대한 설명으로 옳은 것만을 보기에서 있는 대로 고른 것은?

보기

ㄱ. 코일과 자석 사이에 자기력이 작용한다.

ㄴ. 진동판은 P와 Q에서 같은 방향으로 자기력을 받는다.

ㄷ. (가) 구간과 (나) 구간에서 발생하는 소리의 높이는 같다.

① ㄱ   ② ㄴ   ③ ㄱ, ㄴ   ④ ㄱ, ㄷ   ⑤ ㄴ, ㄷ

02 물질의 자성

학습 Point 자기 모멘트, 자성의 원인 ＞ 반자성체, 상자성체, 강자성체 ＞ 자성체의 활용

1 물질이 띠는 자성의 원인

전류가 흐르는 도선 주위에 자기장이 생기는 것처럼 운동하는 전하 주위에도 자기장이 생긴다. 원자 내에서 전자가 운동할 때도 자기장이 생기며, 이것은 물질이 자성을 띠는 원인이 된다.

1. 자기 모멘트

(1) **자기 쌍극자**: 막대자석과 같이 N극과 S극을 갖는 물질을 자기 쌍극자라고 한다.

① 막대자석은 아무리 작게 잘라도 N극과 S극이 분리되지 않는다. 즉, 자기력을 받는 물질은 항상 N극과 S극을 함께 가지는 자기 쌍극자 형태로 나타난다.

② **전류가 흐르는 고리의 자기 쌍극자**: 그림과 같이 원형 고리를 따라 전류가 흐를 때 고리 주위에 자기장이 생기는데, 그 모양이 N극과 S극으로 이루어진 작은 자석 주위의 자기장과 같다. 따라서 전류가 흐르는 고리도 자기 쌍극자에 해당한다.

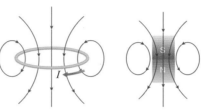

▲ **원형 전류와 자석에 의한 자기 쌍극자**

(2) **자기 모멘트**: 자기 쌍극자는 자기장 안에서 한 쌍의 짝힘을 받기 때문에 자기장과 나란한 방향으로 회전하려는 돌림힘을 받는다. 이때 자기장 속에서 받는 돌림힘의 크기를 결정하는 자기 쌍극자의 물리량을 자기 모멘트라고 한다. 전류 고리와 같은 닫힌 전류도 자기 모멘트를 갖는다.

> 전동기에서 자기장 속에 놓인 코일이 회전하는 힘을 얻는 것처럼, 자기장 속에 놓인 전류 고리도 회전하는 힘을 얻는다.

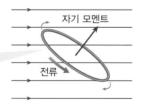

자기 모멘트 / 전류 / 자기 모멘트

▲ **자기장 속에 놓인 자기 쌍극자**

2. 원자의 자기 모멘트

물질이 자성을 나타내는 것은 물질을 구성하는 원자의 일부가 자기 모멘트를 가지기 때문이다. 원자 내부에는 전하를 띠는 입자인 전자와 원자핵이 있는데, 이들에 의해 자기 모멘트가 만들어진다. 그러나 원자핵에 의해 발생하는 자기장은 매우 약하므로, 주로 전자의 궤도 운동과 스핀에 의한 효과로 자기 모멘트가 발생한다.

돌림힘

물체의 회전 운동에 변화를 일으키는 물리량이다. 회전축에 수직인 방향으로 힘이 작용할 때 물체에 작용하는 힘(F)과 회전축에서 힘의 작용점까지의 거리(r)를 곱하여 구한다.

$$\tau = r \times F$$

자기 모멘트의 방향

자기 모멘트 방향은 자기 쌍극자가 만드는 자기장의 방향과 같다. 전류의 방향으로 오른손의 네 손가락을 감아질 때 엄지손가락이 가리키는 방향이 자기 모멘트 방향이다.

전류 / 자기 모멘트

(1) **전자의 궤도 운동에 의한 자기 모멘트**: 고전적으로 볼 때 원자 내에서 전자는 원자핵 주위의 정해진 궤도를 따라 돌고 있다. 이 전자의 궤도 운동은 작은 고리 모양의 원형 전류로 볼 수 있으며, 이에 의한 자기 모멘트가 발생한다.

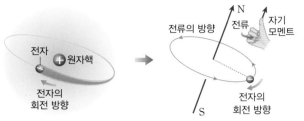

• 전자의 회전 방향: 시계 방향
• 전류의 방향: 시계 반대 방향
• 자기 모멘트의 방향: 위 방향

▲ 전자의 궤도 운동

(2) **전자의 스핀에 의한 자기 모멘트**: 전자는 스핀이라고 하는 고유한 성질을 가진다. 전자의 스핀은 마치 전자가 스스로의 축을 중심으로 자전하는 것과 같은 효과를 내는 상태로, 이로 인한 자기 모멘트가 발생한다.

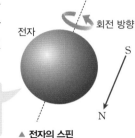

• 전자의 회전 방향: 시계 반대 방향
• 전류의 방향: 시계 방향
• 자기 모멘트의 방향: 아래 방향

▲ 전자의 스핀

① 원자 내에서 전자들은 대개 반대 스핀을 갖는 것과 쌍을 이루며, 이 경우 두 전자의 스핀 자기 모멘트는 서로 상쇄된다.
② 전자뿐만 아니라 양성자와 중성자도 스핀을 갖는다. 다만 양성자와 중성자의 스핀에 의한 자기 모멘트는 전자의 자기 모멘트에 비해 10^{-3}배 정도로 매우 작으므로, 원자의 자기 모멘트를 구할 때는 고려하지 않는다.

(3) **원자의 자기 모멘트의 특징**
① 채워지지 않은 전자껍질을 갖는 원자는 쌍을 이루지 않는 전자가 존재하므로, 전자의 스핀이 원자의 자기 모멘트를 만든다. 채워진 전자껍질에서 전자는 파울리 배타 원리에 의해 서로 반대의 스핀을 갖는 전자들로 채워지므로, 이들의 자기 모멘트의 합은 0이 된다.
② 채워지지 않은 최외각 전자껍질이 여러 개인 경우, 다른 최외각 전자 껍질에 있는 전자의 자기 모멘트와 서로 상쇄될 수 있으므로, 많은 원자들은 자기 모멘트를 가지지 않는다.
③ 채워지지 않은 내부 전자껍질이 있는 경우에는 전자의 자기 모멘트가 서로 상쇄되는 경우가 없다. 주기율표 상의 전이 원소나 희토류 원소가 이에 포함된다.

3. 물질의 자성
전자의 궤도 운동과 스핀으로 발생하는 자기 모멘트가 서로 합성되어 원자 전체가 자기 모멘트를 가지는 경우 원자는 마치 작은 자석과 같은 자기장을 만들므로 개개의 원자를 원자 자석으로 볼 수 있다. 그러나 원자가 자기 모멘트를 가지더라도 원자들의 자기 모멘트 방향이 불규칙하면 물질 전체는 자기장을 띠지 않는다. 따라서 대부분의 물질은 자기장이 거의 0이 된다. 이것이 대부분의 물질이 자석이 되지 않는 이유이다.

스핀(spin)
스핀은 사전적으로는 자전을 의미하지만 전자가 실제로 팽이처럼 자전을 하는 것은 아니다. 다만 자전을 할 때 생기는 것과 같은 고유한 각운동량을 갖는다. 스핀은 질량이나 전하량처럼 전자의 고유한 물리적 성질이다.

자기 모멘트
자기 모멘트는 벡터량으로 서로 합성할 수 있다.

여러 가지 원자와 이온의 자기 모멘트

원자 또는 이온	자기 모멘트 $(10^{-24}$ J/T$)$
H	9.27
He	0
Ne	0
Ce^{3+}	19.8
Yb^{3+}	37.1

② 자성체의 종류와 특징 집중 분석 2권 107쪽

원자 내 전자들의 운동에 의한 자기 모멘트를 모두 합성하면 원자의 자기 모멘트가 되고, 물질 내 원자의 자기 모멘트의 합이 0이 아니면 자기장이 만들어져 물질이 자성을 띠게 된다. 이러한 물질의 자성은 반자성, 상자성, 강자성으로 구분할 수 있다.

1. 반자성체

(1) **반자성:** 외부 자기장이 없을 때는 자기장을 띠지 않으며, 외부 자기장을 가하면 외부 자기장의 반대 방향으로 자기화되는 성질이다. 반자성은 모든 물질에 공통적으로 나타나지만 상자성과 강자성에 비해 그 세기가 매우 약하기 때문에, 상자성이나 강자성이 존재하지 않을 때만 드러난다.

(2) **반자성체:** 반자성만을 나타내는 물질로, 강한 자석을 반자성체에 가까이 가져가면 약하게 밀려난다.

예 대부분의 물질들(물, 유리, 구리, 납, 금, 은, 수은, 다이아몬드, 나무 등)과 많은 기체들(질소, 이산화 탄소, 수소 등), 수백 가지의 유기 화합물들(플라스틱 등)

(가) 실에 매단 유리 막대에 네오디뮴 자석을 가까이 가져가면 유리 막대가 약하게 밀려난다.

(나) 개구리 몸속의 물은 반자성을 띠므로, 솔레노이드에 의한 강한 자기장 속에 놓인 개구리는 공중에 뜰 수 있다.

▲ **반자성체의 예**

(3) **외부 자기장을 가했을 때 반자성체의 자기화**

① **반자성체의 원자:** 전자에 의한 자기 모멘트가 모두 상쇄되어, 각각의 원자는 자기장을 띠지 않는다.

② **외부 자기장을 가하기 전과 후의 반자성체의 자기 모멘트 배열:** 반자성체가 외부 자기장 속에 놓이면 각각의 원자에 외부 자기장의 반대 방향으로 약한 자기 모멘트가 유도된다. 이 자기 모멘트에 의해 반자성체에 전체적으로 약한 자기장이 형성된다. 외부 자기장을 제거하면 원자의 자기 모멘트와 자기장은 바로 사라진다.

구분	외부 자기장을 가하기 전	외부 자기장을 가했을 때	외부 자기장을 제거했을 때
원자의 자기 모멘트 배열	각각의 원자는 자기 모멘트를 가지지 않는다.	외부 자기장의 반대 방향으로 약한 자기 모멘트가 원자에 유도된다.	원자의 자기 모멘트가 바로 사라진다.
물질 전체	자기장을 띠지 않는다.	외부 자기장의 반대 방향으로 약하게 자기화된다.	약하게 띠던 자기장이 바로 사라진다.

자기화

외부 자기장의 영향으로 물질이 자기장을 띠는 현상을 자기화라고 한다. 또는 외부 자기장에 의해 생긴 단위 부피당 자기 모멘트로 나타내기도 한다.

외부 자기장이 불균일할 때

균일하지 않은 외부 자기장 속에 놓인 반자성체는 자기장이 센 쪽에서 약한 쪽으로 밀려난다. 따라서 왼쪽 그림 (가)의 유리 막대는 네오디뮴 자석에서 밀려나고, (나)의 개구리는 솔레노이드의 끝에서 멀어지는 쪽인 위쪽으로 자기력을 받는다.

(4) **미시적으로 살펴본 반자성:** 반자성체의 원자에서 전자가 원자핵 주위의 궤도를 도는 경우를 생각해 보자. 이때 전자는 시계 방향으로 회전하거나 시계 반대 방향으로 회전할 수 있고, 두 전자의 궤도 운동에 의한 자기 모멘트는 서로 상쇄되어 평소에 원자는 자성을 띠지 않는다고 가정한다. 이 원자에 위쪽 방향의 외부 자기장이 가해지면 전자기 유도에 의해 시계 방향의 전기장이 유도된다. 이때 전자는 (−)전하를 띠어 전기장의 반대 방향으로 전기력을 받으므로, 자기 모멘트는 각각 다음과 같이 변한다.

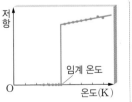

시계 반대 방향으로 회전하는 전자		시계 방향으로 회전하는 전자
시계 방향	**전자의 운동에 의한 전류의 방향**	시계 반대 방향
아래쪽	**자기 모멘트 방향**	위쪽
시계 방향	**유도된 전기장의 방향**	시계 방향
가속된다.	**전자의 속력 변화**	감속된다.
증가한다.	**자기 모멘트의 크기 변화**	감소한다.

① 시계 반대 방향으로 회전하는 전자에 의한 아래쪽 방향의 자기 모멘트는 증가한다.
② 시계 방향으로 회전하는 전자에 의한 위쪽 방향의 자기 모멘트는 감소한다.
③ 두 자기 모멘트는 더 이상 상쇄되지 않고, 원자에는 외부 자기장의 반대 방향인 아래쪽으로 알짜 자기 모멘트가 생긴다.

시야확장 ➕ 초전도체와 반자성

초전도체는 특정 온도 이하에서 전기 저항이 0이 되는 물질로, 이 온도를 임계 온도라고 한다. 임계 온도 이하로 냉각된 초전도체는 저항이 0이 되며 완전한 반자성이 나타난다. 즉, 초전도체 외부의 자기장이 변하면 초전도체 표면에 외부 자기장의 변화를 방해하는 방향으로 유도 전류가 흘러 외부 자기장과 반대 방향으로 자기장이 생성된다. 이때 초전도체 내부의 자기장 세기는 0이 되는데, 이처럼 초전도체가 외부 자기장을 밀어내는 현상을 마이스너 효과라고 한다. 자석 위에 액체 질소로 냉각한 초전도체를 올려놓으면 마이스너 효과에 의해 초전도체가 공중에 떠 있게 된다. 최근에는 초전도체의 이러한 성질을 이용하여 레일에서 열차를 띄우는 방식의 자기 부상 열차도 개발되고 있다.

▲ 온도에 따른 초전도체의 저항

자석 위에 떠 있는 냉각된 초전도체 ▶

전자기 유도
자기 선속의 변화를 방해하는 방향으로 유도 전류가 흐르는 현상
☞ 116쪽에서 자세히 다룬다.

고온 초전도체
초전도 현상이 발견된 초기에는 아주 낮은 온도에서만 초전도 현상을 관찰할 수 있었다. 그러나 1986년에는 임계 온도가 28 K인 초전도체가 발견된 것을 시작으로, 현재는 임계 온도가 150 K인 초전도체도 있다. 이처럼 상대적으로 높은 임계 온도를 가지는 초전도체를 고온 초전도체라고 한다. 임계 온도가 높은 초전도체가 발견될수록, 초전도 현상이 나타나는 온도를 유지하는 비용이 적게 들므로, 고온 초전도체는 초전도 현상을 실용화하는 데 매우 중요한 역할을 한다.

2. 상자성체

(1) 상자성: 외부 자기장이 없을 때는 자기장을 띠지 않으며, 외부 자기장을 가하면 외부 자기장 방향으로 약하게 자기화되었다가 외부 자기장이 사라지면 자기화가 바로 사라지는 성질이다.

(2) 상자성체: 상자성을 나타내는 물질로, 강한 자석을 가까이 가져가면 약하게 끌려온다. **예** 종이, 알루미늄, 산소, 나트륨, 마그네슘, 텅스텐, 백금, 우라늄

▲ **액체 산소의 상자성** 액체 산소를 강한 두 자석 사이에 부으면 액체 산소가 자석에 끌리며 자석 사이에 떠 있게 된다.

(3) 외부 자기장을 가했을 때 상자성체의 자기화

① **상자성체의 원자:** 전자의 스핀과 궤도 운동에 의한 자기 모멘트가 완전히 상쇄되지 않아, 상자성체의 원자는 각각 자기 모멘트를 갖는다. 그러나 원자들의 열운동에 의해 원자들의 자기 모멘트가 무질서하게 배열되므로, 외부 자기장이 없을 때 상자성체 전체는 자기장을 띠지 않는다.

② **외부 자기장에 대한 상자성체의 자기 모멘트 배열:** 상자성체에 외부 자기장을 가하면 원자의 자기 모멘트가 외부 자기장 방향으로 정렬되려고 한다. 그러나 원자들의 열운동으로 자기 모멘트의 정렬이 흐트러져, 상자성체에 전체적으로 외부 자기장과 같은 방향의 약한 자기장이 형성된다. 외부 자기장을 제거하면 원자의 자기 모멘트는 다시 무질서하게 배열되며 자기장이 사라진다.

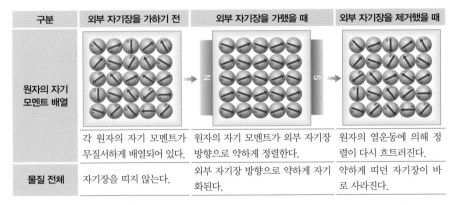

구분	외부 자기장을 가하기 전	외부 자기장을 가했을 때	외부 자기장을 제거했을 때
원자의 자기 모멘트 배열	각 원자의 자기 모멘트가 무질서하게 배열되어 있다.	원자의 자기 모멘트가 외부 자기장 방향으로 약하게 정렬한다.	원자의 열운동에 의해 정렬이 다시 흐트러진다.
물질 전체	자기장을 띠지 않는다.	외부 자기장 방향으로 약하게 자기화된다.	약하게 띠던 자기장이 바로 사라진다.

③ 상자성체의 온도를 낮추어 원자들의 열운동을 약화시키면, 외부 자기장을 가했을 때 원자들의 자기 모멘트가 한 방향으로 정렬되어 상자성체는 더 강하게 자기화된다.

(4) 미시적으로 살펴본 상자성

상자성은 전이 원소나 희토류 원소, 악티늄 계열 원소 등을 포함하는 물질에서 나타난다. 그 까닭은 이러한 원소들이 채워지지 않은 전자껍질을 가지기 때문이다. 바닥상태의 전자 배치에서 같은 에너지 준위에 전자가 채워질 때 전자가 들어가는 순서는 최대한 많은 전자들의 스핀이 같은 방향이 되도록 채워진다는 훈트 규칙에 따라, 채워지지 않은 전자껍질에는 서로 짝을 이루지 않고 동일한 방향의 스핀을 가지는 전자들이 생기기 때문이다. 즉, 이러한 원소들은 전자들의 스핀에 의한 자기 모멘트가 완전히 상쇄되지 않으므로, 원자 전체가 자기 모멘트를 갖는다.

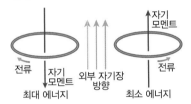

3. 강자성체

(1) 강자성: 외부 자기장을 가했을 때 외부 자기장 방향으로 강하게 자기화되고, 외부 자기장을 제거해도 자기화를 일부 유지하는 성질이다.

(2) 강자성체: 강자성을 나타내는 물질로, 자석을 가까이 가져갔을 때 강하게 끌려온다. 자석을 제거한 후에도 자기화를 일부 유지하기 때문에 다른 자기화되지 않은 강자성체를 끌어당긴다.

예 철, 코발트, 니켈, 가돌리늄, 산화 철

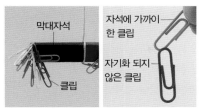

▲ 강자성체에 자석을 가까이 했을 때와 제거한 후

(3) 자기 구역: 강자성체의 원자는 상자성체와 마찬가지로 각각 자기 모멘트를 갖는다. 그런데 강자성체의 원자 사이에는 한 원자의 전자 스핀이 인접한 다른 원자의 전자 스핀과 상호 작용 하는 교환 결합이라고 불리는 효과가 일어난다. 따라서 원자들의 열운동에도 불구하고 그 안에 있는 모든 원자들의 자기 모멘트가 같은 방향으로 정렬되는 영역이 생기는데, 이것을 자기 구역이라고 한다.

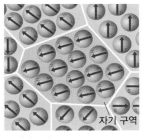

▲ 자기 구역

(4) 외부 자기장을 가했을 때 강자성체의 자기화

① 강자성체는 자기 구역마다 특정한 방향의 자기 모멘트를 가진다. 그러나 각 자기 구역의 자기 모멘트 방향이 무질서하게 배열되어 서로 상쇄되므로, 전체적으로 자기장을 띠지 않는다.

② 외부 자기장을 가하면 각 자기 구역의 자기 모멘트가 외부 자기장 방향으로 정렬되고, 외부 자기장과 같은 방향의 자기 구역이 넓어지면서 전체적으로 외부 자기장 방향으로 강하게 자기화된다.

③ 이렇게 정렬된 자기 구역은 외부 자기장이 제거된 후에도 일부 유지된다.

구분	외부 자기장을 가하기 전	외부 자기장을 가했을 때	외부 자기장을 제거했을 때
자기 구역의 자기 모멘트 배열	각 자기 구역의 자기 모멘트가 무질서하게 배열되어 있다.	외부 자기장 방향의 자기 구역이 커지고, 자기 모멘트가 외부 자기장 방향으로 정렬한다.	원래의 상태로 되돌아가지 않고, 자기화가 오래 유지된다.
물질 전체	자기장을 띠지 않는다.	외부 자기장 방향으로 강하게 자기화된다.	자기장을 일부 유지한다.

(5) 퀴리 온도: 강자성체의 온도가 임계 온도 이상이 되면 교환 결합이 끊어지며 더 이상 자기 구역의 정렬을 유지할 수 없게 된다. 이 온도 이상에서는 원자의 열운동이 매우 커서 강자성체가 강자성을 잃고 상자성체가 된다. 이 온도를 퀴리 온도라고 한다.

번개 유도 잔류 자기(LIRM)

번개가 치면 매우 짧은 시간에 큰 전류가 지면을 따라 흐른다. 이때 주변에 자철석을 두면 번개 전류에 의한 자기장에 의해 자철석이 자기화되어 자석이 된다. 이 효과를 번개 유도 잔류 자기(Lightning-induced remanent magnetism)라고 한다. 천연 자석이 번개 때문에 형성되었다는 주장도 있다.

여러 가지 강자성체의 퀴리 온도

강자성체	퀴리 온도(K)
철	1043
코발트	1394
니켈	631
가돌리늄	317
산화 철(Fe_2O_3)	893

③ 자성체의 활용

일상생활에서 자성체는 정보 저장, 물질 분리, 접착 등 다양한 용도로 활용되고 있다.

1. 정보 저장 및 기록 장치

(1) 하드 디스크

> **플래터** 플래터는 정보를 기록하는 부분으로, 알루미늄 합금이나 유리 위에 강자성체인 산화 철 막을 씌워 만든다. 외부 자기장을 가해 강자성체를 정렬시켜 정보를 저장하며, 외부 자기장이 제거되어도 정렬 방향을 유지하므로 정보를 지속적으로 저장할 수 있다.
>
> **헤드의 철심** 플래터에 정보를 기록할 때 쓰는 헤드는 작은 전자석으로, 철심에 강자성체를 사용한다. 강자성체 중에서 외부 자기장에 의해 쉽게 자기화되는 물질을 사용한다.

▲ 하드 디스크에 정보를 기록하는 원리

(2) **자기 테이프**: 강자성체 분말을 얇은 플라스틱 테이프에 씌운 것으로, 강자성체 분말이 외부 자기장에 의해 자기화되는 성질을 이용하여 정보를 저장한다. 카드나 통장의 자기 테이프 등에 사용된다.

자기 테이프가 쓰인 카드

자기 테이프

2. 자성체의 활용

(1) **전자석의 철심**: 솔레노이드 내부에 강자성체인 철심을 넣으면 솔레노이드에 의한 자기장 때문에 철심이 자기화되며 전류에 의한 자기장보다 훨씬 센 자기장이 생긴다.

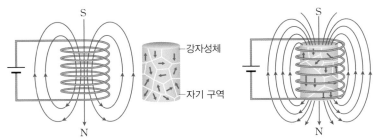

강자성체

자기 구역

▲ 솔레노이드에 강자성체를 넣기 전의 자기장   ▲ 솔레노이드에 강자성체를 넣은 후의 자기장

(2) **고무 자석**: 분말 형태의 강자성체를 고무와 혼합한 것으로 다양한 모양을 만들 수 있다. 광고 전단지로 만들어 냉장고 등에 붙일 수 있게 하거나 냉장고 문 테두리에 둘러싸 냉장고 문이 밀폐가 잘 되도록 한다.

(3) **자동판매기의 동전 감별기**: 자동판매기에는 동전 감별기가 있는데, 동전이 자석 사이를 지날 때 동전 크기나 재질에 따라 받는 자기력이 달라지는 성질을 이용하여 동전을 구분한다.

(4) **캡슐형 내시경**: 캡슐형 내시경에 강자성체를 넣고, 이를 이용해 내시경의 위치와 방향을 조정하여 원하는 영상을 얻는다.

캡슐형 내시경

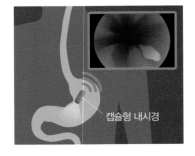

캡슐형 내시경

(5) **액체 자석**: 강자성체 분말을 액체에 넣어 서로 엉기지 않도록 만든 것으로, 상온에서 액체로 보인다. 액체 자석에 자기장을 걸어 막의 형태를 띠게 하면 효과적인 밀폐 성질을 얻을 수 있으므로 액체 자석은 하드 디스크 방진, 반도체 진공실 밀봉용으로 사용된다. 또, 자석 잉크를 이용한 화폐 위조 방지, MRI 조영제 등 의약품, 약제 유도제, 미세한 조절이 가능한 스피커, 저마찰 베어링, 정교한 렌즈 제작 등 다양한 분야에 쓰이고 있다.

액체 자석

자성체의 구분

반자성체, 상자성체, 강자성체의 특성으로부터 미지의 물체가 어떤 자성체인지 유추할 수 있어야 한다. 특히, 외부 자기장을 가했을 때와 제거했을 때 각 자성체가 어떤 차이를 보이는지 알아 두어야 한다.

1 외부 자기장에 대한 자성체의 반응 차이

외부 자기장	반자성체	상자성체	강자성체
없을 때	자기장을 띠지 않는다.		
가했을 때	반대 방향으로 약하게 자기화된다.	외부 자기장 방향으로 약하게 자기화된다.	외부 자기장 방향으로 강하게 자기화된다.
제거했을 때	자기장을 띠지 않는다.		자기화된 상태를 유지한다.

2 자성체의 특징으로 자성체의 종류 유추하기

(1) **반자성체**: 자석에 가까이 가져가면 자극에 관계 없이 약하게 밀어내는 힘이 작용한다.

(가) 자기화된 강자성체를 가까이 가져갔을 때 자극의 종류에 관계 없이 척력이 작용한다.

(나) 저울 위에 놓인 자석에 가까이 하면, 자석의 극에 관계 없이 저울의 눈금이 증가한다.

(다) 초전도체는 완전한 반자성을 나타내어 작은 자석을 공중에 띄울 수 있다.

상자성체

자기화된 물체를 가까이 가져갔을 때 자극의 종류에 관계없이 약하게 끌어당기는 힘이 작용한다.

(2) **강자성체**: 자기화시킨 후 외부 자기장을 제거해도 자기화된 상태를 유지한다.

(가) 쇠못을 자기화시킨 후 철가루에 가까이 가져가면 달라붙는다.

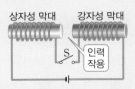

(나) 스위치를 닫아 두 막대를 자기화시킨 후 다시 스위치를 열면 상자성 막대를 끌어당긴다.

(다) 강자성체를 자기화시킨 후 원형 도선에 통과시키면 도선에 유도 전류가 발생한다.

> 정답과 해설 **64**쪽

유제

다음은 물질 A, B의 자성을 알아보는 실험 과정과 그 결과이다.

(가) 자기화되어 있지 않은 A, B에 각각 자석을 가까이 가져갔다.

(나) A, B에서 자석을 동시에 치운 후, A, B를 자기화되지 않은 철 클립에 동시에 갖다 대어 들어 올린다.

A, B의 자성체 종류를 차례대로 옳게 짝 지은 것은?

① 강자성체, 상자성체   ② 강자성체, 반자성체   ③ 상자성체, 강자성체

④ 반자성체, 강자성체   ⑤ 반자성체, 상자성체

심화

자기 이력 곡선

강자성체가 외부 자기장이 사라져도 자기화된 상태를 유지하는 것은 강자성체 특유의 자기 이력 곡선 때문이다. 강자성체의 자기 이력 곡선을 통해 강자성체의 특성을 좀 더 자세히 살펴보자.

❶ 자기 이력 곡선

그림은 강자성체의 자기장(B)을 외부 자기장(H)에 따라 나타낸 그래프이다. 강자성체는 다음과 같은 과정을 통해 외부 자기장의 변화에 따라 a → b → c → d → e → f → a 과정을 거치는데, 이 곡선을 자기 이력 곡선이라고 한다.

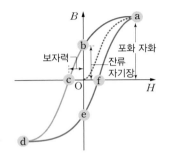

(1) **초기 자기화 곡선(O → a):** 자기화되지 않은 강자성체에 외부 자기장을 가하면 초반에는 강자성체의 자기장이 급격하게 증가하다가 점점 증가 속도가 감소하여 a 상태가 되면 더 이상 증가하지 않는다. a 상태에서 강자성체의 각 자기 구역들은 외부 자기장과 완전히 동일한 방향으로 정렬된다. 이후 외부 자기장을 더 증가시켜도 강자성체의 자기장은 더 증가하지 않는데, 이 상태를 자기 포화라고 하고, 곡선 Oa를 초기 자화 곡선이라고 한다.

(2) **외부 자기장의 세기가 감소할 때(a → b):** 강자성체의 자기 구역이 처음 상태로 돌아가지 않고 어느 정도 정렬된 상태를 유지한다. 따라서 자기 이력 곡선은 O로 돌아가지 않고 b로 이동한다. 이때 강자성체의 자기장을 잔류 자기장이라고 한다.

(3) **반대 방향의 외부 자기장을 가할 때(b → c → d):** 강자성체의 자기장은 더 감소하여 결국 0이 된다. 이때 자기 이력 곡선은 c 상태가 되며, 자기 구역들이 만드는 자기장은 서로 상쇄된다. 이때의 외부 자기장 값을 보자력 또는 항자력이라고 한다. 반대 방향의 외부 자기장 세기를 더 증가시키면 자기 구역이 외부 자기장 방향으로 다시 정렬하여 반대 방향의 포화 상태 d가 된다.

(4) **반대 방향의 외부 자기장이 감소하고 다시 처음 자기장을 가할 때(d → e → f → a):** 앞에서와 반대 과정으로 자기 이력 곡선은 e와 f를 지나 다시 a 상태로 돌아오게 된다.

❷ 영구 자석과 철심에 쓰이는 강자성체의 차이

영구 자석 재료는 외부 자기장이 없을 때에도 자기장을 유지해야 하므로 잔류 자기장과 보자력이 큰 것이 좋다. 따라서 영구 자석 재료는 자기 이력 곡선이 (가)와 같이 사각형 모양에 가까울수록 좋다. 이와는 달리 전자석이나 변압기에서 자기장의 세기를 크게 하는 용도로 쓰이는 철심은 외부 자기장에 민감하게 반응해야 하므로 (나)와 같이 잔류 자기장은 크고 보자력은 작은 것이 좋다.

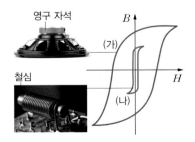

이력 현상

물질의 물리량이 현재의 물리적 조건만으로 결정되는 것이 아니라, 이전부터 그 물질이 겪어 온 상태의 변화 과정에 의하여 결정되는 현상이다. 즉, 강자성체의 자기 이력 곡선에서 강자성체의 자기장 B의 값이 외부 자기장 H에 의해서만 정해지는 것이 아니라, 현재의 상태에 이르기까지의 이력에 따라 달라지는 현상을 말한다.

외부 자기장의 증가에 따른 자기 구역 변화

자기화되지 않은 강자성체에 외부 자기장을 가할 때 그 세기가 증가할수록 각 자기 구역의 자기 모멘트가 외부 자기장 방향으로 회전하고, 외부 자기장 방향의 자기 구역이 넓어진다.

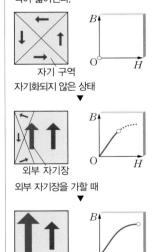

자기 구역
자기화되지 않은 상태

▼

외부 자기장
외부 자기장을 가할 때

▼

자기 포화 상태

02 물질의 자성

① 물질이 띠는 자성의 원인

1. **자기 모멘트** 자기 쌍극자가 자기장 속에서 받는 돌림힘의 크기를 결정하는 물리량
2. **원자의 자기 모멘트** 원자는 전자의 스핀과 궤도 운동에 의한 자기 모멘트를 가진다.

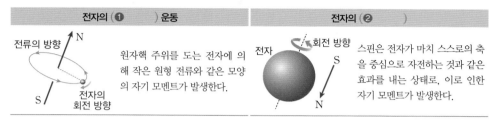

전자의 (❶) 운동	전자의 (❷)
전류의 방향 N / 전자의 회전 방향 S — 원자핵 주위를 도는 전자에 의해 작은 원형 전류와 같은 모양의 자기 모멘트가 발생한다.	전자 / 회전 방향 S N — 스핀은 전자가 마치 스스로의 축을 중심으로 자전하는 것과 같은 효과를 내는 상태로, 이로 인한 자기 모멘트가 발생한다.

- 원자 내 전자는 대개 (❸   ) 방향의 스핀을 갖는 것끼리 쌍을 이루며, 이 경우 자기 모멘트가 서로 상쇄된다.
- 전자의 스핀과 궤도 운동에 의한 자기 모멘트가 상쇄되지 않는 경우 원자는 자기 모멘트를 가진다.

3. **물질의 자성** 개개의 원자가 자기 모멘트를 가지더라도 그 방향이 (❹   )하면 물질 전체는 자기장을 띠지 않는다.

② 자성체의 종류와 특징

1. **자기화** 외부 자기장의 영향으로 물질이 자기장을 띠는 현상
2. **외부 자기장을 가할 때 자성체의 종류에 따른 자기화 특징**

자성체	(❺)	상자성체	강자성체
자기 모멘트	원자가 자기 모멘트를 가지지 않는다.	각각의 원자가 자기 모멘트를 가진다.	강한 자기 모멘트를 가지는 (❻)이 있다.
특징	자기장을 가할 때 / 자기장 제거 — 외부 자기장을 가하면 반대 방향으로 약하게 자기화되었다가, 제거하면 자기화가 바로 사라지는 물질	자기장을 가할 때 / 자기장 제거 — 외부 자기장을 가하면 (❼) 방향으로 약하게 자기화되었다가, 제거하면 자기화가 사라지는 물질	자기장을 가할 때 / 자기장 제거 — 외부 자기장을 가하면 같은 방향으로 강하게 자기화되었다가, 제거하면 자기화가 일부 (❽)되는 물질
예	물, 유리, 구리, 금, 은, 질소, 플라스틱	종이, 알루미늄, 산소, 나트륨, 백금	(❾), 니켈, 코발트

③ 자성체의 활용

1. **하드 디스크** 플래터에 (❿   )를 코팅하여 정보를 저장하며, 정보를 기록하는 헤드는 작은 전자석으로 강자성체 철심을 사용하여 자기장을 세게 한다.
2. **전자석** 솔레노이드에 강자성체인 철심을 넣으면 철심이 자기화되어 센 자기장을 만들 수 있다.
3. **고무 자석** 분말 형태의 강자성체를 고무와 혼합하여 만든다.
4. **액체 자석** 자성을 띠는 액체로, 자석 잉크, MRI 조영제, 스피커 등에 이용된다.

플래터
코일 전류
철심
회전

▲ **하드 디스크**

01 다음은 전자의 궤도 운동에 대한 설명이다. ㉠, ㉡에 들어갈 알맞은 말을 고르시오.

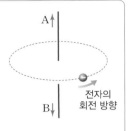

전자의 궤도 운동에 의한 전류의 방향은 전자의 운동 방향과 ㉠(같은, 반대) 방향이다. 전자의 궤도 운동에 의한 자기 모멘트는 ㉡(A, B) 방향으로 생긴다.

02 그림은 물질의 자성에 대해 세 사람이 나눈 대화이다. 제시한 내용이 옳은 사람만을 있는 대로 고르시오.

전자의 궤도 운동과 스핀 때문에 자성이 나타나.

모든 전자에 의한 자기 모멘트가 상쇄되면 강자성체가 돼.

자기화된 강자성체는 외부 자기장이 사라지면 내부 자기장이 0이돼.

철수   영희   민수

03 그림은 자기화되지 않은 못에 자석의 N극을 가까이 하였을 때 못이 강하게 끌려와 N극에 붙어 있는 모습을 나타낸 것이다. P는 못의 머리 부분이다. 이 못에 대한 설명으로 옳은 것만을 보기에서 있는 대로 고르시오.

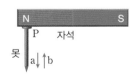

보기
ㄱ. 반자성체이다.
ㄴ. P는 N극을 띤다.
ㄷ. 내부 자기장 방향은 a 방향이다.

04 그림 (가)~(다)는 자기화되어 있지 않은 세 물체 A, B, C에 네오디뮴 자석을 가까이 했을 때의 모습이다. A, B, C는 각각 강자성체, 반자성체, 상자성체 중 하나이다.

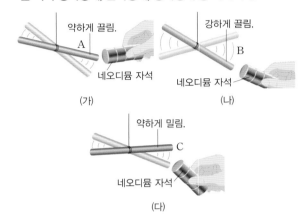

약하게 끌림.   강하게 끌림.
A   B
네오디뮴 자석   네오디뮴 자석
(가)   (나)

약하게 밀림.
C
네오디뮴 자석
(다)

⑴ A, B, C의 자성체 종류를 쓰시오.

⑵ 임계 온도보다 낮은 온도로 냉각된 초전도체는 A~C 중 어디에 해당하는지 쓰시오.

05 그림 (가)는 자기화되지 않은 어떤 자성체에 외부 자기장을 걸어 주지 않았을 때, (나)는 외부 자기장을 걸어 주었을 때 자성체 내부 원자의 자기 모멘트 배열을 모식적으로 나타낸 것이다.

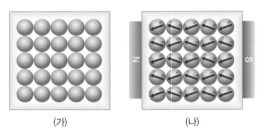

(가)   (나)

이 자성체에 대한 설명으로 옳은 것만을 보기에서 있는 대로 고르시오.

보기
ㄱ. 반자성체이다.
ㄴ. (가)에서 자성체 내부의 총 자기장은 0이다.
ㄷ. (나)에서 외부 자기장을 제거해도 원자는 자기 모멘트를 가진다.

06 그림 (가)는 실로 천장에 매달린 강자성체 막대의 양쪽에 자석의 N극과 S극을 가까이 가져갔을 때 막대가 자기장 방향과 나란하게 정지해 있는 모습을 나타낸 것이다. P는 막대의 한쪽 끝 부분이다. 그림 (나)는 (가)에서 막대와 나란한 방향으로 전류가 흐르는 직선 도선을 막대 아래에 고정시킨 후 자석을 치웠을 때 막대가 수평을 유지하며 화살표 방향으로 회전하는 모습을 나타낸 것이다.

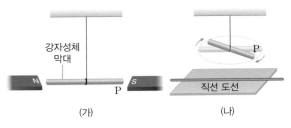

(가)   (나)

(1) (가)에서 P가 띠는 자극의 종류를 쓰시오.

(2) (나)에서 직선 도선에 흐르는 전류의 방향을 쓰시오.

07 그림은 하드 디스크의 내부 구조와 헤드로 플래터에 정보를 기록하는 모습을 나타낸 것이다.

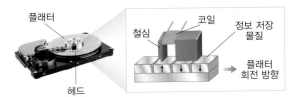

이에 대한 설명으로 옳은 것만을 보기에서 있는 대로 고르시오.

보기
ㄱ. 플래터의 강자성체에 정보를 저장한다.
ㄴ. 헤드의 철심은 상자성체를 사용한다.
ㄷ. 헤드가 지나간 후에도 플래터에 기록된 정보는 사라지지 않는다.

08 그림은 균일한 자기장이 형성된 영역에 상자성체를 넣었을 때, 상자성체 내부 원자의 자기 모멘트 배열을 모식적으로 나타낸 것이다.

(1) 균일한 자기장의 방향을 쓰시오.

(2) 균일한 자기장을 제거하였을 때 상자성체 내부의 자기장이 어떻게 될지 쓰시오.

09 다음은 그림과 같이 전류가 흐르는 솔레노이드 내부에 강자성체 철심을 넣었을 때 나타나는 변화를 설명한 것이다. ㉠~㉢에 들어갈 알맞은 말을 쓰시오.

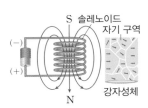

• 철심에서 각 자기 구역의 자기 모멘트가 (㉠) 방향으로 정렬한다.
• 철심에서 자기 모멘트가 아래 방향인 자기 구역이 (㉡)진다.
• 철심이 없을 때보다 자기장의 세기가 (㉢).

10 그림은 여러 전기 기구의 스위치로 이용되는 리드 스위치의 원리를 나타낸 것이다.

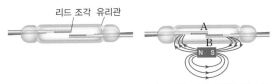

(가) 자석이 없을 때는 리드 조각이 열린 상태이다.   (나) 자석을 가까이 하면 리드 조각이 접촉하여 스위치가 닫힌다.

(1) 리드 조각에 쓰이는 자성체의 종류를 쓰시오.

(2) (나)에서 A, B가 각각 N극과 S극 중 어떤 극을 띠는지 쓰시오.

01 ❯ 전자의 궤도 운동에 의한 자기장

그림은 y축을 중심으로 반지름 r인 궤도를 등속 원운동하는 전자의 모습을 나타낸 것이다.

이에 대한 설명으로 옳은 것만을 보기에서 있는 대로 고른 것은?

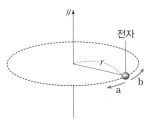

전자의 운동 방향은 전류의 방향과 반대이다.

보기

ㄱ. 전자가 a 방향으로 원운동하면 궤도에 흐르는 전류의 방향은 b 방향이다.

ㄴ. 전자가 b 방향으로 원운동하면 $+y$ 방향이 N극이 된다.

ㄷ. r가 증가하며 전자의 회전 속력이 감소하면 중심에서 이 전자의 궤도 운동에 의한 자기장의 세기가 증가한다.

---

① ㄱ   ② ㄴ   ③ ㄱ, ㄴ   ④ ㄱ, ㄷ   ⑤ ㄴ, ㄷ

02 ❯ 자성체의 특성

다음은 자성체로 실시한 실험 과정이다.

외부 자기장이 있을 때와 없을 때 강자성체, 상자성체, 반자성체가 자기화되는 특성이 다르다.

(가) 질량이 같은 강자성체 A, 상자성체 B, 반자성체 C의 윗면에 동일한 자석의 N극을 가까이 하여 각각 자기화시킨다.

(나) 자석을 제거한 후 C를 저울 위에 고정하고, A 또는 B를 C 위에 가까이 가져가며 저울의 측정값을 읽는다.

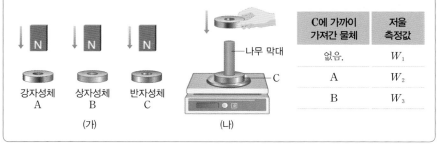

C에 가까이 가져간 물체	저울 측정값
없음.	W_1
A	W_2
B	W_3

이에 대한 설명으로 옳은 것만을 보기에서 있는 대로 고른 것은?

보기

ㄱ. (가)에서 C의 윗면은 S극으로 자기화된다.

ㄴ. (나)에서 A를 가까이 가져가면 A와 C 사이에 밀어내는 자기력이 작용한다.

ㄷ. (나)에서 저울의 측정값은 $W_2 > W_3 > W_1$이다.

---

① ㄱ   ② ㄴ   ③ ㄷ   ④ ㄱ, ㄷ   ⑤ ㄱ, ㄴ, ㄷ

03 › 자성체에 작용하는 자기력

그림은 자기화되지 않은 물체 **A**를 실로 천장에 매달고 막대자석을 가까이 가져갔을 때 **A**가 자석으로부터 밀려나는 모습을 나타낸 것이다. 점 **p**는 **A**의 왼쪽 끝 점이다.

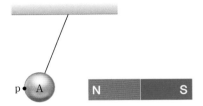

이에 대한 설명으로 옳은 것만을 보기에서 있는 대로 고른 것은?

> 보기
> ㄱ. A 내부에는 자기 구역이 존재한다.
> ㄴ. p는 S극을 띤다.
> ㄷ. A 내부의 자기 모멘트는 막대자석에 의한 자기장과 같은 방향으로 정렬된다.

① ㄱ   ② ㄴ   ③ ㄱ, ㄴ   ④ ㄴ, ㄷ   ⑤ ㄱ, ㄴ, ㄷ

• 자석을 가까이 가져갔을 때 밀려 나려면 막대자석의 자기장과 반대 방향으로 자기화되어야 한다.

04 › 상자성체와 강자성체

그림과 같이 자기화되지 않은 상자성 막대와 강자성 막대를 x축을 중심축으로 고정시킨 후 도선을 감아 회로를 구성하였다. 스위치 **S**를 닫았더니 도선에 일정한 전류가 흘렀다.

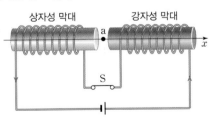

이에 대한 설명으로 옳은 것은?

① a에서 자기장의 방향은 $-x$ 방향이다.

② 강자성 막대 내부는 $-x$ 방향으로 자기화된다.

③ 두 막대 사이에는 서로 끌어당기는 방향으로 자기력이 작용한다.

④ S를 열어 전류가 흐르지 않게 하면 두 막대 사이에는 자기력이 작용하지 않는다.

⑤ a에서 자기장의 세기는 스위치를 닫았을 때와 열었을 때가 같다.

• 상자성체와 강자성체는 외부 자기 장 방향으로 자기화된다.

05 ❯ 강자성체와 반자성체

그림은 물체 P, Q를 각각 수레에 고정시킨 후 전지와 스위치에 연결된 솔레노이드 양쪽의 수평면에 놓은 모습을 나타낸 것이다. P, Q는 각각 강자성체와 반자성체 중 하나이다. P는 스위치 S를 a, b에 연결하였을 때 모두 오른쪽으로 운동하였다.

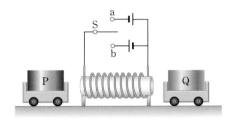

이에 대한 설명으로 옳은 것만을 보기에서 있는 대로 고른 것은? (단, 모든 마찰과 수레에 작용하는 자기력은 무시한다.)

> 보기
>
> ㄱ. P는 강자성체이다.
> ㄴ. a에 연결하였을 때 Q의 왼쪽 면은 N극을 띤다.
> ㄷ. a와 b에 연결하였을 때 Q의 운동 방향은 서로 반대 방향이다.

① ㄱ   ② ㄴ   ③ ㄷ   ④ ㄱ, ㄴ   ⑤ ㄴ, ㄷ

• 반자성체는 외부 자기장의 방향과 반대 방향으로 자기화된다.

06 ❯ 반자성체와 상자성체

그림은 질량이 같은 두 물체 A, B를 도르래를 통해 실로 연결하고, A의 아래쪽에 윗면이 N극인 자석을 놓았을 때, A가 위로 운동하기 시작하는 순간의 모습을 나타낸 것이다. A, B는 각각 상자성체와 반자성체 중 하나이다.

자석

A, B에 대한 설명으로 옳은 것만을 보기에서 있는 대로 고른 것은? (단, 실의 질량, 실과 도르래 사이의 마찰은 무시한다.)

> 보기
>
> ㄱ. A와 B는 모두 원자가 자기장을 띠는 상태이다.
> ㄴ. A의 아랫면은 N극으로 자기화된다.
> ㄷ. A 아래에 자석을 윗면이 S극이 되도록 놓으면 A는 아래쪽으로 운동한다.

① ㄱ   ② ㄷ   ③ ㄱ, ㄴ   ④ ㄴ, ㄷ   ⑤ ㄱ, ㄴ, ㄷ

• 반자성체는 항상 자석의 자기장과 반대 방향으로 자기화된다.

07 ➤ 자성체에 작용하는 자기력

그림 (가)와 (나)는 수평면에 연직 방향으로 고정된 솔레노이드 위에 각각 상자성체 A와 반자성체 B가 실로 천장에 매달려 정지한 모습을 나타낸 것이다. 두 솔레노이드에는 일정한 세기의 전류가 흐르고, A, B의 질량은 같다.

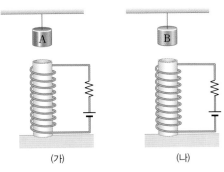

(가)   (나)

이에 대한 설명으로 옳은 것만을 보기에서 있는 대로 고른 것은?

보기

ㄱ. (가)에서 A와 솔레노이드는 서로 끌어당기는 방향으로 자기력이 작용한다.

ㄴ. (나)에서 B에 작용하는 중력과 실이 B를 당기는 힘은 평형 관계이다.

ㄷ. 실이 A를 당기는 힘의 크기는 실이 B를 당기는 힘의 크기보다 크다.

① ㄱ   ② ㄴ   ③ ㄱ, ㄴ   ④ ㄱ, ㄷ   ⑤ ㄴ, ㄷ

• 물체 A, B에는 중력, 자기력, 실이 물체를 당기는 힘이 평형을 이룬다.

08 ➤ 물질의 자성

그림은 막대자석을 천장에 실로 매달고, 자기화되지 않은 물체 A, B를 가까이 가져가는 모습을 나타낸 것이다. A를 가까이 가져갈 때 자석은 p 방향으로 회전하고, B를 가까이 가져갈 때 자석은 q 방향으로 회전하였다.

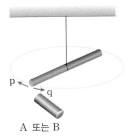

A 또는 B

이에 대한 설명으로 옳은 것만을 보기에서 있는 대로 고른 것은? (단, 지구 자기장은 무시한다.)

보기

ㄱ. 자석과 A 사이에는 밀어내는 방향으로 자기력이 작용한다.

ㄴ. B는 자석에 의한 자기장과 반대 방향으로 자기화되는 성질이 있다.

ㄷ. A와 B를 가까이 하면 서로 끌어당기는 방향으로 자기력이 작용한다.

① ㄱ   ② ㄴ   ③ ㄱ, ㄴ   ④ ㄱ, ㄷ   ⑤ ㄴ, ㄷ

• 반자성체는 외부 자기장과 반대 방향으로 자기화되고, 외부 자기장이 사라지면 자성을 띠지 않는다.

03 전자기 유도

학습 Point 전자기 유도 현상 〉 패러데이 법칙, 유도 기전력 〉 렌츠 법칙, 유도 전류의 방향 〉 전자기 유도의 활용

① 패러데이 법칙

집중 분석 2권 124쪽~125쪽

1820년, 외르스테드가 전류에 의해 자기장이 발생하는 현상을 발견한 이후, 많은 사람들이 자기장에 의해서도 전류를 발생시킬 수 있을 것으로 기대하였다. 그러나 그 발견은 쉽지 않았다. 1831년, 마침내 영국의 과학자 패러데이가 수행한 실험에서 자기장에 의해 회로에 기전력이 유도될 수 있음을 보여 주었는데, 이로부터 오늘날 우리 생활을 크게 바꾼 패러데이 법칙이 발견되었다.

1. 전자기 유도

(1) **유도 전류의 발생:** 검류계만 연결된 코일은 전원이 연결되지 않았기 때문에 전류가 흐르지 않는다. 그러나 자석을 코일 쪽으로 움직이면 코일에 갑자기 전류가 발생하여, 검류계의 바늘이 움직인다. 자석의 움직임이 멈추면 코일에 흐르던 전류는 사라지고, 검류계의 바늘은 다시 0을 가리킨다. 자석이 코일에서 멀어지면 전류가 다시 흐르는데, 이때 전류는 처음과 반대 방향으로 흘러 검류계의 바늘은 반대 방향으로 움직인다.

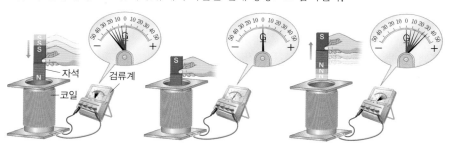

(가) 자석이 코일 쪽으로 움직일 때
→ 코일에 전류가 흐른다.

(나) 자석이 멈추었을 때
→ 코일에 전류가 흐르지 않는다.

(다) 자석이 코일에서 멀어질 때
→ 코일에 전류가 반대 방향으로 흐른다.

▲ 자석의 운동에 의한 유도 전류의 발생

(2) **전자기 유도:** 위 실험에서와 같이 자석과 코일이 상대적으로 움직이면 코일을 통과하는 자기 선속이 시간에 따라 변하면서 코일에 전류가 발생한다. 이처럼 코일을 지나는 자기 선속이 변할 때 코일에 전류가 유도되는 현상을 전자기 유도라고 한다.

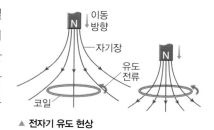

▲ 전자기 유도 현상

① **유도 기전력:** 전자기 유도 현상에 의해 코일 양단에 유도되는 전압
② **유도 전류:** 코일이 닫힌회로를 이룰 때 유도 기전력에 의해 흐르는 전류

패러데이(Faraday, M., 1791~1867)
패러데이는 1800년대를 대표하는 실험 과학자 중 한 명이다. 그는 전자기 유도 현상에 관한 패러데이 법칙뿐만 아니라, 전기 분해에 관한 패러데이 법칙을 발견하였고, 전동기, 발전기, 변압기 등을 발명하기도 하였다.

코일을 지나는 자기 선속이 변하는 경우
• 코일 주위에서 자석이 움직일 때
• 자석 주위에서 코일이 움직일 때
• 균일한 자기장 속에 코일이 놓여 있고 자기장에 수직인 코일의 면적이 변할 때

기전력
도체 내부에 전위차를 만들고 그 사이의 전기장에 의해 전하를 이동시켜 전류를 흐르게 하는 원인으로, 단위는 전압의 단위인 V(볼트)를 사용한다.

패러데이는 2개의 코일을 철심에 감고
1차 코일에는 전지를, 2차 코일에는 검
류계를 연결한 후 실험하여 다음과 같
은 사실을 알게 되었다.

스위치 / 철심 / 검류계 / (+) (−) / 1차 코일 / 2차 코일 / 전지

❶ 1차 코일에 연결된 스위치를 열거
나 닫을 때 2차 코일에 순간적으로 전류가 발생했다가 사라진다.

❷ 1차 코일에 일정한 전류가 흐르면, 아무리 센 전류가 흐르더라도 2차 코일에 전류는 발생하지
않는다.

➡ 패러데이는 이로부터 자기 선속이 변할 때 유도 전류가 발생한다고 결론을 내리고, 전류가
흐르는 코일 대신 자석을 운동시켜 자기 선속을 변화시켜도 코일에 유도 전류가 흐른다는 것을
확인하였다.

2. 패러데이 법칙

(탐구) 2권 123쪽

(1) 유도 전류의 세기: 그림과 같이 코일 주위에서 자석을 움직일 때, 자석을 빠르게 움직이
거나 강한 자석을 사용할수록 코일에 흐르는 유도 전류의 세기가 증가한다. 이것은 같은
시간 동안 코일을 지나는 자기 선속의 변화가 클수록 코일에 센 전류가 유도된다는 것을
의미한다. 즉, 유도 전류는 코일을 지나는 자기 선속의 시간적 변화율에 비례한다. 만약,
감은 수가 더 많은 코일로 실험한다면, 그만큼 각각의 원형 고리를 지나는 자기 선속에 의
한 유도 기전력이 더해지므로, 더 센 전류가 유도될 것이다.

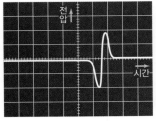

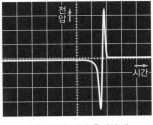

(가) 자석을 천천히 움직일 때   (나) 자석을 빨리 움직일 때

▲ **유도 전류 세기에 영향을 주는 요인**

센 전류가 유도된다.

자석을 빠르게
움직일수록

자석의 세기가
강할수록

코일의 감은 수
가 많을수록

(2) 패러데이 법칙: 패러데이는 수많은 실험을 통해 이러한 코일을 지나는 자기 선속과 유도
기전력의 관계를 확인하고, 이를 다음과 같이 정리하였다.

> 유도 기전력의 크기는 코일 속을 지나는 자기 선속의 시간적 변화율에 비례하고, 코일의
> 감은 수에 비례한다.

이것을 패러데이 법칙이라고 하며, Δt 시간 동안 N번 감은 코일을 지나는 자기 선속의 변
화량을 $\Delta \Phi$라고 하면, 코일에 발생하는 유도 기전력 V는 다음과 같다.

$$V = -N\frac{\Delta \Phi}{\Delta t}$$

여기서 (−) 부호는 유도 전류가 코일을 통과하는 자기 선속의 변화를 방해하는 방향으로
흐른다는 것으로, 다음 페이지에서 배울 렌츠 법칙을 의미한다.

자기 선속

넓이가 A인 단면을 지나는 자기장의 세기
가 B일 때, 이 면적을 통과하는 자기 선속
Φ는 단면과 자기장이 이루는 각에 따라 달
라진다. 즉, (가)와 같이 단면이 자기장과 평
행할 때 $\Phi = 0$이고, (나)와 같이 수직일 때 $\Phi
= BA$로 최대가 된다. 따라서 단면에 수직
인 선과 자기장이 이루는 각을 θ라고 할 때
단면을 지나는 자기 선속은 다음과 같다.

$$\Phi = BA\cos\theta$$

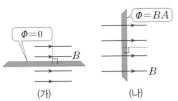

$\Phi = 0$ B $\Phi = BA$ B

(가)   (나)

② 렌츠 법칙

집중 분석 2권 124쪽~125쪽

모든 물체가 운동 상태를 유지하려는 관성을 가지는 것과 유사하게, 전자기 유도 현상에서도 유도 전류가 흐르는 방향은 닫힌회로를 지나는 원래의 자기 선속을 유지하려는 경향이 있다. 이것은 결국 전자기 유도 현상에서의 에너지 보존 법칙을 의미한다.

1. 렌츠 법칙

탐구 2권 123쪽

패러데이가 전자기 유도에 관한 패러데이 법칙을 제안한 이후 곧이어 독일의 물리학자 렌츠는 닫힌회로에 발생하는 유도 전류의 방향에 관한 렌츠 법칙을 발표하였다.

> 도선으로 이루어진 닫힌회로 내에 생긴 유도 전류는 닫힌회로를 지나는 자기 선속의 변화를 방해하는 방향으로 흐른다.

즉, 코일과 자석이 상대적인 운동을 할 때 코일에 흐르는 유도 전류의 방향은 다음과 같다.

(1) **유도 전류의 방향**: 그림과 같이 자석의 N극이 코일을 향해 운동하는 경우를 생각해 보자. 자석의 N극 주위에는 N극에서 나오는 방향으로 자기장이 형성되므로, 자석이 가까이 올수록 코일을 아래로 지나는 자기 선속이 점점 증가한다. 이때 코일에는 자기 선속의 증가를 방해하는 방향, 즉 위쪽 방향의 자기장이 발생하도록 유도 전류가 흐른다. 이때 흐르는 유도 전류의 방향은 오른손의 엄지손가락이 위쪽을 향하도록 할 때 나머지 네 손가락이 감아쥐는 방향인 B → ⓖ → A이다.

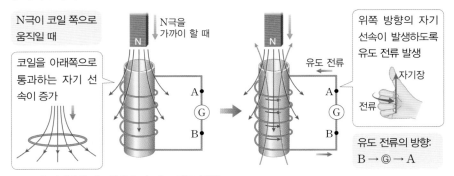

▲ N극을 가까이 할 때 코일에 흐르는 유도 전류의 방향

(2) **렌츠 법칙의 적용**: 유도 전류의 방향은 다음과 같은 두 가지 방법으로 찾을 수 있다.

① 코일을 지나는 자기 선속의 변화를 방해하는 방향: 코일을 지나는 자기 선속이 감소할 때는 같은 방향의 자기 선속이 생기는 방향으로 코일에 전류가 유도된다. 코일을 지나는 자기 선속이 증가할 때는 반대 방향의 자기 선속이 생기는 방향으로 코일에 전류가 유도된다.

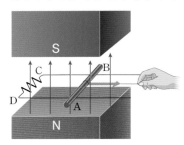

예 균일한 자기장 속에서 ㄷ자형 도선 위에 놓인 금속 도선을 끌어당길 때
→ 사각 도선 ABCD를 지나는 위 방향의 자기 선속이 증가한다.
→ 아래 방향의 자기장이 생기도록 코일에 유도 전류가 흐른다.
→ 금속 도선에 흐르는 유도 전류의 방향: B → A

렌츠(Lenz, H. F. E., 1804~1865)

독일의 물리학자로, 온도가 높을수록 도체의 전기 저항이 커짐을 밝히고, 전자기 유도에 대한 유도 전류의 방향을 연구하여 렌츠 법칙을 발견하였다.

자기장의 합성과 렌츠 법칙

자기장은 힘처럼 크기와 방향을 가지는 벡터량이므로, 자기장을 합성할 때는 방향을 고려해야 한다. 예를 들어 서로 반대 방향의 자기장을 합성하면 자기장의 세기가 줄어든다. 따라서 왼쪽 그림에서 코일을 아래로 지나는 자기장의 세기가 증가하면, 반대 방향의 자기장을 발생시켜야 자기장의 세기가 증가하는 것을 막을 수 있다.
반대로, 자석의 N극을 코일에서 멀리 하면 코일을 아래로 지나는 자기장의 세기가 감소하므로, 같은 방향의 자기장을 발생시키도록 유도 전류가 흘러야 자기장의 세기가 감소하는 것을 막을 수 있다.

미시적으로 본 유도 전류의 방향

왼쪽 그림과 같이 윗방향의 균일한 자기장 속에서 금속 도선을 끌어당기면, 도선 속의 자유 전자들도 오른쪽으로 이동한다. 이것은 전류가 왼쪽으로 흐르는 것과 같으므로, 도선 속 자유 전자들은 A → B 방향으로 자기력을 받아 이동한다. 이것이 도선에는 B → A 방향의 유도 전류가 된다.

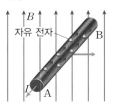

② 자석의 운동을 방해하는 방향: 자석이 코일에 가까워질 때는 자석을 밀어낼 수 있도록 코일에 전류가 유도되고, 자석이 코일에서 멀어질 때는 자석을 끌어당길 수 있도록 코일에 전류가 유도된다.

구분	자석이 가까워질 때		자석이 멀어질 때	
적용 방법	자석에 척력이 작용하도록, 코일의 위쪽에 자석과 같은 극이 생긴다.		자석에 인력이 작용하도록, 코일의 위쪽에 자석과 반대의 극이 생긴다.	
유도 전류의 방향	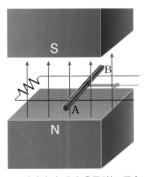			
코일 위쪽	N극	S극	S극	N극

2. 렌츠 법칙과 에너지 보존

ㄷ자형 도선 위에 놓인 금속 막대를 오른쪽으로 살짝 당기면, 렌츠 법칙에 의해 B → A 방향으로 유도 전류가 흐른다. 만약 유도 전류가 A → B 방향으로 흐른다면 금속 막대는 오른쪽으로 자기력을 받게 되므로, 막대는 오른쪽으로 가속도 운동을 한다. 그 결과 유도 전류의 세기는 계속 증가하고, 그로 인해 자기력도 증가하는 과정이 반복되며 무한히 에너지를 얻게 되므로, 에너지 보존 법칙에 위배된다. 즉, 렌츠 법칙은 유도 전류가 흐르는 회로에서의 에너지 보존 법칙을 나타낸다.

▲ 자기장 속에서 운동하는 금속 막대

금속 막대에 하는 일과 전기 에너지
왼쪽 그림에서 금속 막대를 당기면, B → A 방향으로 유도 전류가 흐르므로, 금속 막대는 왼쪽으로 자기력을 받는다. 유도 전류를 계속 흐르게 하기 위해서는 이 힘을 이기고 금속 막대에 계속 일을 해 주어야 하는데, 이 일이 회로에서 전기 에너지로 전환된다.

시선 집중 ★ 구리 관과 플라스틱 관을 통과하는 자석의 운동

모양이 동일한 구리 관과 플라스틱 관에 네오디뮴 자석을 가만히 놓아 떨어뜨리고, 각각 낙하 시간을 측정한다.

❶ **낙하 시간:** 구리 관>플라스틱 관 → 플라스틱 관에서는 거의 자유 낙하에 가깝게 떨어지지만, 구리 관에서는 천천히 떨어진다.

❷ **구리 관에서 천천히 떨어지는 까닭:** 구리 관에서는 유도 전류가 발생하여 자석의 운동 반대 방향으로 자기력이 작용하지만, 절연체인 플라스틱 관에서는 유도 전류가 흐르지 않는다.

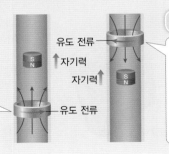

자석의 아래쪽 구리 관

구리 관을 아래로 지나는 자기 선속이 증가한다. ➡ 위 방향의 자기장이 생기도록 유도 전류가 흐른다. ➡ 자석의 N극을 밀어낸다.

자석의 위쪽 구리 관

구리 관을 아래로 지나는 자기 선속이 감소한다. ➡ 아래 방향의 자기장이 생기도록 유도 전류가 흐른다. ➡ 자석의 S극을 끌어당긴다.

③ 전자기 유도의 활용

전자기 유도는 오늘날 대부분의 발전소에서 전기 에너지를 생산하는 기본 원리이며 많은 전기 기구에서 전자기 유도를 이용한다. 일상생활에서 전자기 유도가 활용되는 예를 살펴보자.

1. 발전기

전자기 유도를 이용하여 역학적 에너지를 전기 에너지로 전환하는 장치이다.

(1) **구조:** 그림 (가)와 같이 자석 사이에 회전할 수 있는 코일이 있는 구조로, 역학적 에너지를 이용하여 코일을 회전시키면 코일의 양단에 기전력이 발생한다.

(2) **원리:** 자석 사이에 놓인 코일이 회전하면, (나)와 같이 자기장을 수직으로 지나는 코일의 넓이가 시간에 따라 변하므로, 전자기 유도에 의해 유도 기전력이 발생한다.

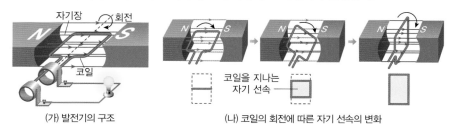

(가) 발전기의 구조

(나) 코일의 회전에 따른 자기 선속의 변화

▲ 발전기의 구조와 작동 원리

2. 마그네틱 카드에 저장된 정보를 읽는 원리

정보에 따라 자기장 방향을 배열한 자기 테이프가 정보를 읽는 헤드 아래를 지나가면, 헤드를 지나는 자기장이 변하면서 코일을 지나는 자기장도 변한다. 이때 코일에 유도 전류가 흐르며 자기 테이프에 저장된 정보를 전기 신호로 변환한다.

▲ 자기 테이프와 헤드

3. 전동 칫솔의 무선 충전 원리와 교통 카드의 원리

(1) **전동 칫솔의 무선 충전:** 충전기의 코일에 교류 전류가 흐르면, 시간에 따라 변하는 자기장이 발생한다. 이 자기장이 칫솔 쪽 코일에 유도 전류를 발생시켜 충전이 이루어진다.

(2) **교통 카드:** 교통 카드 속에는 그 둘레를 따라 코일이 감겨 있고, 코일의 양 끝 도선은 정보가 저장된 IC칩과 연결되어 있다. 교통 카드를 단말기에 대면, 단말기에서 발생하는 시간에 따라 변하는 자기장에 의해 교통 카드의 코일에 유도 전류가 발생한다. 이 유도 전류를 이용해 IC칩을 구동하고 정보를 주고받는다.

▲ 전동 칫솔 충전 원리

▲ 교통 카드의 동작 원리

코일을 회전시키는 에너지원

발전기에서 코일을 회전시키는 에너지원에 따라 발전 방식이 구분된다.

· 화력 발전: 화석 연료를 태워 얻은 열에너지로 만든 고온 고압의 수증기로 터빈을 돌려 코일을 회전시킨다.

· 핵발전: 화력 발전과 방식은 비슷하지만 화석 연료 대신 우라늄의 핵에너지를 이용한다.

· 수력 발전: 높은 곳에 있는 물이 떨어지며 터빈을 돌려 코일을 회전시킨다.

마그네틱 카드

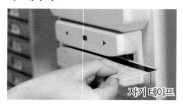

강자성체로 된 자기 테이프가 코팅되어 있는 카드로, 강자성체의 자기화 방향으로 디지털 정보를 저장한다.

휴대 전화의 무선 충전

무선 충전 하는 휴대 전화는 충전기와 휴대 전화에 각각 코일이 있다. 충전기 내부의 송신 코일에 교류 전류를 흘려 주면, 시간에 따라 변하는 자기장이 발생한다. 이 자기장에 휴대 전화의 수신 코일을 가까이 가져가면, 수신 코일에 시간에 따라 변하는 유도 전류가 계속해서 발생하게 되고, 이를 이용해 충전이 이루어진다.

4. 금속 탐지기와 도난 방지 장치

금속 탐지기는 금속 근처를 지나가면 소리 등을 울려 알려 주는 장치이다. 금속 탐지기 내부에는 서로 수직으로 배치된 전송 코일과 검출 코일이 있는데, 전송 코일에는 교류 전류가 흘러 시간에 따라 변하는 자기장을 생성한다. 이 자기장 속으로 금속 물질이 들어오면 금속에 미세한 유도 전류가 발생하고, 이 유도 전류에 의한 자기장에 의해 검출 코일에 다시 유도 전류가 흐른다. 이러한 금속 탐지기 원리는 건물에 쓰인 철근의 위치나 간격 등을 조사하는 비파괴 검사, 도서관이나 매장의 도난 방지 장치에도 활용된다.

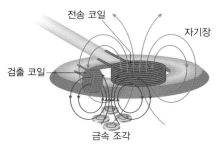

▲ **금속 탐지기 구조**

▲ **매장의 도난 방지 장치**

5. 킥보드의 발광 바퀴

움직일 때만 빛을 내는 킥보드 바퀴는 바퀴 축에 여러 개의 영구 자석이 고정되어 있고, 그 주위를 철심에 감긴 코일이 바퀴와 함께 돌아가도록 만들어져 있다. 바퀴가 회전하면 영구 자석 주위를 코일이 돌며, 코일에 일어나는 자기장 변화가 유도 전류를 발생시켜 발광 다이오드에 불이 켜진다.

▲ **발광 바퀴의 구조**

6. 놀이 기구의 자기 브레이크 장치

놀이공원의 자이로드롭이나 롤러코스터는 영구 자석과 금속판으로 이루어진 자기 브레이크를 사용한다. 자이로드롭에서 사람이 타는 쪽에는 영구 자석이 붙어 있고, 놀이 기구가 멈추는 곳의 기둥에는 금속판이 있는데, 이 금속판이 코일 역할을 하여 놀이 기구에 제동력을 제공한다. 빠르게 움직이던 놀이 기구가 금속판 가까이 오면 자석 때문에 금속판에 유도 전류가 발생하고, 이 유도 전류에 의해 운동 반대 방향으로 자기력이 작용하여 놀이 기구의 속력을 줄인다. 이러한 자기 브레이크 장치는 헬스용 자전거 등에도 이용된다.

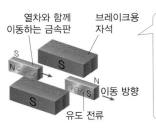

① 열차가 멈추는 지점의 레일에 브레이크용 자석이 부착되어 있다.
② 열차의 금속판이 자석 사이로 들어오면, 유도 전류가 흐르며 열차의 속력이 감소한다.

▲ **자이로드롭의 자기 브레이크 구조**　▲ **롤러코스터의 자기 브레이크 구조**

지하철의 자기 브레이크

고속 열차나 지하철의 브레이크를 작동시키면 열차에 장착된 전자석에 전류가 흘러 자기장의 변화를 만든다. 이 자기장의 변화에 의해 레일에 유도 전류가 발생하여 열차가 운동 반대 방향으로 자기력을 받는다. 열차의 속력이 감소하면 레일의 유도 전류가 감소하므로 제동력도 감소하여 열차가 부드럽게 멈추게 된다.

7. 마이크와 전기 기타

(1) **다이내믹 마이크로폰:** 마이크의 한 종류로 진동판에 붙어 있는 코일과 고정되어 있는 영구 자석으로 이루어져 있다. 소리가 전파되어 공기가 진동하면 진동판을 앞뒤로 진동시키는데, 이때 코일이 영구 자석에 대해 상대적인 운동을 하게 되므로, 코일에 소리의 신호를 담은 유도 전류가 발생한다.

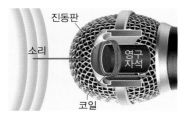

▲ **다이내믹 마이크로폰의 구조**

(2) **전기 기타의 픽업 장치:** 전기 기타에는 기타 줄의 진동을 전기 신호로 바꾸는 픽업 장치가 있다. 픽업 장치는 여러 개의 자석에 도선을 감아 놓은 코일로, 기타 줄 바로 아래에 위치한다. 자석에 의해 자기화된 기타 줄이 진동하면, 코일에 유도 전류를 흐르게 한다.

▲ **전기 기타의 픽업 장치의 구조**

8. 인덕션 레인지

인덕션 레인지는 세라믹으로 만든 판 아래에 코일이 설치되어 있고, 이 코일에 진동수가 20000 Hz 이상인 교류가 흐른다. 이때 코일에서 시간에 따라 변하는 자기장이 발생하여, 금속 냄비 바닥을 통과하면 전자기 유도에 의해 냄비 바닥에 유도 전류가 발생하고, 이 전류에 의해 냄비 바닥이 가열된다.

▲ **인덕션 레인지의 가열 원리**

9. 하이브리드 자동차

내연 기관(엔진)과 전동기를 함께 사용하는 하이브리드 자동차는 전자기 유도를 이용하여 자동차 연비를 높인다. 자동차가 감속할 때 자동차의 운동 에너지 중 일부를 전자기 유도를 이용하여 전기 에너지로 변환하여 배터리에 저장하고, 자동차가 가속할 때 저장된 전기 에너지를 사용해 전동기를 작동시켜 내연 기관을 보조한다.

▲ **하이브리드 자동차에서의 에너지 전환**

자전거 속도계

자전거 속도계는 바큇살에 붙어 있는 자석과 속도 감지 장치 속에 들어 있는 코일로 되어 있다. 자석이 코일을 지나는 속력이 빠를수록 더 센 유도 전류가 흐른다.

도로에 설치된 자동차 과속 단속 장치

고속도로에 설치된 과속 단속 장치는 카메라와 바닥에 깔린 2개의 전류가 흐르는 코일로 이루어져 있다. 코일 위를 금속 재질의 자동차가 통과하면 코일에 유도 전류가 발생하여 전류의 세기가 변하게 된다. 이때 두 코일에 유도 전류가 흐르기 시작하는 시간 차이를 이용해 자동차의 과속 여부를 판단한다.

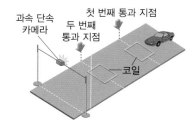

유도 전류에 영향을 주는 요인 찾기

유도 전류의 방향과 세기에 영향을 미치는 요인을 찾을 수 있다.

과정

1 그림과 같이 코일과 검류계를 연결한다.

2 막대자석의 N극을 코일 쪽으로 운동시키거나 멀어지는 쪽으로 운동시켰을 때 검류계 바늘의 움직임을 관찰한다.

3 자석의 극을 바꾸어 과정 **2**를 반복한다.

4 자석의 속력을 더 빠르게 하여 과정 **2**를 반복한다.

5 막대자석을 2개 겹쳐 과정 **2**를 반복한다.

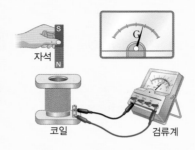

자석
코일   검류계

유의점
검류계는 사용 전에 영점 조정을 한다.

결과

막대자석의 움직임과 세기에 따른 유도 전류의 변화는 다음과 같다.

요인	자석의 운동 방향	자석의 극	자석의 속력	자석의 세기
실험 방법	자석을 반대 방향으로 움직인다.	자석의 극을 바꾼다.	자석의 속력을 더 빠르게 한다.	센 자석으로 바꾸어 실험한다.
결과	전류가 반대 방향으로 흐른다.	전류가 반대 방향으로 흐른다.	더 센 전류가 흐른다.	더 센 전류가 흐른다.

정리

• 유도 전류의 방향이 반대가 되는 경우: 자석의 극을 바꾸거나 자석의 운동 방향이 반대일 때 유도 전류의 방향이 반대가 된다.

• 더 센 유도 전류가 흐르는 경우: 센 자석을 사용하거나 자석의 속력이 빠를수록 유도 전류의 세기도 크다.

탐구 확인 문제

> 정답과 해설 **66**쪽

01 위 실험에 대한 설명으로 옳은 것은?

① 자석의 극을 바꾸면 유도 전류의 방향이 변한다.

② 강한 자석을 사용하면 유도 전류의 세기가 약해진다.

③ 자석의 속력이 빠를수록 유도 전류의 세기가 약해진다.

④ 자석을 코일에 넣을 때와 뺄 때 유도 전류의 방향은 같다.

⑤ 자석은 고정시키고 코일이 움직이면 유도 전류가 흐르지 않는다.

02 위 실험에서 유도 전류의 세기를 증가시킬 수 있는 방법 3가지를 쓰시오.

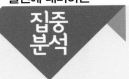
다양한 경우의 전자기 유도

전자기 유도에서는 닫힌회로를 지나는 자기 선속이 변하는 상황을 다양한 유형으로 제시하며 유도 전류의 방향과 그 세기 변화를 묻는 문제들이 출제된다. 이때 패러데이 법칙과 렌츠 법칙을 이용하여 각각의 경우 유도 전류가 어떻게 나타나는지 살펴보자.

❶ 고정된 코일을 지나는 자기장의 세기가 변하는 경우

그림 (가)와 같이 종이면에 수직으로 들어가는 방향의 균일한 자기장 속에 면적이 A이고 저항이 R인 원형 코일이 고정되어 있다. 자기장 영역의 시간에 따른 자기장의 세기가 (나)와 같이 변할 때 원형 도선에 흐르는 유도 전류의 방향과 세기를 살펴보자.

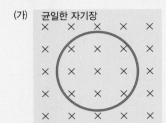

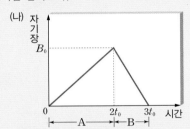

자기장 – 시간 그래프 기울기의 부호

자기장–시간 그래프 기울기의 부호는 유도 전류가 흐르는 방향과 관계된다.
· 기울기>0일 때: 자기 선속의 증가를 방해하는 방향으로 유도 전류가 흐른다.
· 기울기<0일 때: 자기 선속의 감소를 방해하는 방향으로 유도 전류가 흐른다.

⑴ **유도 전류의 방향(렌츠 법칙 이용):** 코일의 면적이 일정하므로, 코일을 지나는 자기 선속의 변화는 자기장의 세기 변화와 같다. 따라서 A 구간에서는 자기 선속의 증가를 방해하는 방향, B 구간에서는 감소를 방해하는 방향으로 유도 전류가 흐른다.

구간	A	B
코일을 통과하는 자기장의 세기	증가	감소
유도 전류에 의한 자기장의 방향	종이면에서 수직으로 나오는 방향	종이면에 수직으로 들어가는 방향
유도 전류의 방향	시계 반대 방향	시계 방향

⑵ **유도 전류의 세기(패러데이 법칙 이용):** 자기장 영역에 놓인 코일의 단면적이 일정할 때 코일에 발생하는 유도 기전력은 패러데이 법칙에 의해 다음과 같다.

$$V = -N\frac{\Delta\Phi}{\Delta t} = -N\frac{\Delta BA}{\Delta t} = -NA\frac{\Delta B}{\Delta t} \propto \frac{\Delta B}{\Delta t} \ (\rightarrow 자기장 - 시간 그래프의 기울기)$$

따라서 코일의 저항이 일정할 때 유도 전류의 세기는 자기장–시간 그래프 기울기의 절댓값에 비례한다.

· 자기장–시간 그래프 기울기의 크기는 B 구간이 A 구간의 2배이다.
· 유도 기전력은 자기장–시간 그래프 기울기 크기에 비례하므로, 유도 전류의 세기도 B 구간이 A 구간의 2배이다.

시간에 따른 유도 전류 그래프

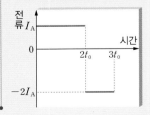

구간	A	B
시간에 따른 자기 선속의 변화율	$\dfrac{\Delta\Phi_A}{\Delta t} = \dfrac{B_0 A}{2t_0}$	$\dfrac{\Delta\Phi_B}{\Delta t} = -\dfrac{B_0 A}{t_0}$
유도 기전력	$V_A = -\dfrac{B_0 A}{2t_0}$	$V_B = \dfrac{B_0 A}{t_0} = -2V_A$
유도 전류의 세기	$I_A = \dfrac{V_A}{R}$	$I_B = \dfrac{V_B}{R} = -2I_A$

② 자석이 낙하하며 코일을 지나는 경우

가만히 놓아 떨어뜨린 자석이 코일의 중심축을 따라 낙하하면 코일에는 유도 전류가 흐른다.

(1) 유도 전류의 방향

- 자석이 접근할 때: 코일에는 자석을 밀어내는 방향으로 유도 전류가 흐른다.
- 자석이 빠져나올 때: 코일에는 자석을 끌어당기는 방향으로 유도 전류가 흐른다.

(2) 자석의 역학적 에너지 (단, 공기 저항은 무시한다.)

- 자석은 코일에 흐르는 유도 전류에 의해 운동 반대 방향으로 자기력을 받으므로, 자석의 가속도는 중력 가속도보다 작다.
- 지면에서 자석의 역학적 에너지는 처음 낙하하기 시작할 때보다 작으며, 감소한 역학적 에너지는 코일에서 전기 에너지로 변환된다.

자석의 위치	자석이 접근할 때	자석이 빠져나왔을 때
코일을 지나는 자기 선속 변화	아래 방향의 자기 선속이 점점 증가한다.	아래 방향의 자기 선속이 점점 감소한다.
자석이 받는 자기력의 방향	자석의 N극을 밀어내는 방향	자석의 S극을 끌어당기는 방향
유도 전류에 의한 자기장 방향	코일의 위쪽이 N극	코일의 아래쪽이 N극
유도 전류의 방향	a → Ⓖ → b	b → Ⓖ → a
막대자석의 역학적 에너지	자석이 접근할 때 > 자석이 빠져나왔을 때	

낙하하는 자석에 작용하는 자기력의 방향

코일에 발생하는 유도 전류에 의해 낙하하는 자석에 작용하는 자기력의 방향은 위 방향으로 일정하다. 따라서 유도 전류에 의해 코일에 발생하는 자기장의 방향은 자석이 접근할 때와 빠져나올 때 반대 방향이 된다.

유제

▶ 정답과 해설 66쪽

그림 (가)는 종이면에 수직으로 들어가는 방향의 균일한 자기장 영역에서 저항 R가 연결된 평행한 두 직선 도선을 종이면에 고정시키고, 도선 위에 도체 막대를 놓은 후 오른쪽으로 이동시키는 것을 나타낸 것이다. 그림 (나)는 도체 막대의 속력을 시간에 따라 나타낸 것이다.

이에 대한 설명으로 옳은 것만을 보기에서 있는 대로 고른 것은?

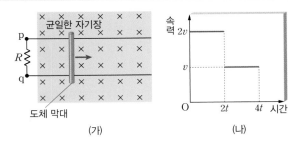

(가)　　　　　(나)

보기

ㄱ. R에 흐르는 전류의 방향은 t일 때와 $3t$일 때 반대이다.

ㄴ. R에 흐르는 전류의 세기는 t일 때가 $3t$일 때의 2배이다.

ㄷ. R에서 소비되는 전력은 t일 때가 $3t$일 때의 2배이다.

① ㄱ　　　② ㄴ　　　③ ㄱ, ㄷ　　　④ ㄴ, ㄷ　　　⑤ ㄱ, ㄴ, ㄷ

교류 발전

패러데이 법칙은 교류 발전의 기초가 되었고, 현대 전기 문명을 이루는 데 매우 중요한 역할을 하였다. 패러데이 법칙을 바탕으로 교류 발전의 원리를 살펴보자.

발전기는 전자기 유도를 이용하는 대표적인 장치로, 외부에서 일의 형태로 에너지를 흡수하여 이를 전기 에너지로 변환한다. 간단한 구조의 교류 발전기를 살펴보면, 그림과 같이 외부 자기장 속에 외력에 의해 회전할 수 있는 코일이 놓여 있는 구조로 되어 있다.

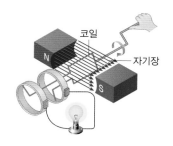

❶ 코일을 지나는 자기 선속의 변화

그림과 같이 면적이 A이고 N번 감긴 코일이 세기가 B인 외부 자기장 속에 놓여 있을 때 코일을 지나는 자기 선속은 $BA\cos\theta$가 된다. 여기서 θ는 자기장과 코일면의 법선이 이루는 각도이다. 코일이 ω의 일정한 각속도로 회전한다면 시간 t일 때 $\theta=\omega t$가 되므로, 이때 코일을 지나는 자기 선속 Φ는 다음과 같다.

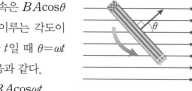

$$\Phi=BA\cos\theta=BA\cos\omega t$$

각속도(ω)
단위 시간당 회전하는 각도
$$\omega=\frac{\theta}{t}$$

❷ 코일이 회전할 때 발생하는 유도 기전력

코일에 일을 하여 외부 자기장 속에서 코일을 회전시키면, 코일을 지나는 자기 선속이 시간에 따라 그래프 (가)와 같이 변하게 된다. 이에 따라 코일에는 유도 기전력이 발생하며, 패러데이 법칙에 의해 유도 기전력은 다음과 같다.

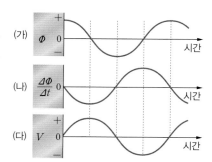

$$V=-N\frac{\Delta\Phi}{\Delta t}=-NBA\frac{d\cos\omega t}{dt}$$
$$=NBA\omega\sin\omega t$$

직류 발전기
직류 발전기는 그림 (가)와 같이 회전하는 코일의 접점에 정류자가 사용되는 것을 제외하면, 기본적으로 교류 발전기와 구조가 비슷하다. 직류 발전기의 출력 전압은 (나)와 같다.

즉, 코일에 발생하는 유도 기전력은 시간에 따라 그래프 (다)와 같이 변한다. 유도 기전력의 최댓값은 $NBA\omega$로, $\omega t=90°$이거나 $270°$일 때, 즉 코일의 면이 자기장과 평행인 방향으로 놓였을 때 유도 기전력은 최대가 된다. 반대로 $\omega t=0°$이거나 $180°$일 때, 즉 코일의 면이 자기장에 수직일 때 유도 기전력은 0이 된다.

한편, 사인함수의 주기가 2π이므로, 유도 기전력의 주기를 T라고 하면 $\omega T=2\pi$에서 $T=\frac{2\pi}{\omega}$이다. 따라서 교류 발전의 주파수 f는 다음과 같다.

$$f=\frac{1}{T}=\frac{\omega}{2\pi}$$

우리나라의 교류 발전 주파수는 60 Hz로, 이는 전류의 방향이 1초에 60번 진동한다는 뜻이다.

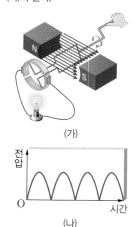

(가)

(나)

개념 모아

정리하기

03 전자기 유도

① 패러데이 법칙

1. **전자기 유도** 닫힌회로의 코일을 지나는 (**❶**   )이 변할 때 코일에 전류가 유도되는 현상

• 유도 기전력: 전자기 유도 현상에 의해 코일의 양단에 발생하는 기전력

• (**❷**   ): 유도 기전력에 의해 코일에 흐르는 전류

2. (**❸**   ) **법칙** 코일에 발생하는 유도 기전력 V는 코일을 지나는 자기 선속 Φ의 시간적 변화율에 비례하고, (**❹**   ) N에 비례한다.

$$V=-N\frac{\Delta\Phi}{\Delta t}=-N\frac{\Delta(BA)}{\Delta t}\,(B:\text{자기장},\ A:\text{자기장에 수직인 코일의 면적})$$

➡ 코일 주위에서 자석을 움직일 때, 자석을 빠르게 움직이거나 센 자석을 사용할수록 센 전류가 유도된다.

② 렌츠 법칙

1. (**❺**   ) **법칙** 전자기 유도 현상이 일어날 때 코일에 발생하는 유도 전류는 코일을 지나는 자기 선속이 변하는 것을 (**❻**   )하는 방향으로 흐른다.

구분	코일을 지나는 자기 선속이 증가할 때		코일을 지나는 자기 선속이 감소할 때	
유도 전류의 방향	외부 자기장의 반대 방향으로 자기장이 생기도록 코일에 유도 전류가 흐른다. 가까이 한다. $B \rightarrow ⓖ \rightarrow A$	가까이 한다. $A \rightarrow ⓖ \rightarrow B$	외부 자기장과 같은 방향으로 자기장이 생기도록 코일에 유도 전류가 흐른다. 멀리 한다. $A \rightarrow ⓖ \rightarrow B$	멀리 한다. $B \rightarrow ⓖ \rightarrow A$

2. **렌츠 법칙과 에너지 보존** 렌츠 법칙은 유도 전류가 흐르는 회로에서의 (**❼**   )을 나타낸다.

➡ 코일 근처에서 자석을 움직이면 코일에 생기는 유도 전류에 의해 자석은 운동 방향의 반대 방향으로 자기력을 받는다. 따라서 자석을 계속해서 움직이기 위해서는 자석에 힘을 주어 일을 해야 하는데, 이 일이 코일에서 전기 에너지로 전환된다.

③ 전자기 유도의 활용

마그네틱 카드의 정보 읽기	전동 칫솔의 충전	교통 카드
헤드 / 유도 전류 / 자기 테이프의 이동 방향	전동 칫솔 / 코일 / 충전기	교통 카드 / 코일 / 자기장 / 단말기
정보가 담긴 자기 테이프가 헤드를 지날 때 코일에 발생하는 (**❽**)를 이용한다.	전자기 유도를 이용해 칫솔 내부의 코일에 유도 전류를 흐르게 하여 충전한다.	단말기에서 발생하는 자기장에 의해 교통 카드 내부 (**❾**)에 유도 전류가 발생한다.

01 그림과 같이 검류계를 연결한 코일에 자석의 N극을 넣었다 뺐다 하면서 검류계 바늘의 움직임을 관찰하였다. 이 실험 결과에 대한 설명으로 옳은 것만을 보기에서 있는 대로 고르시오.

자석 검류계 코일

보기
ㄱ. 자석을 넣을 때와 뺄 때 검류계 바늘이 반대로 움직인다.
ㄴ. 자석을 빠르게 움직일수록 검류계 바늘이 크게 움직인다.
ㄷ. 자석이 코일 속에 정지해 있을 때 검류계 바늘은 최댓값을 가리킨다.

02 그림은 지표면에 고정된 금속 고리에 막대자석을 가까이 하는 모습을 나타낸 것이다.

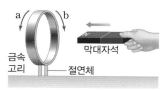
금속 고리
막대자석
절연체

(1) 막대자석의 N극을 가까이 할 때 금속 고리에 흐르는 유도 전류의 방향을 쓰시오.

(2) 금속 고리에 흐르는 유도 전류의 세기를 증가시킬 수 있는 방법을 2가지만 쓰시오.

03 그림과 같이 막대자석이 원형 도선 X, Y의 중심축을 따라 오른쪽으로 운동하고 있다.

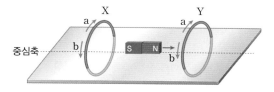
중심축

이 순간 X, Y에 흐르는 유도 전류의 방향을 각각 쓰시오.

04 그림과 같이 종이면에 원형 도선과 $+x$ 방향으로 전류가 흐르는 긴 직선 도선이 놓여 있다.

전류

(가), (나)와 같은 경우 원형 도선에 흐르는 유도 전류의 방향을 각각 쓰시오.

(가) 원형 도선은 가만히 두고 직선 도선에 흐르는 전류의 세기를 증가시킨다.
(나) 직선 도선에 흐르는 전류의 세기는 일정하게 하고 원형 도선을 $+y$ 방향으로 움직인다.

05 그림은 빗면을 따라 내려온 자석이 구리 관의 중심축에 놓인 마찰이 없고 수평인 직선 레일을 따라 운동하여 길이가 같은 세 구간 A, B, C를 통과하는 모습을 나타낸 것이다. B에는 구리 관이 고정되어 있다. (단, 지구 자기장과 자석의 크기는 무시한다.)

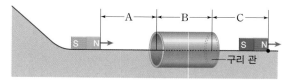
구리 관

(1) A, C 구간에서 자석이 받는 자기력의 방향을 각각 쓰시오.

(2) A, B, C 구간에서 자석의 평균 속력을 비교하시오.

06 그림 (가)와 (나)는 코일을 감은 투명한 관을 좌우로 흔들었을 때, 관 내부에서 각각 자석의 N극과 S극이 코일로부터 같은 거리에서 같은 속력으로 코일에 가까이 가는 순간의 모습을 나타낸 것이다. (가)에서 발광 다이오드(LED)에 불이 켜졌다.

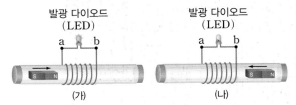

(가)   (나)

이에 대한 설명으로 옳은 것만을 보기에서 있는 대로 고르시오.

┌─ 보기 ───────────────────────────────
ㄱ. (가)에서 전류의 방향은 b → LED → a이다.
ㄴ. (가)에서 자석이 받는 자기력의 방향은 왼쪽이다.
ㄷ. (나)에서 LED에 불이 켜진다.
└──────────────────────────────────────

07 그림은 종이면에 수직으로 들어가는 방향으로 세기가 B인 균일한 자기장이 형성된 공간에서 종이면에 수평하게 고정된 ㄷ자형 도선

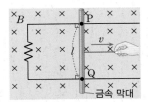

위에 올려놓은 금속 막대를 일정한 속력 v로 당기는 모습을 나타낸 것이다. P와 Q는 금속 막대와 도선 사이의 접점이고, P와 Q 사이의 길이는 l이다. 전자기 유도에 의한 유도 기전력의 크기를 구하시오.

08 그림은 코일이 감긴 유리관 속을 유리관의 중심축을 따라 자석이 낙하하는 모습을 나타낸 것이다. 자석이 코일을 통과할 때 코일에 연결된 각각의 전구에 불이 켜졌다. 자석의 낙하 경로상의 세 점 a, b, c에서 자석의 역학적 에너지를 비교하시오.

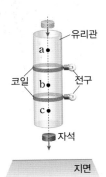

09 다음은 일상생활에서 사용하는 전기와 관련된 도구나 장치에 대한 설명이다.

┌──────────────────────────────────────
• 교통 카드로 버스를 탄다.
• 전동 칫솔을 무선 충전한다.
• 교류 발전기에서 역학적 에너지를 전기 에너지로 전환한다.
└──────────────────────────────────────

위 장치에 공통적으로 이용되는 전기 현상을 쓰시오.

10 다음은 인덕션 레인지의 작동 원리를 설명한 것이다.

┌──────────────────────────────────────
인덕션 레인지의 내부에는 코일이 설치되어 있다. 이 코일에 ㉠전류를 흘려 주고, 금속 냄비를 올려 두면 ㉡냄비 바닥에 전류가 흐르며 열이 발생한다.

└──────────────────────────────────────

이에 대한 설명으로 옳은 것만을 보기에서 있는 대로 고르시오.

┌─ 보기 ───────────────────────────────
ㄱ. ㉠은 직류이다.
ㄴ. ㉡은 전자기 유도에 의해 발생한다.
ㄷ. 유리 냄비를 사용하면 더 많은 열이 발생한다.
└──────────────────────────────────────

11 다음은 자이로드롭의 원리에 대한 설명이다.

┌──────────────────────────────────────
자이로드롭에서 사람이 앉는 의자 쪽에는 자석이 붙어 있고, 멈추는 곳의 기둥에는 금속판이 붙어 있다. 영구 자석이 금속판 가까이 오면 (㉠)에 의해 금속판에 유도 전류가 흐르고, 놀이기구는 (㉡) 쪽으로 자기력을 받는다.

└──────────────────────────────────────

㉠과 ㉡에 들어갈 말을 각각 쓰시오.

01　⟩ 직선 전류에 의한 자기장과 전자기 유도

그림 (가)는 $+y$ 방향으로 일정한 세기의 전류가 흐르는 무한히 긴 직선 도선이 y축에 고정되어 있고, 그 주변에 반지름이 $\dfrac{d_0}{4}$인 원형 도선이 xy 평면에 놓여 있는 모습을 나타낸 것이다. 그림 (나)는 원형 도선의 중심의 위치를 시간에 따라 나타낸 것이다.

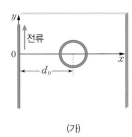
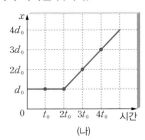

(가)　　　　　　　　　　(나)

이에 대한 설명으로 옳은 것만을 보기에서 있는 대로 고른 것은?

> 보기

ㄱ. t_0일 때 원형 도선에는 시계 방향으로 유도 전류가 흐른다.

ㄴ. 원형 도선을 지나는 자기 선속은 t_0일 때보다 $3t_0$일 때가 더 크다.

ㄷ. $3t_0$일 때 원형 도선 중심에서 직선 도선에 흐르는 전류에 의한 자기장과 유도 전류가 만드는 자기장은 방향이 같다.

① ㄱ　　② ㄷ　　③ ㄱ, ㄴ　　④ ㄱ, ㄷ　　⑤ ㄴ, ㄷ

• 직선 도선에 흐르는 전류에 의한 자기장의 세기는 도선으로부터의 수직 거리에 반비례한다.

02　⟩ 자석의 운동과 전자기 유도

그림은 윗면을 N극이 되도록 하여 자석을 연직 위로 던졌을 때 자석이 원형 도선을 통과하여 올라간 후 다시 원형 도선을 통과해 내려오는 모습을 나타낸 것이다.

자석이 점 p를 지날 때에 대한 설명으로 옳은 것만을 보기에서 있는 대로 고른 것은? (단, 자석은 원형 도선의 중심축을 따라 움직였고, 회전하지 않았으며, 공기 저항은 무시한다.)

원형 도선

자석

> 보기

ㄱ. 자석의 속력은 자석이 올라갈 때가 내려올 때보다 크다.

ㄴ. 원형 도선에 흐르는 유도 전류의 방향은 자석이 올라갈 때와 내려올 때가 같다.

ㄷ. 자석이 원형 도선으로부터 받는 자기력의 방향은 자석이 올라갈 때와 내려올 때가 같다.

① ㄱ　　② ㄴ　　③ ㄱ, ㄴ　　④ ㄱ, ㄷ　　⑤ ㄴ, ㄷ

• 원형 도선에는 자석의 운동을 방해하는 방향으로 자기장이 만들어진다.

03 ❯ 도선 고리의 운동과 전자기 유도

그림과 같이 한 변의 길이가 **2 cm**인 정사각형 금속 고리 **P**가 **1 cm/s**의 일정한 속력으로 $+x$ 방향으로 운동하여 자기장 영역 Ⅰ, Ⅱ, Ⅲ을 통과한다. Ⅰ, Ⅱ, Ⅲ에서 자기장의 세기는 각각 B_0, $2B_0$, B_0이고, 자기장의 방향은 Ⅰ, Ⅱ에서 종이면에 수직으로 들어가는 방향이고, Ⅲ에서 종이면에 수직으로 나오는 방향이다. $t=0$일 때 **P**의 중심은 $x=0$을 지난다.

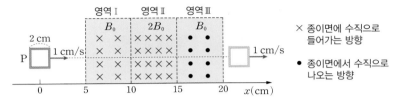

* 금속 고리를 지나는 자기 선속의 변화를 방해하는 방향으로 유도 전류가 흐른다.

이에 대한 설명으로 옳지 **않은** 것은?

① $t=8$초일 때 P에 흐르는 유도 전류는 0이다.

② $t=10$초일 때 P에 흐르는 유도 전류의 방향은 시계 반대 방향이다.

③ P에 흐르는 유도 전류의 세기는 $t=15$초일 때가 $t=10$초일 때의 3배이다.

④ $t=10$초일 때와 $t=20$초일 때 P에 흐르는 유도 전류의 방향은 서로 반대이다.

⑤ $t=5$초일 때와 $t=20$초일 때 P에 흐르는 유도 전류의 세기와 방향이 서로 같다.

04 ❯ 금속관에서의 전자기 유도

그림은 모양과 길이가 같은 알루미늄 관과 구리 관을 연직 방향으로 세우고 질량이 같은 자석 **A** 또는 **B**를 관 입구에 가만히 놓는 모습을 나타낸 것이다. 표는 자석이 관을 통과할 때까지 걸린 시간을 나타낸 것이다.

* 자석이 금속관을 지날 때 금속관에는 전자기 유도에 의한 유도 전류가 흐른다.

A 또는 B

구분	알루미늄 관	구리 관
A	2초	5초
B	3초	㉠

알루미늄 관   구리 관

이에 대한 설명으로 옳은 것만을 보기에서 있는 대로 고른 것은? (단, 공기 저항과 모든 마찰은 무시한다.)

보기

ㄱ. ㉠은 5초보다 크다.

ㄴ. 자석의 세기는 A가 B보다 크다.

ㄷ. B가 낙하하는 동안 B의 역학적 에너지는 일정하다.

ㄹ. 자석이 구리 관의 중심을 지날 때 구리 관에는 유도 전류가 흐른다.

① ㄱ, ㄴ   ② ㄱ, ㄷ   ③ ㄱ, ㄹ   ④ ㄴ, ㄷ   ⑤ ㄷ, ㄹ

05 ▶ 도선 고리의 운동과 전자기 유도

그림은 종이면에 수직인 방향으로 세기가 각각 B_1, B_2인 균일한 자기장이 형성된 영역 I, II를 한 변의 길이가 l인 정사각형 도선이 $+x$ 방향의 일정한 속도로 통과하는 모습을 나타낸 것이다. 표는 도선의 점 p의 위치 x에 따른 도선에 흐르는 전류의 세기와 방향을 나타낸 것이다.

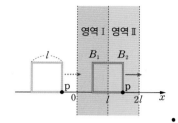

위치	전류의 세기	전류의 방향
$x=0.5l$	I_0	시계 방향
$x=1.5l$	$2I_0$	시계 반대 방향

이에 대한 설명으로 옳은 것만을 보기에서 있는 대로 고른 것은?

보기
ㄱ. I과 II에서 자기장의 방향은 같다.
ㄴ. $B_1=B_2$이다.
ㄷ. $x=2.5l$일 때 도선에는 시계 방향으로 유도 전류가 흐른다.

① ㄱ   ② ㄴ   ③ ㄱ, ㄴ   ④ ㄱ, ㄷ   ⑤ ㄴ, ㄷ

• 정사각형 도선을 통과하는 자기 선속의 변화에 비례하여 유도 전류가 흐른다.

06 ▶ 도선 고리의 운동과 전자기 유도

그림 (가)는 자석 위에서 y축을 따라 금속 고리를 운동시키는 모습을, (나)는 고리의 위치 y를 시간에 따라 나타낸 것이다.

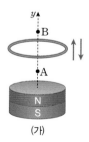

(가)

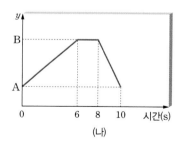

(나)

고리에 흐르는 유도 전류에 대한 설명으로 옳은 것만을 보기에서 있는 대로 고른 것은? (단, 금속 고리 면과 자석의 윗면은 나란하다.)

보기
ㄱ. 7초일 때 전류가 흐르지 않는다.
ㄴ. 3초일 때 금속 고리와 자석 사이에는 서로 밀어내는 방향으로 자기력이 작용한다.
ㄷ. 3초일 때와 9초일 때 유도 전류의 방향은 서로 반대이다.

① ㄴ   ② ㄷ   ③ ㄱ, ㄴ   ④ ㄱ, ㄷ   ⑤ ㄱ, ㄴ, ㄷ

• 금속 고리가 자석에서 멀어질수록 금속 고리를 통과하는 자기 선속이 감소한다.

> 자석의 운동과 전자기 유도

07

그림과 같이 빗면 위의 동일한 지점에 질량이 같은 두 자석 A와 B를 각각 가만히 놓았더니, A와 B가 빗면에 고정된 구리 고리를 통과한 후 각각 속력 v_A, v_B로 수평면에 닿았다. A와 B가 빗면을 내려오는 동안 A와 B의 가속도 방향은 일정하였고, 자석의 세기는 A가 B보다 세다.

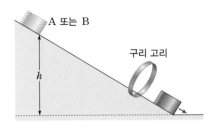

• 구리 고리를 지나는 자기 선속의 변화를 방해하는 방향으로 전자기 유도가 일어난다.

이에 대한 설명으로 옳은 것만을 보기에서 있는 대로 고른 것은? (단, 모든 마찰은 무시한다.)

보기
ㄱ. $v_A > v_B$이다.
ㄴ. 구리 고리를 통과하기 직전과 직후, A에 작용하는 자기력의 방향은 같다.
ㄷ. 빗면을 내려오기 시작하여 수평면에 닿기 직전까지의 역학적 에너지 감소량은 A가 B 보다 크다.

① ㄱ   ② ㄴ   ③ ㄱ, ㄴ   ④ ㄱ, ㄷ   ⑤ ㄴ, ㄷ

> 회전하는 도선 고리에서의 전자기 유도

08

그림은 직사각형 도선이 오른쪽 방향의 균일한 자기장 속에서 자기장 방향에 수직인 회전축을 중심으로 반시계 방향으로 회전하는 모습을 나타낸 것이다. 자기장의 방향과 도선이 이루는 면 사이의 각은 θ이고, 점 a, b, c는 도선에 고정된 점이다.

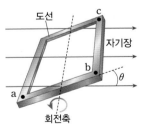

• 자기장에 수직인 단면적이 증가하면 직사각형 도선이 이루는 면을 통과하는 자기 선속이 증가한다.

이에 대한 설명으로 옳은 것만을 보기에서 있는 대로 고른 것은?

보기
ㄱ. $\theta = 45°$일 때 도선에는 a → b → c 방향으로 유도 전류가 흐른다.
ㄴ. $\theta = 90°$일 때 도선에 흐르는 유도 전류의 세기가 최대이다.
ㄷ. $\theta = 45°$일 때와 $\theta = 135°$일 때 b와 c 사이에 흐르는 유도 전류의 방향이 같다.

① ㄱ   ② ㄴ   ③ ㄷ   ④ ㄱ, ㄴ   ⑤ ㄴ, ㄷ

09 ❯ 전자기 유도의 활용

그림은 무선 충전이 가능한 무선 이어폰을 충전하는 모습을 나타낸 것이다. 송전용 안테나에 전류가 흐르면 자기장이 형성되고, 이 자기장에 의해 수전용 안테나에 유도 전류가 흘러 배터리를 충전한다.

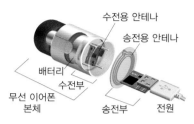

수전용 안테나
송전용 안테나
배터리
수전부
무선 이어폰 본체
송전부
전원

• 전자기 유도는 코일을 통과하는 자기장이 시간에 따라 변할 때 발생한다.

이에 대한 설명으로 옳은 것만을 보기에서 있는 대로 고른 것은?

보기
ㄱ. 전자기 유도 현상을 이용한다.
ㄴ. 송전용 안테나가 만드는 자기장의 세기는 일정하다.
ㄷ. 수전용 안테나에 흐르는 유도 전류는 직류이다.

① ㄱ   ② ㄴ   ③ ㄱ, ㄴ   ④ ㄱ, ㄷ   ⑤ ㄴ, ㄷ

10 ❯ 전자기 유도의 활용

그림 (가)는 교통 카드와 단말기에 각각 코일이 있는 모습을 나타낸 것이고, (나)는 단말기의 코일에 흐르는 전류의 세기를 시간에 따라 나타낸 것이다.

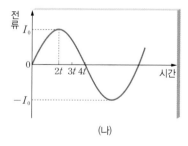

단말기의 코일
카드의 코일

(가)

전류 I_0, $-I_0$, 시간, $2t$ $3t$ $4t$

(나)

• 유도 기전력의 크기는 자속의 시간당 변화율에 비례한다.

이에 대한 설명으로 옳은 것만을 보기에서 있는 대로 고른 것은?

보기
ㄱ. 단말기의 코일에서 발생하는 자기장의 세기는 시간에 따라 변한다.
ㄴ. 카드의 코일에 흐르는 유도 전류의 세기는 $2t$일 때가 $4t$일 때보다 크다.
ㄷ. $3t$일 때 단말기의 코일과 카드의 코일에 흐르는 유도 전류에 의한 자기장의 방향은 서로 같다.

① ㄱ   ② ㄴ   ③ ㄱ, ㄴ   ④ ㄱ, ㄷ   ⑤ ㄴ, ㄷ

전자기 유도의 역사적 의미

1820년, 외르스테드(∅rsted, H. C., 1777~1851)는 전류가 흐르는 도선 근처에서 나침반 자침이 움직이는 것으로부터 전류에 의해 자기장이 발생하는 현상을 발견하였다. 그 다음 해 패러데이는 외르스테드의 실험을 재검토하던 중 도선과 자석을 이용한 간단한 전동기를 만들었다. 또, 헨리(Henry, J., 1797~1878)를 포함한 다른 과학자들은 전자석을 개량하기 위해 노력하였다.

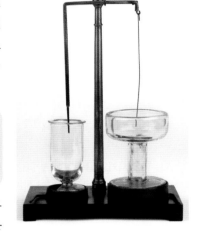

패러데이의 전동기
양쪽 컵에는 전류가 흐를 수 있는 수은을 담았다. 왼쪽은 자석을 컵 아래에 묶고 도선을 고정시켰고, 오른쪽은 도선을 위에 매달고 자석을 컵에 고정시켰다. 양쪽 컵의 수은을 전지의 양 극에 연결하면 왼쪽의 자석과 오른쪽의 도선이 회전한다.

한편, 많은 과학자들은 전류에 의해 자기장이 발생한다면, 이와 반대로 자석으로 전류를 발생시키는 것도 가능할 것이라고 추측하였다. 그러나 이러한 현상은 10년이 지난 1831년에서야 패러데이에 의해 발견될 수 있었다. 이는 전자기 유도로 만들어 낸 전류의 세기가 너무 작아서 이를 증폭시키지 않으면 관찰하기 어려웠고, 자석이 움직일 때만 전자기 유도가 일어난다는 특성 때문이었다.

1차 코일

2차 코일

패러데이는 여러 과학자들이 연구한 전자석 개량법에서 힌트를 얻어 피복을 입힌 전선을 철심에 칭칭 감아 코일로 만들어 전자기 유도를 증폭시킬 수 있었다. 또, 1차 코일에 전지를 연결하기 전에 2차 코일에 검류계를 연결함으로써, 전지를 연결하는 순간 검류계 바늘이 움직이는 것을 관찰할 수 있었다.

패러데이의 코일
1차 코일에 연결된 스위치를 닫는 순간 2차 코일에 연결된 검류계의 바늘이 움직인다.

전자기 유도가 발견된 이후 많은 사람들이 이를 이용한 발전기 개발에 뛰어들었고, 50년 뒤에는 에디슨이 뉴욕 중심가의 조명을 밝히는 데 발전기를 사용하기 시작하였다. 이어서 공장과 가정의 기계들을 작동시키는 데 발전기가 사용되면서 증기 기관의 시대가 가고 전기의 시대가 시작되었다.

또, 전자기 유도는 과학계에도 큰 충격을 주었다. 이는 전자기 유도가 당시 원거리 작용이 직선을 따라 작용한다고 받아들여지던 상식에 어긋나기 때문이었다. 중력, 전기력, 자기력 등 직선을 따라 작용하는 원거리 작용과 달리 전자기 유도는 전류가 흐르는 도선과 자석을 서로 수직으로 회전시키는 것처럼 보였기 때문이다. 이때부터 패러데이는 전기와 자기의 작용이 매질이나 공간에 의해 전달될 수도 있다는 과감한 추측을 하게 되었다. 이후 이 생각은 장(field)이라는 혁명적인 아이디어로 이어졌고, 맥스웰에 의해 빛과 같은 속력을 갖는 전자기파 개념으로 전개되었다. 또, 헤르츠의 실험을 통해 전자기파의 발생과 검출이 확인되어 물리적 작용이 공간에 의해 매개되며 전달되는 데 시간이 걸릴 것이라는 패러데이의 생각이 과학적으로 인정받게 되었고, 무선 통신의 시대가 열리게 되었다.

결국 패러데이의 발견은 약 50년 후 인류의 생활 방식을 전자전기 문명으로 완전히 바꾸게 되었다.

01 > 직선 전류에 의한 자기장

그림은 xy 평면에서 무한히 긴 두 직선 도선 A, B가 y축에 평행하게 있는 것을 나타낸 것이다. A에는 $+y$ 방향으로 전류 I_0가 흐르고, B에는 전류 $2I_0$가 흐른다. A, B 사이의 간격이 3 m일 때 x축 위의 점 p에서 자기장은 0이다.

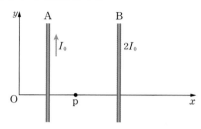

A는 고정시키고 B를 $+x$ 방향으로 6 m만큼 이동시켜 고정하였을 때, 자기장의 세기가 0이 되는 x축 위의 점과 p 사이의 거리는?

① 1 m
② 2 m
③ 3 m
④ 4 m
⑤ 6 m

• 직선 전류에 의한 자기장의 세기는 도선으로부터 수직 거리에 반비례한다.

02 > 직선 전류와 원형 전류에 의한 자기장

그림과 같이 xy 평면에 고정되어 있는 반지름 r인 원형 도선 A에 세기가 I_0로 일정한 전류가 시계 방향으로 흐르고 있고, y축과 평행한 무한히 긴 직선 도선 B에 일정한 세기의 전류가 흐르고 있다. 원점 O에서 A, B에 흐르는 전류에 의한 자기장은 0이고, x축 위의 점 P에서 자기장의 세기는 B_0이다.

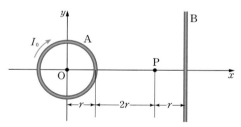

이에 대한 설명으로 옳은 것만을 보기에서 있는 대로 고른 것은?

> 보기
ㄱ. B에 흐르는 전류의 세기는 $4\pi I_0$이다.
ㄴ. P에서 자기장의 방향은 xy 평면에 수직으로 들어가는 방향이다.
ㄷ. O에서 A에 흐르는 전류에 의한 자기장의 세기는 $\dfrac{B_0}{4}$보다 작다.

① ㄱ
② ㄴ
③ ㄱ, ㄴ
④ ㄱ, ㄷ
⑤ ㄴ, ㄷ

• 원형 전류의 중심에 형성된 자기장의 세기는 반지름과 같은 거리만큼 떨어져 있고 같은 세기의 전류가 흐르는 직선 도선에 의한 자기장 세기의 π배이다.

03 ❯ 직선 전류에 의한 자기장

그림은 xy 평면에서 무한히 긴 직선 도선 P와 Q가 각각 x축과 y축에 고정된 모습을 나타낸 것이다. 점 $A(-d, d)$에서 자기장이 0이다.

점 $B(2d, -d)$에서 P, Q에 의한 자기장이 0이 되도록 하는 방법으로 옳은 것만을 보기에서 있는 대로 고른 것은?

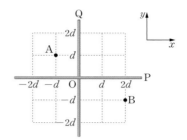

직선 전류에 의한 자기장의 세기는 전류의 세기에 비례하고, 도선으로부터의 수직 거리에 반비례한다.

보기

ㄱ. 전류의 세기는 그대로 하고 P에 흐르는 전류의 방향을 반대로 한다.

ㄴ. P는 그대로 두고 Q에 흐르는 전류의 세기를 2배로 한다.

ㄷ. P에 흐르는 전류의 세기를 $\frac{1}{2}$배로 하고, Q에 흐르는 전류의 방향을 반대로 한다.

① ㄱ　　　② ㄴ　　　③ ㄱ, ㄴ　　　④ ㄱ, ㄷ　　　⑤ ㄴ, ㄷ

04 ❯ 물체의 자성

다음은 세 물체 A, B, C의 자성을 알아보기 위한 실험이다.

물질의 자성은 외부 자기장에 어떻게 반응하는지에 따라 강자성, 상자성, 반자성으로 구분할 수 있다.

(1) 실에 매단 물체 A, B, C를 솔레노이드 사이에 놓고 솔레노이드에 전류를 흘려 주었더니 A, C는 (가)와 같이 솔레노이드와 나란한 상태를 유지하였고, B는 (나)와 같이 회전하여 솔레노이드와 나란하지 않은 상태를 유지하였다.

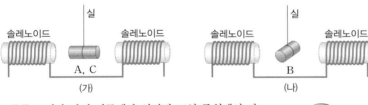

(2) 오른쪽 그림과 같이 검류계가 연결된 코일 주위에서 과정 (1)을 실시한 세 물체를 움직였더니, A의 경우에만 검류계에 전류가 흘렀다.

A, B, C가 띠는 자성의 종류를 옳게 짝 지은 것은?

	A	B	C		A	B	C
①	강자성	반자성	상자성	②	강자성	상자성	반자성
③	반자성	강자성	상자성	④	반자성	상자성	강자성
⑤	상자성	강자성	반자성				

05 › 물질의 자성과 솔레노이드

그림 (가)는 미지의 막대 A와 반자성 막대 B에 도선을 감아 회로를 구성한 후 스위치를 닫았을 때 A의 오른쪽에 놓인 나침반 자침의 N극이 북동쪽을 가리키는 것을 나타낸 것이다. 그림 (나)는 (가)에서 스위치를 열었을 때 나침반 자침의 N극이 계속 북동쪽을 가리키는 모습을 나타낸 것이다.

• 반자성체는 외부 자기장의 반대 방향으로 자기화되며, 외부 자기장을 제거하면 자기화된 상태도 사라진다.

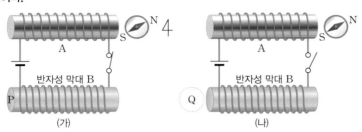

이에 대한 설명으로 옳은 것만을 보기에서 있는 대로 고른 것은? (단, Q에서 막대 A에 의한 영향은 무시한다.)

보기

ㄱ. A는 강자성체이다.

ㄴ. (가)에서 P면은 N극으로 자기화된다.

ㄷ. (나)의 Q에 나침반을 놓으면 자침의 N극이 북쪽을 가리킨다.

① ㄴ   ② ㄷ   ③ ㄱ, ㄴ   ④ ㄱ, ㄷ   ⑤ ㄱ, ㄴ, ㄷ

06 › 전자기 유도와 LED

그림 (가)는 자성체 X에 코일을 감고 저항과 전원 장치에 연결한 모습이고, (나)는 (가)에서 스위치를 발광 다이오드(LED)에 연결한 모습을 나타낸 것이다. (가)에서 나침반을 X의 오른쪽에 접근시켰더니 나침반 자침의 N극이 오른쪽을 가리켰다. (나)에서 X를 오른쪽으로 빼내었더니 LED에서 빛이 방출되었다.

• X의 자기화 방향과 코일에 흐르는 전류의 방향을 파악한다.

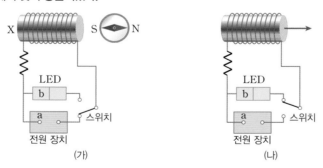

이에 대한 설명으로 옳은 것만을 보기에서 있는 대로 고른 것은?

보기

ㄱ. a는 (+)극이다.

ㄴ. b는 p형 반도체이다.

ㄷ. (나)에서 X를 왼쪽으로 빼면 LED에서 빛이 방출되지 않는다.

① ㄱ   ② ㄴ   ③ ㄱ, ㄴ   ④ ㄱ, ㄷ   ⑤ ㄴ, ㄷ

07 ▶전자기 유도와 다이오드

그림은 **p-n** 접합 다이오드와 전구가 연결된 코일의 중심축을 따라 막대자석이 운동하는 모습을 나타낸 것이다. 막대자석이 **a** 방향으로 운동할 때 전구에서 빛이 방출되었다.

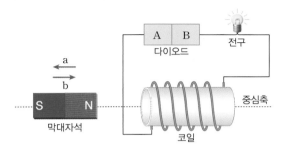

이에 대한 설명으로 옳은 것만을 보기에서 있는 대로 고른 것은?

> 보기
> ㄱ. A는 자유 전자가 주요 전하 나르개이다.
> ㄴ. 막대자석이 a 방향으로 운동할 때 A → B 방향으로 전류가 흐른다.
> ㄷ. 막대자석이 b 방향으로 운동할 때에도 전구에서 빛이 방출된다.

① ㄱ   ② ㄴ   ③ ㄱ, ㄴ   ④ ㄱ, ㄷ   ⑤ ㄴ, ㄷ

• p-n 접합 다이오드에 순방향 바이어스가 걸릴 때 전류가 흐른다.

08 ▶도선의 운동과 전자기 유도

그림 (가)는 종이면에 수직으로 들어가는 방향의 세기가 $2B$인 자기장 영역과 종이면에서 수직으로 나오는 방향의 세기가 $3B$인 자기장 영역 주변에서 한 변의 길이가 $2d$인 정사각형 도선이 x축과 나란한 방향으로 운동하는 모습을 나타낸 것이다. 그림 (나)는 도선 위의 점 A의 위치를 시간에 따라 나타낸 것이다. $\dfrac{t}{3}$일 때 A에 흐르는 전류의 세기는 I_0이다.

(가)

(나)

이에 대한 설명으로 옳은 것만을 보기에서 있는 대로 고른 것은?

> 보기
> ㄱ. $\dfrac{7t}{2}$일 때 도선에는 시계 방향으로 전류가 흐른다.
> ㄴ. 0부터 $6t$까지 도선에 흐르는 전류의 방향이 3번 바뀐다.
> ㄷ. t일 때 A에 흐르는 전류의 세기는 $\dfrac{2I_0}{5}$이다.

① ㄱ   ② ㄴ   ③ ㄱ, ㄴ   ④ ㄱ, ㄷ   ⑤ ㄴ, ㄷ

• 전자기 유도에서 유도 기전력은 단위 시간당 자기 선속의 변화율에 비례한다.

01 다음은 직선 도선에 흐르는 전류에 의한 자기장에 대한 실험이다.

[실험 과정]

(가) 무한히 긴 직선 도선 P, Q를 종이면에 수직인 방향으로 고정한다.

(나) 그림과 같이 P, Q에서 각각 거리가 d인 곳에 작은 나침반 자침 A, B를 고정한다.

(다) P, Q에 세기가 같은 전류를 흐르게 하고, A, B의 자침의 N극이 회전한 각 θ_A, θ_B를 측정한다.

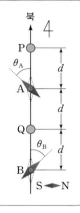

(1) P, Q에 흐르는 전류의 방향을 각각 근거를 들어 서술하시오.

(2) θ_A, θ_B의 크기를 근거를 들어 비교하여 쓰시오.

KEY WORDS
(1) 직선 전류에 의한 자기장, 합성 자기장
(2) 자기장 방향, 앙페르 법칙

02 그림 (가)는 x축상에서 $3d$만큼 떨어진 두 직선 도선 A, B가 xy 평면에 수직으로 고정된 모습을, (나)와 (다)는 x축상에서 A, B에 흐르는 전류에 의한 자기장 B를 x에 따라 나타낸 것이다. (단, 자기장의 방향은 $+y$ 방향을 (+)로 한다.)

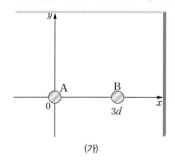

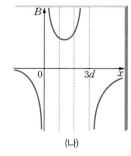

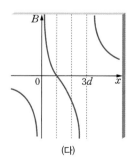

(가)　(나)　(다)

(1) 자기장이 (나)일 때와 (다)일 때 A, B에 흐르는 전류의 방향을 각각 쓰시오.

(2) (다)에서 A, B에 흐르는 전류의 세기의 비를 근거를 들어 구하시오.

KEY WORDS
(1) 앙페르 법칙
(2) 직선 전류에 의한 자기장 세기

03 다음은 물질의 자성에 대한 설명이다.

(가) 원자핵 주위를 회전하는 전자는 궤도 운동과 스핀에 의해 각각 자기장을 만든다.

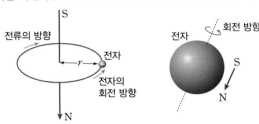

(나) 원자 내의 전자 중에는 스핀 방향이 반대인 두 전자가 쌍을 이루기도 한다.

(다) 반대 방향으로 쌍을 이루지 않은 전자들이 없으면 반자성체, 있으면 상자성체가 된다.

(1) 원자 번호 **13번 알루미늄**은 그림과 같은 전자 배치를 갖는다. 전자 배치 그림에서 ↑와 ↓ 는 스핀의 방향이 서로 반대인 전자를 나타내며, ↑↓ 는 스핀 방향이 반대인 두 전자가 짝을 이루었음을 의미한다. 다음 그림을 보고, 알루미늄이 상자성과 반자성 중 어떤 성질을 보일지 근거를 들어 서술하시오.

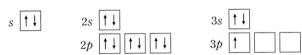

(2) **상자성체**는 각각의 원자가 영구 자기 모멘트를 가지는데도 상온에서 자기장을 띠지 않는다. 그 까닭을 서술하시오.

04 그림은 코일에 전류가 흐르면 강자성체인 금속 리드 A, B가 접촉하여 전류가 흐를 수 있도록 하는 장치인 리드 스위치를 나타낸 것이다. 리드 스위치를 이용하면 전자적으로 전류를 제어할 수 있다.

리드 스위치의 작동 원리를 전류에 의한 자기장과 자기력으로 서술하시오.

05 그림 (가)와 같이 솔레노이드에 자기화되지 않은 물체 X를 넣고 스위치를 p에 연결하였더니 X가 자기화되었다. 그림 (나)는 (가)에서 스위치를 q에 연결한 후 X를 위로 빼내는 모습으로, 이때 저항에 전류가 흘렀다.

KEYWORDS
(2) 렌츠 법칙

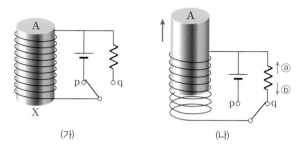

(가)   (나)

(1) X는 어떤 자성체인지 쓰고, X의 윗면 A가 N극과 S극 중 어느 극으로 자기화되는지 쓰시오.

(2) (나)에서 저항에 흐르는 전류의 방향을 찾고, 그 까닭을 서술하시오.

06 그림 (가)는 한 변의 길이가 d인 정사각형 도선 A가 어떤 자기장 영역에 일정한 속력 v로 들어가는 모습을 나타낸 것으로, 이 자기장은 세기가 B로 균일하고, 방향은 종이면에 수직으로 들어가는 방향이다. 이때 A에 흐르는 전류의 세기는 I_0이다. 그림 (나)는 균일한 자기장 영역 I, II, III에서 A가 일정한 속력 v로 A의 중심이 x축 또는 y축을 따라 운동하는 모습을 나타낸 것이다. 영역 I에서 자기장은 종이면에서 수직으로 나오는 방향이고 세기는 B이다. 표는 그림 (나)에서 A가 원점을 지날 때 A의 운동 방향에 따른 A에 흐르는 전류의 세기와 방향을 나타낸 것이다. (단, 영역 II, III에서 자기장의 방향은 xy 평면에 수직이다.)

KEYWORDS
전자기 유도, 유도 기전력, 유도 전류

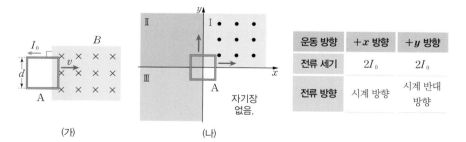

운동 방향	$+x$ 방향	$+y$ 방향
전류 세기	$2I_0$	$2I_0$
전류 방향	시계 방향	시계 반대 방향

(가)   (나)

II와 III에서 자기장의 방향과 세기를 풀이 과정과 함께 구하시오.

07 그림과 같이 종이면에 수직인 방향으로 각각 균일한 자기장이 형성된 영역 Ⅰ, Ⅱ에 발광 다이오드(LED)가 연결된 금속 레일을 평행하게 놓았다. 금속 레일 위에서 금속 막대 A, B는 각각 LED로부터 멀어지는 방향으로만 움직인다. A는 정지하고 B만 속력 v로 운동할 때 LED는 빛을 방출하였고, A, B가 모두 속력 v로 운동할 때는 LED가 빛을 방출하지 않았다.

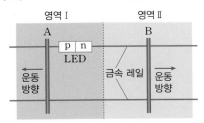

(1) 영역 Ⅰ, Ⅱ에서 자기장 방향을 쓰고, Ⅰ과 Ⅱ의 자기장 세기를 비교하시오.

(2) A, B가 각각 속력 $2v$, v로 운동할 때 LED의 빛 방출 여부를 근거를 들어 서술하시오.

08 그림과 같이 p-n 접합 다이오드와 전구가 연결된 사각 도선이 영구자석 사이에서 일정한 속력으로 화살표 방향으로 회전하고 있다. 사각 도선의 면과 자기장이 이루는 각 θ가 그림과 같을 때 전구에서 빛이 방출되었다.

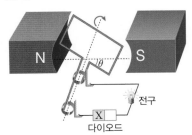

(1) X가 p형 반도체인지 n형 반도체인지 쓰시오.

(2) 전구에서 빛이 방출되는 θ의 범위를 쓰시오.

(3) 전구에서 더 밝은 빛이 방출되도록 하는 방법 2가지를 서술하시오.

III

파동과 정보통신

1
파동과 정보의 전달

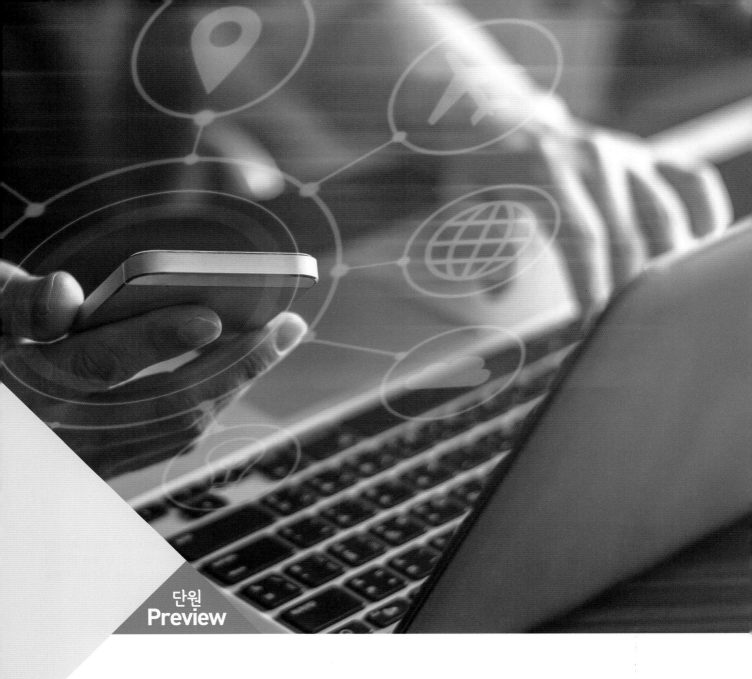

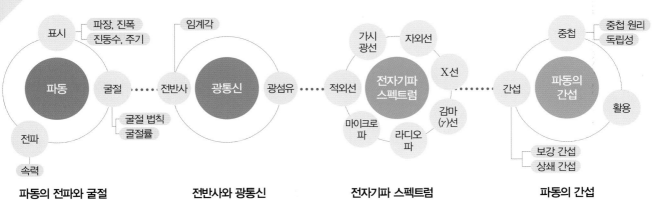

파동

표시 ── 파장, 진폭
         진동수, 주기

굴절 ····· 전반사

전파

속력

굴절 법칙
굴절률

임계각

파동의 전파와 굴절

광통신

광섬유 ····· 적외선

전반사와 광통신

전자기파
스펙트럼

가시
광선 ── 자외선

X선

감마
(γ)선

마이크로
파

라디오
파

전자기파 스펙트럼

간섭 ····· 파동의
            간섭

중첩 ── 중첩 원리
         독립성

활용

보강 간섭
상쇄 간섭

파동의 간섭

01 파동의 전파와 굴절

학습 Point 파동의 발생과 전파 〉 파장, 진폭, 주기, 진동수 〉 파동의 속력 〉 파동의 굴절, 굴절 법칙 〉 굴절 현상의 예

1 파동의 발생과 전파

연못에 돌을 던지면 물결이 퍼져 나가며 던진 곳과 떨어진 지점에 떠 있는 나뭇잎이 흔들린다. 이때 나뭇잎이 얻은 에너지는 돌이 떨어진 지점에서부터 전달된 것임을 알 수 있다. 이것이 바로 파동 전파의 핵심이다. 즉, 에너지는 다른 곳까지 전달되지만, 물질은 전달되지 않는다.

1. 파동의 발생과 전파

(1) **파동의 발생:** 한 곳에서 발생한 진동 상태가 주위로 퍼져 나가며 에너지를 전달하는 현상을 파동이라고 한다.

① **파원:** 파동이 처음 발생한 곳을 파원이라고 한다.

② **매질:** 파동을 전달하는 물질을 매질이라고 한다. 파동이 진행할 때 파동과 함께 이동하는 것은 에너지이며, 파동을 전달하는 매질은 이동하지 않는다.

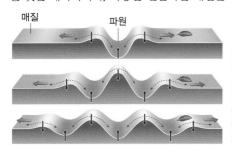

◀ **물결파가 전파되는 과정** 잔잔한 연못에 돌을 떨어뜨리면 수면 위의 한 곳이 평형의 위치에서 벗어나게 된다. 이 지점에 원래의 상태로 되돌아가려는 힘(복원력)과 물의 관성에 의해 진동이 발생하고, 이 진동이 주위로 전달된다. 이때 물 위에 뜬 나뭇잎은 제자리에서 운동할 뿐 물결을 따라 이동하지 않으므로, 물결파가 퍼져 나갈 때 물(매질) 자체가 이동하는 것이 아니라 물의 진동이 차례로 퍼져 나간다는 사실을 알 수 있다.

(2) **파동의 전파:** 매질의 한 점이 일정하게 단진동하여 파동이 발생하면, 어느 순간 매질에 다음과 같은 사인곡선이 나타난다. 파동이 오른쪽으로 진행하는 경우 실선 모양이던 매질의 각 점이 화살표 방향으로 각각 이동하여 짧은 시간 후에 매질은 점선 모양이 된다.

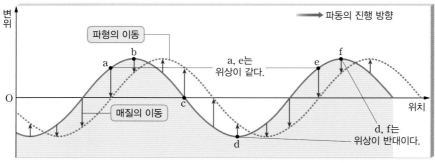

▲ **파동의 전파**

진동과 파동
진동은 한 장소에서 주기적으로 일어난다. 반면에 파동은 한 장소에만 존재할 수 없고, 한 장소에서 다른 장소로 퍼져 나간다.

파동과 펄스
매질 내의 한 점에서 생긴 매질의 교란 상태가 규칙적으로 퍼져 나가는 것을 파동이라 하고, 교란 상태가 한 번 지나가는 파동을 펄스라고 한다.

단진동과 사인곡선
줄이나 용수철에 매달린 추와 같은 진자가 일직선상에서 어떤 점을 중심으로 왕복 운동하는 것을 단진동이라고 한다. 연직 방향으로 단진동하는 용수철 진자에 펜을 매달고 추를 진동시키면, 수평 방향의 일정한 속력으로 움직이는 종이에 사인곡선이 그려진다.

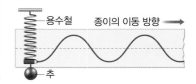

① **위상**: 매질이 시간에 따라 진동하는 상태를 나타내는 물리량이다. 그림에서 점 b, f 또는 a, e처럼 같은 시각에 운동 상태(변위와 운동 방향)가 같은 점들은 위상이 같다고 한다. 점 d, f와 같이 같은 시각에 운동 상태가 반대인 점들은 위상이 반대라고 한다.

② 파동의 진행 속력은 마루나 골의 이동 속력을 의미한다.

(3) **파면**: 파동의 진행이 직선이 아닌 2차원 혹은 3차원 공간에서 이뤄지는 경우, 마루나 골과 같이 위상이 같은 점을 연결한 선이나 면을 파면이라고 한다. 파면의 모양이 직선이나 평면인 파동을 평면파, 파면의 모양이 원이나 구면인 파동을 구면파라고 한다. 파동이 진행하는 방향은 파면에 수직인 방향으로 찾을 수 있다.

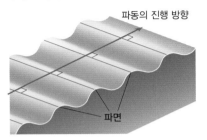

▲ **평면파** 파면의 모양이 직선이다.

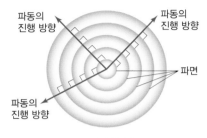

▲ **구면파** 파면의 모양이 원이다.

평면파와 구면파의 예

▲ **평면파**

▲ **구면파**

2. 파동의 종류

(1) **역학적 파동과 전자기파**: 매질의 유무에 따라 나뉜다.

① **역학적 파동(탄성파)**: 물질(매질)을 통하여 전파되는 파동이다. 물질 내의 한 곳이 평형 위치에서 벗어났을 때 복원력과 관성에 의해 물질에 일어난 진동에 의해 발생한다.

예 수면파, 음파, 지진파

② **전자기파**: 매질이 없어도 전파되는 파동으로, 전하를 띤 입자가 가속 운동을 할 때 발생한다.

예 마이크로파, 가시광선, X선

(2) **횡파와 종파**: 파동의 진행 방향과 매질의 진동 방향의 관계에 따라 나뉜다.

① **횡파**: 파동이 진행하는 방향과 매질이 진동하는 방향이 수직인 파동을 횡파라고 한다. 횡파가 진행할 때 매질에는 매질의 가장 높은 곳인 마루와 매질의 가장 낮은 곳인 골이 교대로 나타나므로, 고저파라고도 한다.

예 전자기파, 지진파의 S파, 용수철 횡파

② **종파**: 파동이 진행하는 방향과 매질이 진동하는 방향이 나란한 파동을 종파라고 한다. 종파가 진행할 때 매질에는 밀한 곳과 소한 곳이 교대로 나타나므로, 소밀파라고도 한다.

예 음파, 지진파의 P파, 용수철 종파

전자기파

전기장과 자기장의 진동 방향이 전자기파의 진행 방향에 수직이므로, 전자기파는 횡파로 구분한다.

물결파

보통 횡파로 구분하기도 하지만, 엄격히 따지면 순수한 횡파가 아니다. 매질인 물은 원래의 위치에서 원운동을 하게 되는데, 원운동은 수직 방향과 수평 방향의 성분이 모두 포함되어 있으므로 종파와 횡파의 합이다.

파동의 진행 방향 ⟶

물의 진동 방향

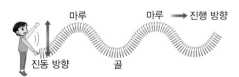

▲ **횡파** 파동의 진행 방향과 매질의 진동 방향이 수직이다.

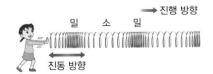

▲ **종파** 파동의 진행 방향과 매질의 진동 방향이 나란하다.

3. 파동의 표시

매 순간 모습이 달라지는 파동을 표현할 때는 파장, 진폭, 주기, 진동수를 사용한다.

⑴ 파장과 진폭

① 파장(λ): 위상이 같은 이웃한 두 점 사이의 거리로, 매질의 한 점이 1회 진동하는 동안에 파동이 진행한 거리이다. 즉, 마루와 마루 또는 골과 골 사이의 거리가 한 파장(λ)이고, 위상이 반대인 마루에서 골까지의 거리는 반파장$\left(\dfrac{\lambda}{2}\right)$이다.

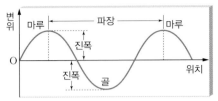

▲ 변위 – 위치 그래프 어느 순간의 파동의 모습을 위치에 따라 나타낸 것이다.

② 진폭(A): 매질이 진동하는 최대 변위로, 진동의 중심에서 마루까지의 거리(또는 진동 중심에서 골까지의 거리)이다.

⑵ 주기와 진동수

① 주기(T): 매질의 한 점이 1번 진동하는 데 걸리는 시간으로, 파동이 한 파장만큼 이동하는 데 걸리는 시간이다.

② 진동수(f): 1초 동안에 매질의 한 점이 진동하는 횟수로, 1초 동안에 매질의 한 점을 지나는 마루 또는 골의 개수이다. 진동수의 단위는 Hz(헤르츠)를 사용하며, 주기와 역수의 관계이다.

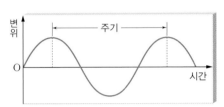

▲ 변위 – 시간 그래프 매질의 한 점이 진동하는 모습을 시간에 따라 나타낸 것이다.

$$f = \frac{1}{T}$$

4. 파동의 속력

집중 분석 2권 159쪽

파동의 속력은 파동이 이동한 거리를 걸린 시간으로 나누어 구할 수 있다. 파동이 한 주기(T) 동안에 한 파장(λ)만큼 진행하므로, 파동의 속력 v는 다음과 같다.

$$v = \frac{\lambda}{T} = f\lambda$$

파동의 속력＝진동수×파장

▶ 파동의 진행 줄의 끝부분이 한 번 진동하는 시간(주기) 동안 파동의 마루는 한 파장만큼 진행한다.

⑴ 파동의 진행 속력은 파동을 전달하는 매질에 따라 달라진다.

⑵ 파동의 속력이 일정할 때 파장은 진동수에 반비례한다. 예를 들어 온도가 일정한 공기에서 소리가 전파될 때 소리의 속력은 일정하므로, 진동수가 큰 소리의 파장은 진동수가 작은 소리의 파장보다 짧다.

종파의 파장

종파의 파장은 밀한 곳에서 다음 밀한 곳까지의 거리 또는 소한 곳에서 다음 소한 곳까지의 거리이다.

여러 가지 매질에 따른 파동의 속력

· 줄에 생긴 파동의 속력: 줄이 가늘수록, 줄이 팽팽할수록 빠르다.

$$v = \sqrt{\frac{T}{\rho}} \ (T: 장력, \ \rho: 선밀도)$$

· 용수철 파동: 용수철의 용수철 상수가 클수록 빠르다.

· 수면파의 속력: 물의 깊이가 깊을수록 빠르다.

$$v \propto \sqrt{h} \ (h: 물의 깊이)$$

· 소리의 속력: 고체＞액체＞기체 순으로 빠르며, 공기의 온도가 높을수록 빠르다.

· 전자기파의 속력: 진공에서 모든 전자기파의 속력은 같다.

② 파동의 굴절

파동의 속력은 매질의 종류에 따라 달라지며 같은 매질이라도 온도, 밀도 등의 조건에 따라 달라진다. 파동이 한 매질에서 다른 매질과의 경계면에 비스듬하게 진행할 때, 파동의 속력이 달라짐에 따라 파동의 진행 방향이 변하게 되는 굴절 현상이 일어난다.

1. 물결파의 굴절

물결파의 속력은 물의 깊이에 따라 달라진다. 물결파가 물의 깊이가 깊은 곳에서 얕은 곳으로 진행할 때 두 매질의 경계면을 지나면서 물결파의 속력은 느려지는데 진동수가 일정하므로, 파장이 짧아지게 된다. 특히, 물결파가 매질의 경계면에 비스듬히 입사할 때는 물결파의 한 부분이 다른 부분보다 먼저 느려지거나 빨라지게 되어 물결파의 진행 방향이 변하는 굴절 현상이 일어난다.

▲ 물결파의 속력과 파장

(1) **물결파 투영장치를 이용한 관찰:** 물결 통에 유리판을 비스듬히 놓고, 유리판이 잠기도록 물을 붓는다. 그리고 나무 막대를 진동시켜 진동수가 일정한 평면파를 발생시키면 물결파의 굴절을 관찰할 수 있다.

① 물결파가 서로 다른 매질의 경계면을 지날 때 진동수는 변하지 않는다. 따라서 물결파의 파장은 각 매질에서의 속력에 비례하여 변한다.

② 물결파가 굴절하는 방향

입사 방향	깊은 곳 → 얕은 곳	얕은 곳 → 깊은 곳
속력	느려짐.	빨라짐.
진동수	변화 없음.	변화 없음.
파장	짧아짐.	길어짐.
굴절 방향	법선 입사파의 진행 방향 깊은 곳 얕은 곳 굴절파의 진행 방향	법선 입사파의 진행 방향 얕은 곳 깊은 곳 굴절파의 진행 방향

(2) **물결파의 굴절과 장난감 자동차의 비유:** 장난감 자동차의 바퀴가 아스팔트에서 잔디로 비스듬히 진행할 때, 왼쪽 바퀴가 잔디로 먼저 들어가 속력이 느려지므로, 왼쪽 바퀴는 아직 들어가지 못한 오른쪽 바퀴보다 느리다. 양쪽 바퀴의 속력에 차이가 생길 때 장난감 자동차의 진행 방향이 꺾이는 현상은 파동의 굴절 현상에 비유할 수 있다.

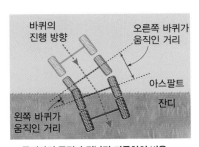

▲ 물결파의 굴절과 장난감 자동차의 비유

물결파 투영장치
물결 통에 물을 채우고, 나무 막대를 일정한 진동수로 진동시키면 진동수가 일정한 평면파가 발생한다.

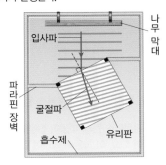

2. 굴절 법칙

(1) **입사각과 굴절각:** 파동이 굴절할 때 입사파의 진행 방향과 법선이 이루는 각을 입사각(i)이라고 하고, 굴절파의 진행 방향과 법선이 이루는 각을 굴절각(r)이라고 한다. 이때 입사파의 진행 방향, 법선, 굴절파의 진행 방향은 같은 평면 내에 있다.

(2) **굴절 법칙:** 파동이 굴절할 때 입사각 i와 굴절각 r의 사인값의 비는 각 매질에서의 속력의 비와 같으므로 일정한데, 이 관계를 굴절 법칙이라고 한다.

$$\frac{\sin i}{\sin r} = \frac{v_1}{v_2} = n_{12}(=일정)$$

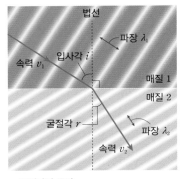

▲ 물결파의 굴절

법선
두 매질의 경계면에 수직으로 그은 선

① n_{12}는 두 매질의 성질에 의해 결정되는 상수로, 입사각에 관계없이 일정한 값을 갖는다.

② 파동이 굴절할 때 진동수는 변하지 않으므로, 굴절 법칙은 다음과 같이 나타낼 수 있다.

$$n_{12} = \frac{\sin i}{\sin r} = \frac{v_1}{v_2} = \frac{\lambda_1}{\lambda_2}$$

시야확장 ➕ 하위헌스 원리로 보는 굴절 법칙

하위헌스 원리
네덜란드의 과학자 하위헌스(Huygens, C., 1629~1695)가 주장한 원리로, 이전에 알고 있는 파면을 사용하여 어떤 순간의 새로운 파면의 위치를 작도하는 방법이다. 이 원리는 파동의 전파와 반사, 굴절, 회절, 간섭 등 파동 현상을 잘 설명해 준다.

❶ 하위헌스 원리: 파동이 진행할 때, 한 파면 위의 모든 점들은 각각 새로운 파를 발생시키는 파원이 되고, 이 파원에 의하여 형성된 수많은 구면파에 공통으로 접하는 면이 다음 순간의 파면이 된다는 원리이다.

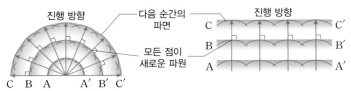

▲ 파면 $\mathrm{AA'}$의 모든 점에서 발생한 구면파들이 중첩되어 t초 후에 새로운 파면 $\mathrm{BB'}$를 만들며, $\mathrm{BB'}$에서 발생한 구면파들이 파면 $\mathrm{CC'}$를 만든다. 이러한 과정을 거쳐 파동이 전파된다.

❷ 굴절 법칙의 해석: 매질 1과 2에서 파동의 속력 v_1, v_2의 관계는 $v_1 > v_2$이다. 파면 사이의 거리는 파장과 같으며, 매질 1과 2에서의 파장은 각각 $\lambda_1 = v_1 t$, $\lambda_2 = v_2 t$의 관계가 성립한다.

파면상의 B점을 통과한 파동이 경계면의 B′점에 도달하는 시간 동안, A점에 도착한 파동은 A점을 중심으로 반지름이 $\overline{\mathrm{AA'}}$인 구면파를 만들며 A′점에 도착한다. 굴절 후의 파면은 하위헌스 원리에 의하여 $\overline{\mathrm{A'B'}}$가 되며, 굴절파는 파면 $\overline{\mathrm{A'B'}}$에 수직인 방향으로 진행한다.

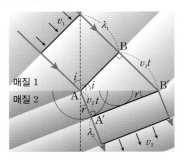

$\sin i = \dfrac{v_1 t}{\overline{\mathrm{AB'}}} = \dfrac{\lambda_1}{\overline{\mathrm{AB'}}}$, $\sin r = \dfrac{v_2 t}{\overline{\mathrm{AB'}}} = \dfrac{\lambda_2}{\overline{\mathrm{AB'}}}$이므로, 다음 관계가 성립한다.

$$\frac{\sin i}{\sin r} = \frac{v_1}{v_2} = \frac{\lambda_1}{\lambda_2} = '일정'$$

3. 빛의 굴절

2권 158쪽

파동과 마찬가지로 빛도 매질에 따라 그 진행 속력이 다르기 때문에, 빛이 서로 다른 매질의 경계면을 비스듬히 지날 때, 매질의 경계면에서 굴절하여 빛의 진행 방향이 변한다. 굴절 현상이 일어나도 빛의 진동수는 변하지 않는다.

(1) 스넬 법칙(굴절 법칙): 매질 1에서 매질 2의 경계면에 빛이 비스듬히 입사하면, 일부는 반사하고 나머지는 굴절하여 진행한다. 이때 입사 광선과 굴절 광선, 법선은 같은 평면 내에 있고, 빛의 입사각 i, 굴절각 r, 각 매질에서 빛의 속력 v_1, v_2, 파장 λ_1, λ_2 사이에는 다음과 같은 관계가 성립한다.

$$\frac{\sin i}{\sin r}=\frac{v_1}{v_2}=\frac{\lambda_1}{\lambda_2}=n_{12}(=\text{일정}) \ (n_{12}: \text{매질 1에 대한 매질 2의 굴절률})$$

이 관계를 스넬 법칙 또는 굴절 법칙이라고 한다.

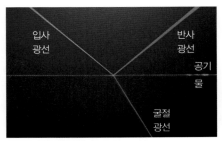 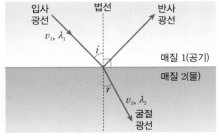

▲ **빛의 굴절** 빛이 공기 중에서 물속으로 비스듬히 진행하면, 물속에서 빛의 속력이 느려져 두 매질의 경계면에서 빛의 진행 방향이 바뀐다.

(2) 절대 굴절률(굴절률): 진공에서 빛의 속력은 일정하므로, 이를 기준으로 하여 다른 물체들의 굴절률을 정의할 수 있는데, 이를 절대 굴절률 또는 굴절률이라고 한다. 절대 굴절률 n은 물질에서 빛의 속력 v에 대한 진공에서 빛의 속력 c의 비와 같다.

$$n=\frac{c}{v}>1$$

① 굴절률은 단위가 없으며, 진공의 절대 굴절률은 1이다.

② 물질에서 빛의 속력은 진공에서 빛의 속력보다 항상 작으므로, 물질의 절대 굴절률은 항상 1보다 크다.

③ 절대 굴절률이 큰 물질일수록 물질에서 빛의 속력은 느리고, 진공에서 물질로 입사하는 빛의 진행 경로는 더 많이 꺾인다.

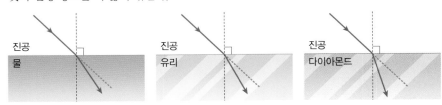

▲ **여러 가지 물질의 굴절률 비교** 빛이 진공에서 물, 유리, 다이아몬드로 각각 동일한 입사각으로 입사할 때 빛의 굴절각은 물>유리>다이아몬드 순으로 크다. 따라서 각 물질의 절대 굴절률은 물<유리<다이아몬드 순으로 작은 것을 알 수 있다.

빛의 반사

빛이 진행하다 매질의 경계면에서 다시 원래 매질로 되돌아가는 현상이다. 이때 입사 광선과 반사 광선은 법선과 같은 평면상에 있고, 입사각과 반사각은 같다.

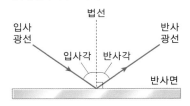

빛의 진동수

파동과 마찬가지로 빛도 두 매질의 경계면을 지날 때 진동수는 변하지 않는다. 따라서 매질 1과 2에서 입사 광선과 굴절 광선의 속력 v_1, v_2의 비는 다음과 같이 파장 λ_1, λ_2의 비와 같다.

$$\frac{v_1}{v_2}=\frac{f\lambda_1}{f\lambda_2}=\frac{\lambda_1}{\lambda_2}$$

빛의 속력

진공에서 빛의 속력은 약 3×10^8 m/s로 가장 빠르고, 물에서는 약 2.25×10^8 m/s, 유리에서는 약 2×10^8 m/s로, 이보다 느리다.

여러 가지 물질의 절대 굴절률

절대 굴절률은 물질에 따라 다르므로 물질의 특성이다. 물질에서 빛의 속력이 느릴수록 절대 굴절률은 크다.

(측정 파장: 589 nm)

물질	굴절률
진공	1
공기(0 ℃, 1 atm)	1.0003
얼음(0 ℃)	1.31
물(20 ℃)	1.33
유리(20 ℃)	1.5 내외
다이아몬드(20 ℃)	2.42

(3) **상대 굴절률:** 절대 굴절률이 n_1인 매질 1에서 n_2인 매질 2로 빛이 입사할 때, 매질 1에 대한 매질 2의 굴절률을 상대 굴절률이라고 한다.

$$n_{12}=\frac{\sin i}{\sin r}=\frac{v_1}{v_2}=\frac{\dfrac{c}{n_1}}{\dfrac{c}{n_2}}=\frac{n_2}{n_1}$$

• 상대 굴절률은 1보다 클 수도 있고, 작을 수도 있다.

스넬 법칙의 다른 표현
$n_1\sin i=n_2\sin r$

시선 집중 ★ **빛의 굴절과 매질에 따른 물리량의 비교**

❶ 빛이 속력이 빠른 매질에서 느린 매질로 진행할 때

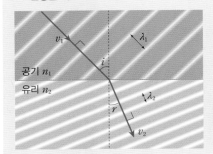

구분	공기	유리
빛의 속력	빠르다.(v_1)	느리다.(v_2)
절대 굴절률	작다.(n_1)	크다.(n_2)
빛의 파장	길다.(λ_1)	짧다.(λ_2)
입사각과 굴절각	입사각(i) > 굴절각(r)	
상대 굴절률(n_{12})	1보다 크다.	

❷ 빛이 속력이 느린 매질에서 빠른 매질로 진행할 때

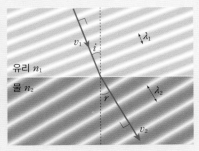

구분	유리	물
빛의 속력	느리다.(v_1)	빠르다.(v_2)
절대 굴절률	크다.(n_1)	작다.(n_2)
빛의 파장	짧다.(λ_1)	길다.(λ_2)
입사각과 굴절각	입사각(i) < 굴절각(r)	
상대 굴절률(n_{12})	1보다 작다.	

매질 속을 진행하는 빛의 속력에 대한 이해

빛은 공기 중에서 약 3×10^8 m/s의 속력으로 진행하다가 유리 속으로 들어가면 속력이 느려지고, 공기 중으로 나오면 속력이 다시 빨라진다. 이것은 나무 도막을 관통하여 지나가는 총알의 속력 변화와는 매우 다르다. 총알은 자신의 에너지 중 일부를 나무 도막을 뚫는 데 사용하기 때문에 공기 중으로 다시 나왔을 때는 처음보다 속력이 느려진다.

그러나 빛은 유리를 지날 때만 속력이 느려지며, 공기 중으로 빠져나오면 속력이 다시 빨라진다. 이것은 빛이 유리를 지날 때 유리를 이루는 원자 내부의 전자에 흡수되었다가 복사되는 과정을 반복하며 진행하기 때문이다. 이 과정 때문에 빛이 물질을 지날 때는 속력이 느려지고, 공기 중으로 다시 나오면 흡수와 복사 과정이 없어지므로, 빛의 속력은 다시 처음 값으로 되돌아온다.

시야 확장 ➕ **굴절률 사이의 관계**

그림과 같이 매질 1, 2, 3, 1이 평행한 경계면을 이루고 있고, 여기에 입사 광선이 각각의 경계면을 지나며 차례대로 굴절하고 있다. 각 매질에서 빛의 속력을 각각 v_1, v_2, v_3이라고 하면, 3개의 경계면에서의 상대 굴절률 n_{12}, n_{23}, n_{31}은 다음과 같다.

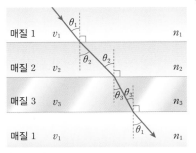

$$n_{12}=\frac{v_1}{v_2}=\frac{\sin\theta_1}{\sin\theta_2}=\frac{n_2}{n_1} \quad n_{23}=\frac{v_2}{v_3}=\frac{\sin\theta_2}{\sin\theta_3}=\frac{n_3}{n_2}$$

$$n_{31}=\frac{v_3}{v_1}=\frac{\sin\theta_3}{\sin\theta_1}=\frac{n_1}{n_3}$$

이때 각 매질의 절대 굴절률과 입사각 사이의 관계는 다음과 같다.

$$n_1\sin\theta_1=n_2\sin\theta_2=n_3\sin\theta_3$$

각 매질의 상대 굴절률 사이에는 다음의 관계식이 성립한다.

$$n_{12}\times n_{23}\times n_{31}=1,\ n_{23}=\frac{n_{13}}{n_{12}},\ n_{31}=\frac{1}{n_{13}}$$

3 우리 주위의 여러 가지 굴절 현상

굴절 현상은 파동이 서로 다른 매질의 경계면을 통과할 때 일어나지만, 같은 매질에서 온도나 밀도가 연속적으로 변하는 경우에도 일어난다. 우리 주위에서 빛, 소리, 물결파 등 여러 파동의 굴절 현상을 쉽게 관찰할 수 있다.

1. 파동의 굴절 현상

(1) **낮과 밤의 소리의 굴절**: 소리의 속력은 공기의 온도가 높을수록 빠르므로, 온도가 다른 공기층을 소리가 통과할 때 연속적으로 굴절하며, 낮과 밤에 소리의 굴절 방향이 달라지는 현상이 나타난다.

① 낮에 소리의 굴절 방향: 낮에는 지면 근처의 공기 온도가 위쪽보다 높으므로, 소리의 속력은 지면 근처에서 더 빠르다. 즉, 지면에 가까울수록 파면 사이의 거리가 더 넓어지고, 소리는 파면에 수직인 방향으로 진행하므로, 소리의 진행 방향은 위쪽으로 휘어진다.

② 밤에 소리의 굴절 방향: 밤에는 지면 근처의 공기 온도가 위쪽보다 낮으므로, 소리의 속력은 지면에서 멀수록 빨라진다. 따라서 소리의 진행 방향은 아래쪽으로 휘어진다.

소리의 속력

공기 중에서 소리가 전파될 때 공기의 온도 t(섭씨 온도)에 따른 소리의 속력 v는 다음과 같다.

$$v = 331.5 + 0.61t \text{ (m/s)}$$

낮과 밤의 기온 분포

• 낮: 낮에는 지면이 공기보다 먼저 데워진다. 따라서 뜨거운 지면 근처의 공기 온도가 상공에 비해 더 높다. 즉, 낮에는 고도가 높아질수록 기온이 낮아진다.

• 밤: 밤에는 지면이 공기보다 먼저 차가워진다. 따라서 차가운 지면 근처의 공기 온도가 상공에 비해 더 낮다. 즉, 밤에는 고도가 높아질수록 기온이 높아진다.

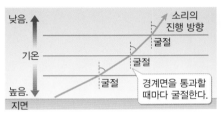

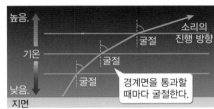

(가) 낮: 소리는 연속적으로 위쪽으로 굴절한다.　　(나) 밤: 소리는 연속적으로 아래쪽으로 굴절한다.

▲ 낮과 밤에 소리의 굴절

(2) **해안선에 나란해지는 파도**: 파도의 속력은 바다의 깊이가 깊을수록 더 빠르다. 평면파가 해안가로 진행할 때 해안선이 오목한 곳은 바다 쪽으로 돌출된 곳보다 수심이 깊어서, 오목한 곳으로 진행하는 파도의 속력이 더 빠르다. 따라서 파면 사이의 거리는 오목한 곳에서 더 넓으므로, 파도의 진행 방향은 돌출부 쪽으로 점차 휘어진다. 결국, 파도가 해안가로 다가갈수록 파면이 점점 해안선에 나란해진다.

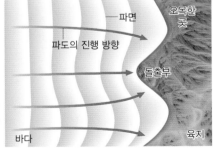

▲ 육지로 다가올수록 해안선에 점점 나란해지는 파도

2. 빛의 굴절 현상

(1) 물에 의한 빛의 굴절: 물속의 물체에서 반사된 빛이 물과 공기의 경계면에서 굴절하여 관측자의 눈에 들어올 때, 관측자는 빛이 직진하는 것으로 인식하므로 굴절 광선의 연장선 상에 물체가 있는 것으로 보인다. 따라서 관측자는 물체를 실제와 다른 위치에 있는 것으로 보게 된다.

① 물속에 잠긴 다리가 짧아 보이거나, 물체가 실제 깊이보다 얕은 곳에 있는 것처럼 보인다.

② 물속에 잠긴 물체가 꺾여 보이거나 분리되어 보인다.

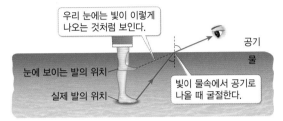

우리 눈에는 빛이 이렇게 나오는 것처럼 보인다.

공기

물

눈에 보이는 발의 위치

실제 발의 위치

빛이 물속에서 공기로 나올 때 굴절한다.

▲ 물속에서 짧아 보이는 다리

시야확장 ➕ 겉보기 깊이

물속에 있는 물체를 공기 중에서 보면 실제보다 더 얕은 곳에 있는 것처럼 보인다. 그림에서 굴절률 n인 액체 속의 물체 P는 공기 중의 E에서 볼 때 깊이 h'인 P′에 있는 것처럼 떠 보인다. 즉, P′은 깊이 h에 있는 P의 떠 보이는 상이다. 오른쪽 그림에서 B를 A에 가까이 가져갈 때

$$n = \frac{\sin\alpha}{\sin\beta} = \frac{\dfrac{\overline{AB}}{\overline{P'B}}}{\dfrac{\overline{AB}}{\overline{PB}}} = \frac{\overline{PB}}{\overline{P'B}} = \frac{\overline{PA}}{\overline{P'A}} = \frac{h}{h'}$$

이므로, 겉보기 깊이는 다음과 같다.

$$h' = \frac{h}{n}$$

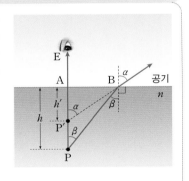

근시안과 원시안의 교정

• **근시안:** 눈의 수정체가 두껍거나 수정체에서 망막까지의 거리가 멀면 물체의 상은 망막 앞에 맺게 된다. 이를 오목 렌즈로 교정하여 상이 망막에 맺도록 한다.

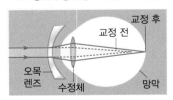

• **원시안:** 눈의 수정체가 얇거나 수정체에서 망막까지의 거리가 가까우면 물체의 상은 망막 뒤에 생겨, 먼 곳은 잘 보이나 가까운 곳은 잘 보이지 않게 된다. 이를 볼록 렌즈로 교정하여 상이 망막에 맺도록 한다.

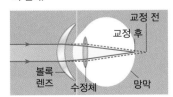

(2) 렌즈에 의한 빛의 굴절: 렌즈는 빛의 굴절을 이용하여 물체를 확대하거나 축소하여 보는 광학 기구로, 유리 등의 투명한 물질로 만든다.

구분	볼록 렌즈	오목 렌즈
정의	가운데 부분이 주변보다 두꺼운 렌즈	가운데 부분이 주변보다 얇은 렌즈
빛의 굴절	렌즈 축에 평행하게 입사한 빛은 렌즈에서 굴절하여 한 점(초점)에 모인다.	렌즈 축에 평행하게 입사한 빛은 렌즈에서 굴절하여 한 점(허초점)에서 나온 것처럼 퍼진다.
이용	돋보기, 원시안 교정용 안경, 카메라, 망원경, 현미경 등	근시안 교정용 안경 등

(3) **대기에 의한 빛의 굴절:** 대기의 온도와 밀도가 연속적으로 변하면 빛의 속력이 달라져 대기 안에서 빛이 연속적으로 굴절하여 다양한 현상이 나타난다.

① **신기루:** 더운 여름날, 뜨거운 지면 근처의 공기 온도는 위쪽의 공기보다 높아 상대적으로 밀도가 작다. 빛의 속력은 공기의 밀도가 작을수록 빠르므로, 지면을 향하는 빛이 연속적으로 굴절하여 위쪽으로 휘어져 진행한다. 이때 관측자는 바닥에 물이 고인 것처럼 보이는 신기루를 보게 되는데, 이것은 하늘에서 온 빛이 뜨거운 공기층을 통과하면서 굴절되어 보이는 것이다. 추운 지방에서는 차가운 바다 근처의 공기 온도가 위쪽보다 낮을 경우, 공중을 향하던 빛이 연속적으로 굴절하여 아래로 휘어져 물체가 공중에 떠 있는 것처럼 보이는 신기루를 볼 수 있다.

신기루

▲ 더운 여름날 도로에 생기는 신기루

▲ 극지방의 공중에 생기는 신기루

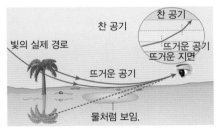
▲ 더운 여름날의 신기루

▲ 추운 지방의 신기루

② **일출과 일몰 때 지평선 아래의 태양이 보이는 현상:** 대기의 밀도는 지면에 가까울수록 크기 때문에 빛이 대기를 지날 때 연속적으로 굴절하여 진행 경로가 휘어진다. 따라서 일몰 때 태양이 이미 지평선 아래로 졌는데도 몇 분 동안 계속해서 태양을 볼 수 있다.

▲ 일출과 일몰 때 지평선 아래의 태양이 보이는 현상

이와 같은 원리로 일출 때는 태양이 뜨기 몇 분 전부터 태양을 볼 수 있다.

③ **태양이 타원형으로 보이는 현상:** 수평선 근처에 있는 태양은 타원형으로 보이는데, 이는 태양의 아래쪽 끝에서 오는 빛이 위쪽 끝에서 오는 빛보다 더 크게 굴절하기 때문이다.

④ **아지랑이:** 뜨거운 난로나 더운 한낮의 아스팔트 위에서 아른거리는 아지랑이를 볼 수 있는 것은 빛이 온도와 밀도가 균일하지 않은 공기를 지나며 굴절하기 때문이다.

⑤ **반짝이는 별:** 밤하늘의 별들이 반짝이는 것처럼 보이는 것도 별빛이 대기 중의 불안정한 공기층을 지날 때 굴절하기 때문이다.

타원형의 태양

시야확장 ➕ 프리즘에 의한 빛의 분산

진공에서 빛의 속력은 진동수에 관계없이 c로 일정하지만, 매질 내에서 빛의 속력은 진동수에 따라 미세하게 달라진다. 따라서 백색광이 진공(또는 공기)에서 투명한 매질에 비스듬히 입사할 때 진동수에 따라 굴절되는 정도가 달라 여러 가지 색깔의 빛으로 나뉘게 된다. 이러한 현상을 빛의 분산이라고 하며, 빛이 분산되어 생기는 색의 띠를 스펙트럼이라고 한다.

파장이 긴 빛:
굴절률이 작다.

빛

프리즘

파장이 짧은 빛:
굴절률이 크다.

굴절 법칙

빛의 굴절 현상에서 입사각과 굴절각의 관계를 알 수 있다.

과정

1. 굴절 실험 장치의 물통에 물을 기준선까지 넣는다.

2. 레이저 빛이 공기에서 물로 진행할 때, 입사각이 30°가 되도록 물통의 중심을 향해 레이저 빛을 비추고 굴절각을 측정하여 표에 기록한다.

3. 레이저 빛의 입사각을 45°, 60°로 바꾸며, 굴절각을 측정하여 표에 기록한다.

4. 물을 글리세린으로 바꾸고 과정 2, 3을 반복한다.

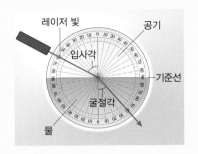

유의점

- 레이저 빛을 눈에 비추지 않도록 주의한다.
- 레이저 빛을 물통의 중심을 향해 비추어야 입사각과 굴절각을 정확하게 측정할 수 있다.
- 글리세린을 사용한 용기는 깨끗이 씻어서 보관한다.

결과

빛의 입사각에 따른 굴절각 및 입사각과 굴절각의 사인값의 비는 다음과 같다.

	공기 → 물			공기 → 글리세린	
입사각(i)	굴절각(r)	$\dfrac{\sin i}{\sin r}$	입사각(i)	굴절각(r)	$\dfrac{\sin i}{\sin r}$
30°	22.1	1.33	30°	19.9	1.47
45°	32.1	1.33	45°	28.8	1.47
60°	40.6	1.33	60°	36.1	1.47

정리

- 빛이 공기 중에서 다른 매질로 비스듬히 입사할 때 굴절이 일어난다.
- 매질이 변하지 않을 때 빛의 입사각 i와 굴절각 r의 사인값의 비$\left(\dfrac{\sin i}{\sin r}\right)$는 입사각에 관계없이 항상 일정한 값을 갖는다.
- 입사각과 굴절각의 사인값의 비$\left(\dfrac{\sin i}{\sin r}\right)$는 두 매질에서 빛의 속력의 비와 같으며, 입사 매질에 대한 굴절 매질의 상대 굴절률과 같다.

탐구 확인 문제

> 정답과 해설 **74**쪽

01 위 실험에 대한 설명으로 옳지 않은 것을 있는 대로 고르시오. (정답 2개)

① 입사각 i와 굴절각 r의 사인값의 비 $\dfrac{\sin i}{\sin r}$는 입사각이 클수록 커진다.

② 빛의 속력은 공기에서보다 물에서 더 느리다.

③ 빛의 속력은 물에서보다 글리세린에서 더 빠르다.

④ 물에 대한 공기의 상대 굴절률은 1보다 작다.

⑤ 물에 대한 글리세린의 상대 굴절률은 1보다 크다.

02 오른쪽 그림은 공기에서 어떤 매질로 진행하는 빛의 경로를 나타낸 것이다.

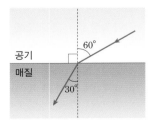

(1) 공기에 대한 매질의 상대 굴절률을 구하시오.

(2) 공기와 매질에서 빛의 속력의 비 $v_{공기} : v_{매질}$을 구하시오.

파동 그래프 분석

파동을 묘사하는 파동 그래프는 파동을 전달하는 매질의 각 점의 변위를 위치에 따라 나타내거나, 매질의 한 점의 변위를 시간에 따라 나타낸다. 파동의 전파에서는 묘사된 파동 그래프의 종류에 따라 파동의 요소인 진폭, 파장, 주기를 구하거나, 파동 그래프의 조합에 따라 파동의 속력을 구하는 문제가 자주 출제된다.

① 파동의 변위 – 위치 그래프와 변위 – 시간 그래프 분석하기

그림 (가)는 어떤 순간에 파동의 모습을 위치에 따라 나타낸 그래프이고, 그림 (나)는 (가)의 순간부터 점 P의 변위를 시간에 따라 나타낸 것이다.

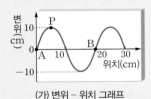

(가) 변위 – 위치 그래프   (나) 변위 – 시간 그래프

(1) **(가) 변위 – 위치 그래프**: 진폭, 파장을 알 수 있다.
- **진폭**: 마루인 P점의 변위가 10 cm이므로, 진폭은 10 cm이다.
- **파장**: 위상이 같은 두 점 A, B 사이의 거리로 20 cm이다.

(2) **(나) 변위 – 시간 그래프**: 진폭, 주기, 진동수를 알 수 있다.
- **진폭**: 매질의 최대 변위인 10 cm이다.
- **주기**: 마루에서 다시 마루가 되는 데 4초가 걸렸으므로, 주기는 4초이다.
- **진동수**: 주기의 역수로 $f=\dfrac{1}{T}=\dfrac{1}{4\ \text{s}}=0.25$ Hz이다.

(3) (가)와 (나)로부터 파동의 속력을 구할 수 있다.

$$속력=\frac{파장}{주기}=\frac{20\ \text{cm}}{4\ \text{s}}=5\ \text{cm/s}$$

② 변위 – 위치 그래프로 파동의 속력 구하기

그림은 매질을 따라 오른쪽으로 파동이 진행할 때, 어느 순간의 매질의 변위와 0.2초 후 변위를 위치에 따라 나타낸 것이다.

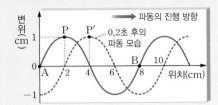

(1) **파장 구하기**: 위상이 같은 A, B 사이의 거리인 8 cm이다.

(2) **주기 구하기**: $\dfrac{1}{4}$파장만큼 진행하는 데 걸린 시간이 0.2초이므로, 한 파장만큼 진행하는 데 걸린 시간인 주기는 0.8초가 된다.

(3) **파동의 속력 구하기**: 파동의 마루가 P에서 P′까지 2 cm 이동하는 데 걸린 시간이 0.2초이므로 다음과 같다.

$$속력=\frac{이동\ 거리}{걸린\ 시간}=\frac{2\ \text{cm}}{0.2\ \text{s}}=10\ \text{cm/s}$$

또는 파장과 주기를 이용하여 다음과 같이 파동의 속력을 구할 수 있다.

$$속력=\frac{파장}{주기}=\frac{8\ \text{cm}}{0.8\ \text{s}}=10\ \text{cm/s}$$

> 정답과 해설 **74**쪽

그림은 오른쪽으로 진행하는 파동에서 어느 시각에 실선으로 표시된 파동의 마루 A가 **0.1초 후에** B의 위치로 이동한 것을 나타낸 것이다. 이에 대한 설명으로 옳은 것만을 보기에서 있는 대로 고른 것은?

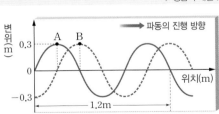

┌─ 보기 ──────────────────────────┐
ㄱ. 파동의 주기는 0.2초이다.
ㄴ. 파동의 파장은 1.2 m이다.
ㄷ. 파동의 전파 속력은 2 m/s이다.
└─────────────────────────────────┘

① ㄱ   ② ㄴ   ③ ㄷ   ④ ㄱ, ㄴ   ⑤ ㄴ, ㄷ

심화

페르마 원리에 의한 반사 법칙과 굴절 법칙의 해석

빛이 서로 다른 매질의 경계면에 입사할 때 일부는 반사하고 일부는 굴절한다. 반사할 때는 빛의 입사각과 반사각이 같다는 반사 법칙이 성립하고, 굴절할 때는 입사각의 사인값과 굴절각의 사인값의 비가 일정하다는 굴절 법칙이 성립한다. 페르마 원리를 이용하여 반사 법칙과 굴절 법칙을 증명해 보자.

❶ 반사 법칙의 해석

오른쪽 그림과 같이 P점에서 출발한 빛이 경계면의 B점에서 반사하여 Q점에 도달한다고 하자. A와 B 사이 거리는 x, A와 C 사이 거리는 d, 입사각은 θ_1, 반사각은 θ_2이다. 빛의 진행 경로는 $s=\overline{PB}+\overline{BQ}$이므로, 다음과 같은 식이 성립한다.

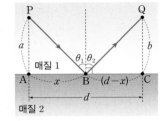

$$s=\sqrt{a^2+x^2}+\sqrt{b^2+(d-x)^2}$$

동일한 매질 내에서는 빛의 속력이 일정하므로, 최단 시간이 걸릴 때 s가 최소가 된다. s는 x값의 변화에 따라 달라지므로, s가 최소가 되는 경우는 s를 x로 미분하여 $\dfrac{ds}{dx}=0$이 될 때이다.

$$\frac{ds}{dx}=\frac{2x}{2\sqrt{a^2+x^2}}+\frac{2(d-x)(-1)}{2\sqrt{b^2+(d-x)^2}}=0$$

$\dfrac{x}{\sqrt{a^2+x^2}}=\sin\theta_1$, $\dfrac{(d-x)}{\sqrt{b^2+(d-x)^2}}=\sin\theta_2$이므로, $\sin\theta_1=\sin\theta_2$가 성립한다. 따라서 $\theta_1=\theta_2$를 이루며 빛이 반사한다.

❷ 굴절 법칙의 해석

오른쪽 그림과 같이 P점(x_1, y_1)에서 출발한 빛이 경계면의 O점(x, y)을 지나 Q점(x_2, y_2)으로 진행한다고 하자. 매질 1에서 빛의 속력은 v_1, 매질 2에서 빛의 속력은 v_2, 입사각과 굴절각은 각각 θ_1, θ_2이다.

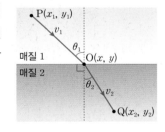

빛이 P점에서 Q점까지 진행하는 데 걸리는 시간 t는

$t=\dfrac{\overline{PO}}{v_1}+\dfrac{\overline{OQ}}{v_2}$이므로, 다음과 같은 식이 성립한다.

$$t=\frac{\sqrt{(x-x_1)^2+(y_1-y)^2}}{v_1}+\frac{\sqrt{(x_2-x)^2+(y-y_2)^2}}{v_2}$$

t는 x값의 변화에 따라 달라지므로, t가 최소가 될 때는 $\dfrac{dt}{dx}=0$이 되는 경우이다.

$$\frac{dt}{dx}=\frac{2(x-x_1)}{2v_1\sqrt{(x-x_1)^2+(y_1-y)^2}}+\frac{(-2)(x_2-x)}{2v_2\sqrt{(x_2-x)^2+(y-y_2)^2}}=0$$

따라서 위 식을 정리하면 다음과 같다.

$$\frac{\sin\theta_1}{v_1}=\frac{\sin\theta_2}{v_2}\ \rightarrow\ \frac{\sin\theta_1}{\sin\theta_2}=\frac{v_1}{v_2}=일정$$

페르마 원리

페르마 원리란 빛의 진행 경로에 대한 것으로, 두 점 사이를 진행하는 빛은 진행 시간이 가장 짧게 걸리는 경로를 택하여 진행한다는 것이다. 예를 들어 매질 1보다 매질 2에서 빛의 속력이 더 느린 경우, 두 점 A, B 사이를 이동하는 데 최단 시간이 걸리는 경로는 A, B 사이의 직선 경로가 아닌 빨간색 경로가 된다.

미분 공식

$$\frac{d}{dx}(\sqrt{x})=\frac{1}{2\sqrt{x}}$$

개념 모아

정리 하기

01 파동의 전파와 굴절

① 파동의 발생과 전파

1. 파동의 발생과 표시

- 파동: 한 곳에서 발생한 진동 상태가 주위로 퍼져 나가며 (❶)를 전달하는 현상

- (❷)(λ): 위상이 같은 이웃한 두 점 사이의 거리, 마루(골)와 이웃한 마루(골) 사이의 거리

- 진폭: 매질이 진동하는 최대 변위로, 진동의 중심에서 마루 또는 골까지의 거리

- (❸)(T): 매질의 한 점이 1번 진동하는 데 걸리는 시간

- 진동수(f): 1초 동안에 매질의 한 점이 진동하는 횟수로, 주기(T)의 역수와 같다. ➡ $f = \dfrac{1}{T}$

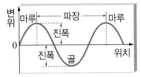
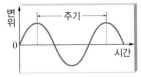

2. 파동의 속력 $v = \dfrac{\lambda}{T} = f\lambda$, 속력=(❹)×파장

② 파동의 굴절

1. 파동의 굴절 파동이 서로 다른 매질의 경계면을 비스듬히 통과할 때, (❺)이 달라져 파동의 진행 방향이 변하는 현상

2. 스넬 법칙 빛의 입사각 i와 굴절각 r의 사인값의 비는 각 매질에서 빛의 속력의 비와 같으므로 항상 일정하며, 이 값을 (❻)이라고 한다.

$$n_{12} = \dfrac{\sin i}{\sin r} = \dfrac{v_1}{v_2} = \dfrac{\lambda_1}{\lambda_2} = \dfrac{n_2}{n_1} = 일정 \Rightarrow n_1 \sin i = n_2 \sin r$$

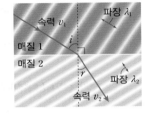

- 절대 굴절률(굴절률): 진공에 대한 어떤 매질의 굴절률 ➡ $n = \dfrac{c}{v} > 1$

- 상대 굴절률: 매질 1에 대한 매질 2의 굴절률 ➡ $n_{12} = \dfrac{n_2}{n_1} = \dfrac{v_1}{v_2}$

③ 우리 주위의 여러 가지 굴절 현상

1. 파동의 굴절 현상

- 공기 중에서 소리의 속력은 공기의 온도가 높을수록 빠르므로, 낮에 소리의 진행 방향은 (❼)쪽으로 휘어져 굴절하고, 밤에 소리의 진행 방향은 (❽)쪽으로 휘어져 굴절한다.

- 파도가 해안가로 다가올수록 파면의 모양이 점점 해안선에 나란해진다.

2. 빛의 굴절

- 공기보다 물에서 빛의 속력이 더 느리므로 물속에서 공기로 빛이 진행하며 굴절하여, 물속에 잠긴 물체가 꺾여 보인다.

- 렌즈: 공기보다 유리에서 빛의 속력이 느리므로, 볼록 렌즈는 빛을 모으고 오목 렌즈는 빛을 퍼지게 한다.

- 신기루: 더운 여름날에 뜨거운 지면 근처 공기의 온도는 위쪽보다 높기 때문에 빛의 속력이 상대적으로 (❾)다. 따라서 지면을 가까이 지나는 빛이 (❿)쪽으로 휘어져 진행하므로, 관측자는 물이 고인 것처럼 하늘이 비쳐 보이는 신기루 현상을 보게 된다.

01 그림은 줄에서 파동이 전파되는 모양을 0.2초 간격으로 나타낸 것이다.

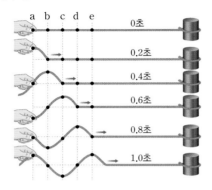

(1) 이 파동의 종류가 횡파인지 종파인지 쓰시오.

(2) 이 파동에 대한 설명으로 옳은 것만을 보기에서 있는 대로 고르시오.

> 보기
> ㄱ. 파장은 ae 사이의 거리와 같다.
> ㄴ. 파동의 주기는 1.0초이다.
> ㄷ. 0.6초일 때 줄의 b점은 위로 움직인다.

02 그림 (가)는 매질을 따라 파동이 전파될 때 어떤 순간에 매질의 각 점의 변위를 위치에 따라 나타낸 그래프이고, 그림 (나)는 매질의 한 점의 변위를 시간에 따라 나타낸 그래프이다.

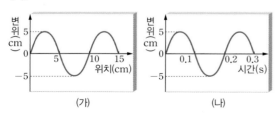

(1) 이 파동의 파장과 주기는 각각 얼마인지 구하시오.

(2) 이 파동의 속력을 구하는 식을 완성하시오.

$$속력 = \frac{(\ ㉠\ )}{주기} = \frac{(\ ㉡\ )\ cm}{(\ ㉢\ )\ s} = (\ ㉣\ )\ cm/s$$

03 그림과 같이 $+x$ 방향으로 진행하는 파동이 있다. 마루의 위치가 0.1초 동안 P에서 P′으로 2 cm 이동하였다.

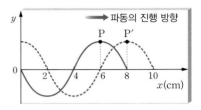

(1) 이 파동의 진동수는 몇 Hz인지 구하시오.

(2) 이 파동의 속력을 구하는 식을 완성하시오.

$$속력 = (\ ㉠\ ) \times 파장 = (\ ㉡\ )\ Hz \times (\ ㉢\ )\ cm = (\ ㉣\ )\ cm/s$$

04 그림은 오른쪽으로 진행하는 횡파의 어느 순간의 모습을 나타낸 것이다. 이 파동의 주기는 T이다.

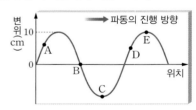

(1) 이 순간 횡파에 표시된 점들 중 매질의 운동 방향이 아래쪽인 점을 모두 고르시오.

(2) 이 순간부터 $\frac{1}{4}T$의 시간이 지날 때, E점의 변위를 쓰시오.

05 그림은 물결파 투영장치에 나타난 물결파의 파면의 모습으로, 물은 ㉠에서 ㉡으로 진행한다.

(1) 입사각과 굴절각의 크기를 비교하시오.

(2) ㉠과 ㉡의 물의 깊이를 비교하시오.

06 그림은 굴절 실험 장치에 굴절률이 n_2인 액체를 넣고 굴절률이 n_1인 공기 중에서 레이저 빛을 비추었을 때, 빛의 굴절 모습을 나타낸 것이다.

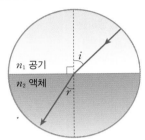

(1) 공기와 액체에서 레이저 빛의 파장을 비교하시오.

(2) 공기와 액체에서 레이저 빛의 진동수를 비교하시오.

(3) 일정한 값을 나타내는 것을 보기에서 있는 대로 고르시오.

보기
ㄱ. $\dfrac{i}{r}$　　　ㄴ. $\dfrac{\sin i}{\sin r}$　　　ㄷ. $\dfrac{n_2}{n_1}$

(4) n_1, n_2, i, r를 사용하여 스넬 법칙의 식을 쓰시오.

07 그림은 빛이 공기에서 각각 물, 유리, 다이아몬드에 동일한 입사각으로 입사하여 굴절하는 모습을 나타낸 것이다.

(1) 공기에 대한 물, 유리, 다이아몬드의 상대 굴절률을 비교하시오.

(2) 공기, 물, 유리, 다이아몬드에서 빛의 속력을 비교하시오.

08 그림과 같이 매질 1과 매질 2의 경계면에 입사한 파동이 굴절하였다. 매질 1에 대한 매질 2의 상대 굴절률을 쓰시오.

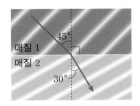

09 다음은 우리 주위에서 볼 수 있는 현상을 설명한 것이다.

- 물속에 잠긴 물체가 꺾여 보인다.
- 볼록 렌즈에 평행하게 입사한 빛은 볼록 렌즈를 지난 후 안쪽으로 모인다.
- 더운 한낮의 아스팔트 위에서 아지랑이가 보인다.

(1) 위 현상을 공통적으로 설명할 수 있는 빛의 성질을 쓰시오.

(2) 위 현상은 서로 다른 매질을 통과할 때 빛의 어떤 물리량이 변하기 때문인지 쓰시오.

10 그림은 신기루가 생기는 원리를 나타낸 것이다.

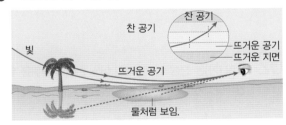

(1) 이에 대한 설명으로 옳은 것을 보기에서 있는 대로 고르시오.

보기
ㄱ. 빛이 공기 중에서 연속적으로 굴절하여 나타나는 현상이다.
ㄴ. 공기의 온도가 높을수록 빛의 속력이 느리다.
ㄷ. 관측자는 빛이 직진하여 눈에 들어온 것으로 인식한다.

(2) 이와 같은 원리에 의하여 소리가 아래쪽으로 굴절하는 현상은 낮과 밤 중 어느 때에 나타나는지 쓰시오.

01　〉파동의 요소와 속력

그림 (가)와 (나)는 두 용수철의 한쪽 끝을 잡고 각각 다른 방향으로 진동시켰을 때 발생하는 파동의 어느 순간의 모습을 나타낸 것이다. (가)는 주기 $2T$, (나)는 주기 T인 파동을 발생시켰다.

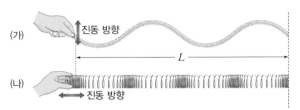

이에 대한 설명으로 옳은 것만을 보기에서 있는 대로 고른 것은?

보기
ㄱ. (가)는 횡파이고, (나)는 종파이다.
ㄴ. 용수철에 발생한 파동의 파장은 (가)와 (나)가 같다.
ㄷ. 용수철에 발생한 파동의 속력은 (가)와 (나)가 같다.

① ㄱ　　② ㄴ　　③ ㄱ, ㄴ　　④ ㄱ, ㄷ　　⑤ ㄴ, ㄷ

- 종파의 파장은 밀한 곳에서 다음 밀한 곳까지의 거리이며, 파동의 속력은 $v = \dfrac{\lambda}{T}$ 식을 활용한다.

02　〉파동 그래프 분석

그림 (가)는 진행하는 횡파의 어느 순간의 변위를 위치에 따라 나타낸 것이고, (나)는 (가)의 순간부터 매질 위의 한 점 A의 변위를 시간에 따라 나타낸 것이다.

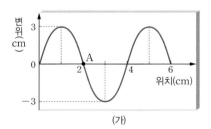
(가)

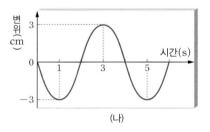
(나)

이에 대한 설명으로 옳은 것만을 보기에서 있는 대로 고른 것은?

보기
ㄱ. 진폭은 6 cm이다.
ㄴ. 파동의 진행 방향은 오른쪽이다.
ㄷ. 파동의 진행 속력은 1 cm/s이다.

① ㄱ　　② ㄴ　　③ ㄷ　　④ ㄱ, ㄴ　　⑤ ㄴ, ㄷ

- (가)의 순간부터 A점의 변위는 (−)이므로 운동 방향은 아래쪽이다. A점의 운동 방향이 아래쪽일 때 파동의 진행 방향은 어느 쪽인지 파악한다.

03 ▶파동 그래프 분석

xy 평면에서 용수철을 y축 방향으로 진동시켜 x축 방향으로 진행하는 파동을 발생시켰다. 그림 (가)는 용수철에 있는 한 점의 y축 방향의 변위를 시간에 따라 나타낸 것이고, 그림 (나)는 용수철의 변위가 최대인 위치가 시간에 따라 이동할 때 위치 - 시간 그래프를 나타낸 것이다.

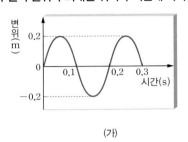
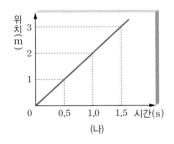

(가)　　　　　　(나)

이 파동에 대한 설명으로 옳은 것만을 보기에서 있는 대로 고른 것은?

> 보기

ㄱ. 파동의 종류는 종파이다.

ㄴ. 진동수는 2.5 Hz이다.

ㄷ. 파장은 0.4 m이다.

① ㄱ　　　② ㄷ　　　③ ㄱ, ㄴ　　　④ ㄱ, ㄷ　　　⑤ ㄱ, ㄴ, ㄷ

• 용수철의 변위가 최대인 위치는 마루나 골을 말하며, 마루나 골의 위치가 시간에 따라 이동할 때 위치 - 시간 그래프의 기울기는 파동의 속력과 같다.

04 ▶파동 그래프 분석

그림 (가)는 물체 A, B가 x축상에서 거리 d만큼 떨어져 수면에 떠 있고, 진동수가 f_0, 진폭이 y_0, 파장이 λ_0인 수면파가 $+x$ 방향으로 진행하는 것을 모식적으로 나타낸 것이다. 그림 (나)는 수면파가 B에 도달한 이후 $y_A - y_B$를 시간에 따라 나타낸 것이다. y_A, y_B는 시간에 따른 A, B의 변위이다.

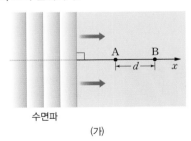
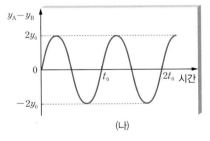

수면파

(가)　　　　　　(나)

이에 대한 설명으로 옳은 것만을 보기에서 있는 대로 고른 것은? (단, A, B는 연직 방향으로만 움직이고, A, B의 크기는 무시한다.)

> 보기

ㄱ. (나)에서 $t_0 = \dfrac{1}{f_0}$이다.

ㄴ. A가 수면파의 마루에 있을 때 B는 수면파의 골에 있다.

ㄷ. d는 λ_0의 정수배이다.

① ㄱ　　　② ㄱ, ㄴ　　　③ ㄱ, ㄷ　　　④ ㄴ, ㄷ　　　⑤ ㄱ, ㄴ, ㄷ

• A, B의 변위 차인 $y_A - y_B$ 값이 반복되는 시간 t_0는 수면파의 주기와 같다. 마루와 골의 거리 차는 진폭의 2배이므로, $y_A - y_B$의 최댓값이 $2y_0$일 때 A는 마루, B는 골의 위치이다.

05 > 매질에 따른 파동의 변화

그림은 매질 1에서 연속적으로 발생하는 파동이 매질 2를 향하여 진행할 때 어느 순간의 변위를 위치에 따라 나타낸 것이다. 매질 1에서 파동의 파장과 진폭은 일정하며, 파동의 진행 속력은 매질 1, 2에서 각각 1 m/s, 1.5 m/s이다.

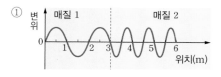

이 순간으로부터 3초가 지난 순간 이 파동의 모습으로 가장 적절한 것은? (단, 매질의 경계면에서 파동의 반사는 무시한다.)

①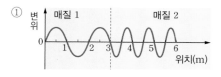

②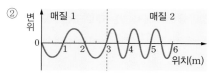

③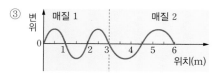

④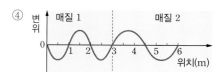

⑤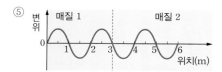

• 파동이 굴절할 때 파동의 진동수는 일정하므로, 파동의 속력 $v=f\lambda$의 식에서 속력과 파장은 비례한다.

06 > 파동의 굴절

그림은 매질 1에서 매질 2로 입사하여 굴절하는 파동의 파면을 나타낸 것이다. 매질 1에서 이 파동의 파장은 λ이고 속력은 v이다.
이에 대한 설명으로 옳은 것만을 보기에서 있는 대로 고른 것은?

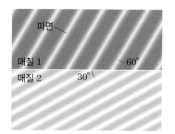

• 입사각(굴절각)은 입사파(굴절파)의 진행 방향과 법선이 이루는 각으로, 입사파(굴절파)의 파면과 경계면이 이루는 각과 같다.

보기

ㄱ. 입사각은 30°, 굴절각은 60°이다.

ㄴ. 매질 2에서 파동의 속력은 $\sqrt{3}v$이다.

ㄷ. 매질 2에서 파동의 파장은 $\dfrac{\lambda}{\sqrt{3}}$이다.

① ㄱ   ② ㄴ   ③ ㄷ   ④ ㄱ, ㄴ   ⑤ ㄴ, ㄷ

07 > 빛의 굴절

그림 (가)는 불투명한 컵 바닥에 놓인 동전이 보이지 않는 모습을 나타낸 것이다. 그림 (나)는 (가)의 컵에 물을 부었을 때 동전 끝에서 나온 빛이 눈으로 진행하는 경로를 나타낸 것이다. 이 때 동전은 높이 h만큼 떠 보인다. 표는 공기에 대한 물과 소금물의 굴절률이다.

• 소금물에서는 더 작은 입사각에서 물과 같은 굴절각이 나온다.

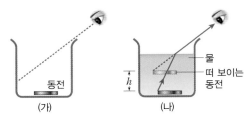

물질	굴절률
물	1.33
소금물	1.53

이에 대하여 옳게 말한 사람만을 보기에서 있는 대로 고른 것은? (단, 컵과 동전, 눈의 위치는 변하지 않는다.)

보기
철수: 빛의 굴절 때문에 안 보이던 동전이 보이게 돼.
영희: 굴절률이 더 큰 소금물은 물보다 적게 부어도 동전이 보이기 시작해.
민수: (나)에서 물 대신 같은 양의 소금물을 부으면, 떠 보이는 높이 h가 더 작아져.

① 철수　　② 영희　　③ 민수　　④ 철수, 영희　　⑤ 영희, 민수

08 > 빛의 굴절

그림 (가)와 같이 단색광이 공기에서 반원형 매질 A로 입사하여 서로 평행한 2개의 경계면에서 굴절한 뒤 공기로 진행한다. 단색광이 A에서 매질 B로 입사할 때 입사각은 θ_0이고, B에서 공기로 굴절할 때 굴절각은 θ_1이다. 그림 (나)는 (가)에서 B를 매질 C로 바꾸었을 때 단색광이 진행하는 경로를 나타낸 것이고, C에서 공기로 굴절할 때 굴절각은 θ_2이다.

• 굴절률이 다른 A, B, 공기가 서로 평행한 경계면을 이루고 있을 때 스넬 법칙 $n_A\sin\theta_0 = n_B\sin\theta_B = n_{공기}\sin\theta_1$을 적용한다.

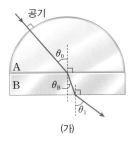

(가)

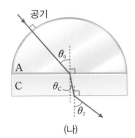

(나)

이에 대한 설명으로 옳은 것만을 보기에서 있는 대로 고른 것은? (단, $\theta_B > \theta_C$이다.)

보기
ㄱ. 굴절률은 A가 B보다 작다.
ㄴ. 단색광의 속력은 B에서가 C에서보다 작다.
ㄷ. $\theta_1 > \theta_2$이다.

① ㄱ　　② ㄴ　　③ ㄷ　　④ ㄱ, ㄴ　　⑤ ㄱ, ㄷ

09 > 렌즈에 의한 빛의 굴절
그림과 같이 얇은 플라스틱으로 만든 속이 빈 렌즈를 이용하여 굴절 실험을 하였다.

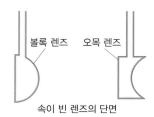

속이 빈 렌즈의 단면

이 실험의 결과로 옳은 것만을 보기에서 있는 대로 고른 것은? (단, 얇은 플라스틱에서의 굴절은 무시한다.)

보기
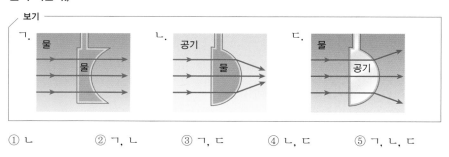

① ㄴ   ② ㄱ, ㄴ   ③ ㄱ, ㄷ   ④ ㄴ, ㄷ   ⑤ ㄱ, ㄴ, ㄷ

• 공기에서 빛의 속력이 물에서보다 빠르므로, 빛이 공기에서 물로 진행할 때 입사각>굴절각이 되고, 물에서 공기로 진행할 때 입사각<굴절각이 된다.

10 > 빛의 파장에 따른 굴절률의 차이
그림 (가)는 백색광이 진공에서 유리로 입사할 때 빛이 파장에 따라 퍼지는 것을 나타낸 것이고, 그림 (나)는 유리에서 빛의 파장에 따른 굴절률을 나타낸 것이다.

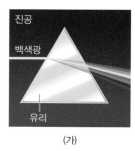

(가)

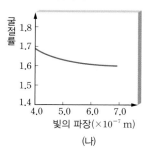

(나)

이에 대한 설명으로 옳은 것만을 보기에서 있는 대로 고른 것은?

보기
ㄱ. 진공에서 빛의 속력은 파장에 관계없이 동일하다.
ㄴ. 유리에서 빛의 굴절률은 빛의 파장에 따라 다르다.
ㄷ. 유리에서 빨간색 빛의 속력은 보라색 빛의 속력보다 느리다.

① ㄱ   ② ㄴ   ③ ㄷ   ④ ㄱ, ㄴ   ⑤ ㄱ, ㄷ

• 유리에서 빛의 파장이 길수록 굴절률이 작으므로, 빛의 속력이 빠르다.

11 〉파동의 굴절로 나타나는 현상

그림 (가), (나)는 낮과 밤에 소리가 퍼져 나가는 모습을 순서 없이 나타낸 것이고, 그림 (다)는 파도가 해안가에 다가올수록 파면이 해안선에 점점 나란해지는 모습을 나타낸 것이다.

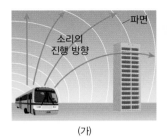
(가)

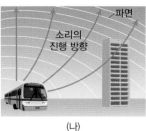
(나)

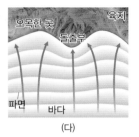
(다)

• 소리의 속력은 공기의 온도가 높을수록 빠르고, 파도의 속력은 물의 깊이가 깊을수록 빠르다.

이에 대한 설명으로 옳은 것만을 보기에서 있는 대로 고른 것은?

> 보기

ㄱ. (가)는 밤에 일어날 수 있는 현상이다.

ㄴ. (나)에서 소리의 속력은 지면에 가까울수록 빠르다.

ㄷ. (다)에서 돌출부 쪽으로 접근하는 파도의 속력이 오목한 곳보다 더 느리다.

① ㄱ   ② ㄱ, ㄴ   ③ ㄱ, ㄷ   ④ ㄴ, ㄷ   ⑤ ㄱ, ㄴ, ㄷ

12 〉신기루

그림 (가)는 무더운 여름날에 뜨거운 사막 위에 생긴 신기루를 나타낸 것이고, 그림 (나)는 극지방의 공중에 생기는 신기루를 나타낸 것이다.

(가)

(나)

• 공기의 온도가 높을수록 빛의 속력이 빠르고 굴절률은 작다.

이에 대한 설명으로 옳은 것만을 보기에서 있는 대로 고른 것은?

> 보기

ㄱ. (가), (나)는 모두 빛이 굴절되어 생긴 현상이다.

ㄴ. (가)에서 지면에 가까울수록 빛의 속력이 느리다.

ㄷ. (나)에서 해수면에 가까울수록 공기의 굴절률이 작다.

① ㄱ   ② ㄴ   ③ ㄱ, ㄷ   ④ ㄴ, ㄷ   ⑤ ㄱ, ㄴ, ㄷ

02 전반사와 광통신

학습 Point　전반사, 임계각 ＞ 여러 가지 전반사 현상과 이용 ＞ 광섬유의 원리 ＞ 광통신

1 전반사

오늘날 멀리 떨어진 곳까지 고속으로 정보를 주고받을 수 있게 된 것은 빛을 이용하여 정보를 전달하는 광통신이 발달하면서부터이다. 광통신에서 정보를 담은 빛을 손실 없이 멀리 전달하는 데는 전반사라고 하는 특정한 빛의 성질이 이용된다.

1. 전반사

(탐구) 2권 177쪽

빛이 한 매질 속을 진행하다 다른 매질을 만나면 두 매질의 경계면에서 빛의 일부는 반사하고 나머지는 굴절한다. 반사와 굴절이 모두 일어날 때 반사광과 굴절광의 세기는 모두 입사광의 세기보다 약해진다. 그러나 어떤 조건에서는 굴절 없이 반사만 일어나는 전반사라고 하는 현상이 발생한다. 전반사가 일어날 때 반사광의 세기는 입사광의 세기와 같아진다.

(1) **임계각**: 빛이 굴절률이 큰 매질에서 작은 매질로 입사할 때(빛의 속력이 느린 매질에서 빠른 매질로 입사할 때) 굴절각 r는 항상 입사각 i보다 크다. 이때 빛의 입사각을 점점 크게 하면 굴절각도 커져서, 어떤 입사각 i_c가 되면 굴절각 r는 $90°$가 된다. 이처럼 굴절각이 $90°$일 때의 입사각 i_c를 임계각이라 한다.

(2) **전반사**: 빛이 굴절률이 큰 매질에서 작은 매질로 입사할 때 임계각보다 큰 각도로 빛이 입사하면 빛은 경계면에서 모두 반사하는데, 이러한 현상을 전반사라고 한다.

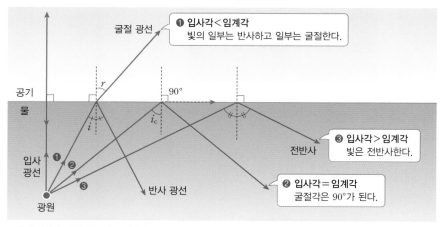

① **입사각＜임계각**
빛의 일부는 반사하고 일부는 굴절한다.

② **입사각＝임계각**
굴절각은 $90°$가 된다.

③ **입사각＞임계각**
빛은 전반사한다.

굴절 광선 / 공기 / 물 / 입사 광선 / 광원 / 반사 광선 / 전반사

▲ **빛의 전반사** 물에서 공기로 입사하는 빛의 입사각이 임계각보다 클 때 전반사가 일어난다.

입사각에 따른 반사광의 세기
빛의 입사각이 커짐에 따라 굴절 광선은 약해지고 반사 광선은 점점 강해진다. 그러다 빛의 입사각이 임계각보다 커질 때 입사 광선의 100 %를 반사하게 된다.

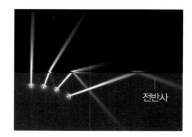

전반사

시선 집중 ★　**전반사 현상**

① 빛이 굴절률이 작은(빛의 속력이 빠른) 매질에서 굴절률이 큰(빛의 속력이 느린) 매질로 입사할 때

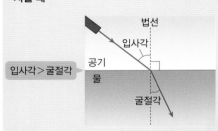

입사각 > 굴절각

입사각이 90°일 때도 굴절각은 90°보다 작으므로, 임계각이 존재하지 않는다.
→ 전반사가 일어날 수 없다.

② 빛이 굴절률이 큰(빛의 속력이 느린) 매질에서 굴절률이 작은(빛의 속력이 빠른) 매질로 입사할 때)

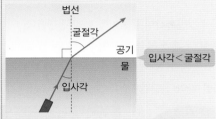

입사각 < 굴절각

굴절각이 90°가 되는 임계각이 존재한다.
→ 임계각보다 큰 각도로 빛을 입사하면 전반사가 일어난다.

(3) 전반사가 일어날 조건

① 빛이 굴절률이 큰 매질에서 작은 매질로 입사할 때 또는 빛의 속력이 느린 매질에서 빠른 매질로 입사할 때 전반사가 일어날 수 있다.

② 입사각 i가 임계각 i_c보다 클 때 전반사가 일어난다. ($i > i_c$)

(4) 임계각과 굴절률: 임계각은 두 매질의 굴절률에 따라 결정된다.

① 빛이 굴절률 n인 매질에서 굴절률이 1인 진공(또는 굴절률이 약 1인 공기)으로 진행할 때 입사각이 임계각 i_c와 같을 경우 굴절각은 90°이다. 스넬 법칙(굴절 법칙)에 따라 임계각 i_c는 다음과 같다.

$$n_{\text{매질}}\sin i_c = n_{\text{진공}}\sin 90° \rightarrow \sin i_c = \frac{n_{\text{진공}}}{n_{\text{매질}}} = \frac{1}{n}$$

→ 매질의 굴절률 n이 클수록 임계각 i_c가 작다.

② 일반적으로 빛이 굴절률 n_1인 매질 1에서 굴절률이 n_2인 매질 2로 진행할 때의 임계각 i_c는 다음과 같다.

$$n_1\sin i_c = n_2\sin 90° \rightarrow \sin i_c = \frac{n_2}{n_1} = \frac{1}{n_{21}} \ (\text{단},\ n_1 > n_2)$$

→ 매질 2에 대한 매질 1의 상대 굴절률 n_{21}이 클수록 임계각 i_c가 작다.

③ 굴절률이 1.33인 물의 임계각은 약 49°이고, 굴절률이 1.50인 유리의 임계각은 약 42°이다. → 굴절률이 큰 유리의 임계각이 더 작다.

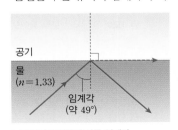

공기
물
($n=1.33$)
임계각
(약 49°)

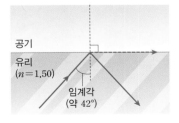

공기
유리
($n=1.50$)
임계각
(약 42°)

▲ 매질의 굴절률에 따른 임계각

sin 값의 크기

만약 n_1이 n_2보다 작다면 왼쪽의 식에서 $\sin i_c > 1$이 되어, 사인값이 1보다 커지므로 이 식이 성립하지 않는다. 즉, 전반사는 빛이 굴절률이 큰 매질에서 작은 매질로 입사할 때만 성립한다.

2. 여러 가지 전반사 현상

(1) 전반사 현상 관찰 실험

① 물줄기를 따라 진행하는 빛의 전반사 관찰: 아래 부분에 구멍을 뚫은 후 마개로 막은 페트병에 물을 채운다. 구멍의 반대쪽에서 구멍을 향해 레이저 빛을 고정한 후 마개를 뽑아 물줄기 속에서 진행하는 빛의 경로를 살펴본다.

➡ [결과] 레이저 빛이 물과 공기의 경계면에서 전반사하며 물줄기를 따라 진행한다.

② 우레탄 봉을 따라 진행하는 빛의 전반사 관찰: 우레탄 봉의 한쪽에서 레이저 빛을 비스듬히 비추며 빛의 진행 경로를 살펴본다.

➡ [결과] 레이저 빛이 전반사하며 우레탄 봉을 따라 진행한다.

▲ 물줄기를 따라 진행하는 빛

▲ 우레탄 봉을 따라 진행하는 빛

(2) 수면에 비쳐 보이는 물고기:

어항 속의 물고기를 수면의 아래 쪽에서 보면, 수면이 거울처럼 물고기의 모습을 반사할 때가 있다. 이것은 물고기에서 반사되어 나온 빛이 수면으로 입사할 때 물에서 공기를 향하는 빛의 임계각보다 큰 각도로 입사하여 전반사하기 때문에 나타나는 현상이다.

(3) 스넬의 창:

물에서 공기로 향하는 빛의 임계각은 $48.8°$이다. 만약 물속에 작은 점광원이 있다면, 점광원에서 나와 공기를 향하는 빛 중 입사각이 $48.8°$보다 작은 빛만 굴절하여 공기 중으로 진행하고 이보다 큰 입사각으로 입사한 빛은 전반사하여 다시 물속으로 진행한다. 빛의 경로는 가역적이므로, 물속의 점광원이 있던 지점에서 관찰자가 수면을 보면 눈을 중심으로 임계각의 2배인 $97.6°$ 이내로 수면 밖의 풍경이 모두 들어오게 된다. 즉, 물속의 관찰자에게는 원형의 영역 안으로 수면 밖의 풍경이 모두 보이며 원형의 영역 바깥쪽으로는 물속의 모습이 반사되어 보이는데, 이것을 스넬의 창이라고 한다.

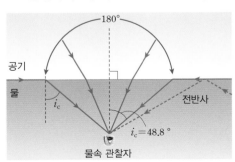

▲ 물속 관찰자에게 도달하는 빛

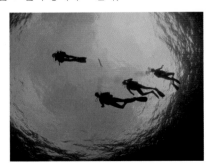

▲ 스넬의 창

자동차의 빗물 감지 와이퍼 원리
자동차에 장착된 빗물 감지 와이퍼는 내리는 비의 양에 따라 와이퍼의 속력을 자동으로 조절하는 장치이다. 이 장치의 작동 원리에도 전반사가 이용된다. 자동차의 전면 유리 상단에는 빗물을 감지하는 장치가 있는데, 이 장치는 발광 다이오드(LED)와 광센서로 구성된다. 비가 오지 않을 때는 발광 다이오드에서 유리창으로 쏘아 준 빛이 전반사되어 광센서로 모두 들어오지만, 유리창에 빗방울이 있으면 상대 굴절률이 달라져 빛이 전반사하지 못하고 일부가 굴절하여 나간다. 이때 빗방울이 굵어질수록 반사광의 세기는 더욱 줄어드는데, 광센서로 이러한 반사광의 세기 변화를 감지하여 빗물의 양을 감지하고, 와이퍼의 속력을 결정한다.

3. 전반사의 이용

집중 분석 2권 178쪽

(1) 전반사 프리즘(직각 프리즘): 빛의 진행 방향을 바꾸는 프리즘이다.

① 원리: 유리로 만든 직각 프리즘에 수직으로 입사한 빛이 프리즘에서 다시 공기로 입사할 때, 프리즘과 공기의 경계면에서 빛의 입사각은 45°가 된다. 이때 입사각이 유리에서 공기로 향하는 빛의 임계각(약 42°)보다 크므로, 이 빛은 직각 프리즘에서 전반사하여 나온다. 이러한 성질을 이용하여 빛의 손실 없이 진행 경로를 90° 또는 180° 바꿀 수 있다.

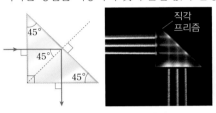

(가) 빛의 진행 방향이 90° 바뀜.

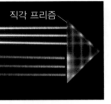

(나) 빛의 진행 방향이 180° 바뀜.

▲ **전반사 프리즘을 이용한 빛의 진행 경로 변경**

② 이용: 거울에서 빛이 반사될 때는 빛의 일부가 손실되지만, 전반사 프리즘은 빛을 손실 없이 모두 반사시키는 장점이 있다. 따라서 전반사 프리즘은 쌍안경, 사진기, 잠망경 등의 광학 기구에서 거울을 대신하여 빛의 경로를 바꾸는 데 사용된다.

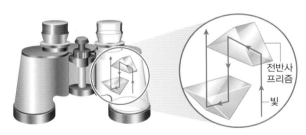

▲ **쌍안경** 2개의 전반사 프리즘으로 4번 전반사시켜 빛의 손실 없이 바로 선 상을 볼 수 있다.

▲ **잠망경** 전반사 프리즘을 이용하여 눈으로 볼 수 없는 곳의 물체를 관찰할 수 있다.

(2) 다이아몬드: 다이아몬드는 굴절률이 2.43으로 매우 커서 임계각이 24.3°로 매우 작다. 이는 전반사가 일어날 수 있는 입사각의 범위가 다른 물질보다 매우 크다는 것으로, 다이아몬드 내부에서 빛이 전반사되기 쉽다는 것을 의미한다. 따라서 잘 세공된 다이아몬드는 윗면으로 입사한 빛이 바닥면에서 전반사하여 되돌아오므로 다른 보석들보다 더 반짝인다. 그림 (가), (나)와 같이 다이아몬드를 너무 깊거나 얕게 세공하면 빛이 전반사하지 못하고 밑으로 새어 나와 광채가 약해지나, 그림 (다)와 같이 각도를 조절하여 세공하면 전반사가 일어나 반짝거리며 빛난다.

(가) 너무 깊게 세공된 경우

(나) 너무 얕게 세공된 경우

24.3°보다 크므로 모두 전반사한다.

(다) 완벽한 비율로 세공된 경우

▲ **다이아몬드 세공 각도에 따른 빛의 경로**

코너 큐브 프리즘

중앙선 부근에 붙여 놓은 플라스틱 판 안에는 일종의 전반사 프리즘인 코너 큐브 프리즘(정육면체의 꼭짓점과 인접한 세 모서리로 이루어진 모양, 즉 삼각뿔 모양의 프리즘)이 붙어 있다. 이것은 자동차의 전조등 불빛을 전반사하여 운전자가 중앙선을 쉽게 구별할 수 있게 한다.

거울의 반사율

거울의 반사율은 80 %∼95 % 정도이며, 빛이 보통의 거울에서 반사할 때에는 1개의 입사 광선이 2개의 반사 광선으로 분리되어 희미한 상이 하나 더 생긴다.

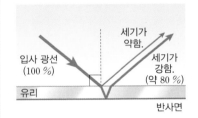

전반사에 의한 다이아몬드의 광채

빛이 다이아몬드로 입사할 때 빛의 분산에 의해 여러 가지 색깔의 빛으로 나뉘는데, 이 빛이 여러 번의 전반사를 거치며 더 크게 나뉘어 되돌아오므로, 다이아몬드에서는 무지갯빛 광채가 난다.

02 전반사와 광통신 〈 173

(3) 광섬유

① 광섬유의 구조: 광섬유는 투명한 유리 또는 합성수지를 지름이 0.1 mm보다 작을 정도로 매우 가늘게 뽑아 만든 소재로, 그림과 같이 투명한 코어를 클래딩이 둘러싸고 있는 이중 구조로 되어 있다. 광섬유의 바깥쪽은 외부의 충격으로부터 보호하기 위해 플라스틱 보호층으로 싸여 있다. 이러한 광섬유 여러 개를 다발로 묶어서 만든 것을 광케이블이라고 하며 광통신에 주로 이용된다.

코어 클래딩 완충층 1차 코팅 2차 코팅
▲ 광섬유의 구조

▲ 광섬유

▲ 여러 가지 광케이블

② 원리: 코어는 클래딩보다 굴절률이 큰 물질로 되어 있어서, 광섬유의 단면을 통해 코어 속으로 빛을 입사시키면 빛이 코어와 클래딩의 경계면에서 전반사하면서 진행한다. 따라서 빛의 세기를 거의 잃지 않고 코어를 따라 먼 곳까지 전달될 수 있다.

빛이 코어와 클래딩의 경계면에서 전반사한다.

임계각

코어
클래딩

▲ 광섬유에서 빛의 전반사

구분	코어	클래딩
굴절률	약 1.4475	약 1.4440
빛의 속력	느리다.	빠르다.
재질	순도가 높은 유리	유리나 합성수지

③ 이용: 광섬유는 빛의 진행 경로를 바꿀 수 있으며 빛의 세기를 최대한 약화시키지 않고 멀리까지 보낼 수 있으므로, 광통신, 내시경, 장식품, 자연 채광 등에 사용된다.

• 의료용 내시경: 광섬유와 소형 카메라로 이루어진 가늘고 긴 내시경 튜브를 몸속으로 집어넣어 내부 장기를 직접 관찰한다.

• 광섬유 장식품: 광섬유를 광원에 연결하여 장식품을 만든다.

• 자연 채광: 집광기로 모은 태양 빛을 광케이블을 이용하여 원하는 곳으로 보내 어두운 실내를 밝힌다.

산업용 내시경 카메라
내시경 카메라는 사람이 직접 안을 들여다보거나 들어갈 수 없는 기계 내부나 배관 속을 관찰하는 데 사용되기도 한다.

▲ 의료용 내시경

▲ 광섬유 장식품

▲ 자연 채광에 이용되는 집광기

② 광통신

광섬유의 중요한 용도 중의 하나는 정보 통신에서의 사용이다. 광통신은 각종 통신 방법에서 정보를 전달하는 매개체로, 전류나 전파 대신 빛을 이용한다. 오늘날과 같은 인터넷의 성장 및 각종 멀티미디어 서비스 발달은 광통신 기술이 발달하여 대용량의 정보를 전송할 수 있기에 가능하게 된 것이다.

1. 광통신

(1) 광통신의 원리

광통신은 광섬유를 통해 빛의 전반사를 이용하여 정보를 주고받는 통신 방식이다. 따라서 신호를 보내는 쪽에서는 전기 신호를 빛 신호로 변환하는 장치가 필요하고, 받는 수신부에서는 빛 신호를 다시 전기 신호로 재생시키는 장치가 필요하다. 광통신에서는 보통 빛과 달리 흐트러지지 않고 멀리까지 도달하는 레이저 빛을 사용한다.

(2) 광통신 과정: 광통신은 크게 송신부(송신기), 정보 채널(광섬유), 수신부(수신기)로 구성된다.

① 송신부: 송신기를 이용해 전송하고자 하는 정보를 담은 전기 신호를 빛 신호로 변환하여 전송한다.

② 정보 채널: 빛 신호가 광섬유를 통해 수신부로 전송된다. 이때 먼 거리를 진행한 빛의 신호가 약해지면 광 증폭기를 사용하여 빛 신호를 증폭한다.

③ 수신부: 수신기를 이용해 수신한 빛 신호를 전기 신호로 변환하여 처음과 같은 음성, 영상 정보를 재생한다.

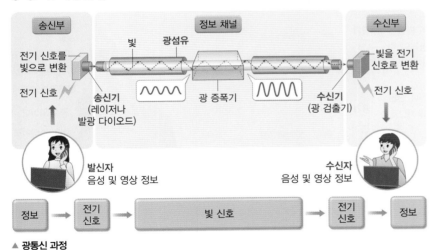

▲ 광통신 과정

2. 광통신의 단점과 장점

(1) 단점

① 광섬유 연결 부위에 아주 작은 먼지나 틈이 있어도 광통신이 불가능해질 수 있다.

② 화재나 충격에 약하고, 급격하게 휘면 끊어질 수 있다. 설치된 광케이블이 고장 나면 수리하기가 어렵다.

③ 구리 도선을 이용한 통신 방법에 비해 설치하는 비용이 많이 든다.

정보 통신의 방식

정보 통신의 방식은 크게 유선 통신과 무선 통신으로 나눌 수 있다. 유선 통신은 구리 선이나 광섬유를 이용하는데, 구리 선은 전류 신호를, 광섬유는 빛 신호를 이용하여 정보를 전달하며, 무선 통신은 주로 전파를 이용한다.

광 증폭기

광섬유를 통해 빛 신호가 전송될 때 그 에너지의 극히 일부는 코어를 이루는 물질에 흡수된다. 따라서 전반사를 하며 빛이 전송되더라도 먼 거리를 전송하면 그 세기가 약해진다. 따라서 중간에 신호를 다시 강하게 해 주기 위해 광 증폭기를 사용하여 빛을 증폭한다.

(2) 장점

① 구리 도선을 이용한 유선 통신보다 훨씬 많은 양의 정보를 전송할 수 있다.

② 외부 전자기장의 영향을 받지 않으므로 전파에 의한 간섭이나 혼선이 없다.

③ 구리 도선을 이용한 통신이나 무선 통신에 비해 도청이 어려워 통신의 비밀이 보장된다.

④ 구리 도선을 이용한 통신에서는 수 km 마다 증폭기가 필요하다. 그러나 광섬유의 유리는 에너지 손실이 적으므로, 광 증폭기를 설치하는 구간 사이의 거리가 약 80 km로 구리 도선을 이용한 통신에 비해 길다.

⑤ 구리 도선에 비해 광케이블의 수명이 더 길다.

3. 광통신의 발달

① 1958년에 레이저가 발명되고, 1970년에 빛의 세기가 거의 손실되지 않는 광섬유의 개발이 시작되어, 1978년부터 선진국을 중심으로 광통신이 실용화되기 시작하였다.

② 광섬유의 투명도와 광 증폭기 기술 개발로 대용량의 정보를 먼 거리까지 전달할 수 있게 되면서, 광통신 기술은 각종 멀티미디어 서비스나 인터넷 성장의 견인차 역할을 하였다.

③ 그 뒤 대서양을 가로지르는 광케이블을 바다 밑에 설치한 것을 시작으로, 각 국가와 대륙 간에도 원활한 통신을 위해 광케이블이 놓여지면서 장거리 광통신이 가능하게 되었다.

④ 근래에 짓는 아파트는 각 세대까지 광섬유가 설치되어 사용되고 있다.

시야 확장 ➕ 전반사 심화 문제

❶ 오른쪽 그림과 같이 두께 d, 굴절률 n인 양면이 평행한 투명체의 아랫면에 점광원 S가 접해 있다. 투명체의 윗면에 원판을 놓아 S에서 나온 빛이 모두 차단되게 할 수 있는 원판의 반지름의 최솟값은 다음과 같다.

- 공기의 굴절률을 1, 원판의 반지름을 R라고 할 때, 원판의 끝에 입사되는 빛의 입사각 θ가 임계각이어야 하므로
$$n\sin\theta = \sin 90° \rightarrow n\sin\theta = 1 \cdots\cdots ①$$

$$\sin\theta = \frac{R}{\sqrt{R^2+d^2}} \cdots\cdots ②$$

- ①, ②의 두 식에서 원판의 반지름 R는 다음과 같다.

$$R = \frac{d}{\sqrt{n^2-1}}$$

❷ 오른쪽 그림과 같이 코어의 굴절률이 n_1, 클래딩의 굴절률이 n_2인 광섬유의 중심축에 대하여 입사각 θ로 입사한 빛이 전반사하며 진행하기 위한 최대 입사각 θ_{max}의 사인값을 구하면 다음과 같다.

- A점에 입사한 빛의 굴절각을 α라고 하고 공기의 굴절률을 1이라고 하면, 굴절 법칙에 따라 $\sin\theta = n_1\sin\alpha \cdots\cdots ①$
- B점에서 전반사할 조건은 $n_1\sin(90°-\alpha) \geq n_2\sin 90°$이므로 $n_1\cos\alpha \geq n_2 \cdots\cdots ②$
- ①과 ②를 제곱하여 더하면 $n_1^2 \geq n_2^2 + \sin^2\theta$이므로 다음과 같다.
$$\sin^2\theta \leq n_1^2 - n_2^2 \rightarrow \sin\theta_{max} = \sqrt{n_1^2 - n_2^2}$$

구리 도선을 이용한 통신의 단점
구리 도선을 이용한 유선 통신 방식에서는 도선에 흐르는 전류를 이용하여 정보를 전송할 때, 전류의 열작용에 의해 에너지 손실이 발생하기 때문에 정보의 세기가 약해진다.

우리나라의 광통신 발달
우리나라에서는 1979년에 광섬유 제작에 성공하여, 1981년부터 실용화되었다.

해저 광케이블의 구조

- 광섬유
- 석유 젤리
- 구리, 알루미늄 관
- 폴리 카보네이트
- 알루미늄 수방벽
- 금속 와이어
- 마일러 테이프
- 폴리에틸렌

빛의 전반사

빛이 서로 다른 두 매질의 경계면에서 전반사할 때의 조건을 설명할 수 있다.

과정

1 그림 (가)와 같이 각도기 판 위에 물을 채운 반원형 물통을 올려놓은 후, 레이저 빛을 물통의 둥근 부분 쪽에서 원의 중심을 향하도록 비춘다.

2 입사각을 0°에서부터 점점 크게 하며 굴절각이 90°가 되는 순간의 입사각을 찾아본다.

3 위 과정 2에서 찾은 입사각보다 더 큰 입사각으로 빛이 입사하는 경우, 빛이 어떻게 진행하는지 관찰한다.

4 반원형 물통 대신 반원형 유리를 이용하여 과정 2, 3을 반복한다.

5 그림 (나)와 같이 레이저 빛을 공기에서 유리로 입사시킨 후 입사각을 증가시킬 때 전반사가 일어나는지 관찰한다.

(가)

공기
물

레이저 빛

(나)

공기
유리

유의점
• 보안경을 반드시 착용하고, 레이저 빛을 눈에 비추지 않도록 주의한다.
• 레이저 빛을 원의 중심을 향해 비추어야 입사각과 굴절각을 정확하게 측정할 수 있다.

결과

1 굴절각이 90°가 될 때의 입사각은 물과 유리 중 물에서 더 크다.

2 굴절각이 90°가 될 때의 입사각보다 더 큰 입사각으로 빛을 입사시키면 빛은 굴절하지 않고 모두 반사한다.

3 빛이 굴절률이 작은 공기에서 굴절률이 큰 유리로 진행하는 경우 전반사가 일어나지 않는다.

정리

• 빛이 물 → 공기, 유리 → 공기로 입사할 때 전반사가 일어난다. 이때 입사각보다 굴절각이 더 크므로, 전반사는 빛이 굴절률이 큰 매질에서 작은 매질로 입사할 때 일어남을 알 수 있다.
• 굴절각이 90°가 될 때의 입사각보다 더 큰 각도로 빛이 입사될 때 전반사가 일어나므로, 전반사는 임계각보다 더 큰 입사각으로 빛이 입사할 때 일어남을 알 수 있다.

탐구 확인 문제

> 정답과 해설 **78**쪽

01 위 실험에 대한 설명으로 옳지 <u>않은</u> 것을 있는 대로 고르시오. (정답 2개)

① 입사각이 커짐에 따라 굴절각도 커진다.
② 빛이 굴절률이 큰 매질에서 작은 매질로 입사할 때, 굴절각은 입사각보다 항상 작다.
③ 물질에서 공기로 빛이 입사할 때 굴절각이 90°가 될 때의 입사각은 물질의 굴절률이 클수록 크다.
④ 전반사는 임계각보다 입사각이 클 때 일어난다.
⑤ 전반사는 빛이 굴절률이 큰 매질에서 굴절률이 작은 매질로 입사할 때만 일어난다.

02 물과 유리의 경계면에 레이저 빛을 비추며 빛의 진행 방향을 관찰하였다. 이때 나타나는 실험 결과로 가능한 것을 보기에서 있는 대로 고르시오. (단, 물의 굴절률은 1.33이고, 유리의 굴절률은 1.5 내외이다.)

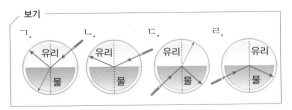

보기

ㄱ.   ㄴ.   ㄷ.   ㄹ.

유리   유리   유리   유리
물   물   물   물

전반사와 광섬유

전반사는 빛이 진행하는 두 매질의 굴절률과 입사각의 조건에 따라 달라진다. 따라서 입사각과 굴절각의 크기를 비교하여 전반사가 일어날 수 있는 조건과 광섬유의 코어와 클래딩으로 사용할 수 있는 물질의 조건에 대한 자료가 문제로 제시되는 경우가 많다.

광섬유는 빛을 멀리 전달하고자 할 때 유용하게 활용된다. 광섬유 다발의 한쪽 끝으로 빛을 입사시키면 빛이 반대편 쪽으로 나오는 것을 볼 수 있지만, 광섬유 내부에서 빛이 진행하는 모습은 볼 수 없다. 이것은 광섬유 내부로 빛을 입사시키면 빛은 굴절률이 큰 코어와 굴절률이 작은 클래딩의 경계면에서 전반사하며 코어를 따라 진행하므로, 빛이 클래딩으로 빠져나오지 못하기 때문이다.

❶ 전반사

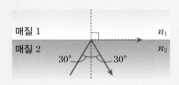

(1) 스넬 법칙에 따라 $n_2\sin30°=n_1\sin90°$이므로

$$\sin30°=\frac{n_1}{n_2}=\frac{1}{n_{12}}=\frac{1}{2}$$에서 $n_{12}=2$이다.

즉, 매질 1에 대한 매질 2의 상대 굴절률은 2이다.

(2) 전반사의 임계각 $i_c=30°$이므로, 입사각이 30°보다 클 때 전반사가 일어난다.

(3) $\sin i_c=\frac{n_1}{n_2}$에서, 매질 1을 굴절률이 n_1보다 더 작은 물질로, 또는 매질 2를 굴절률이 n_2보다 더 큰 물질로 바꾸면 임계각 i_c가 작아지므로, 입사각 30°에서도 전반사가 일어난다.

❷ 광섬유

그림 (가)의 물질 A, B는 (나)의 코어 또는 클래딩의 재료이다.

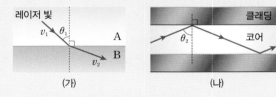

(1) (가)에서 입사각< 굴절각이므로, $v_1<v_2$이다.

(2) 빛이 A에서 B로 진행할 때는 입사각이 임계각보다 클 경우 전반사가 일어나고, 빛이 B에서 A로 진행할 때는 전반사가 일어나지 않는다.

(3) (나)에서 광섬유의 코어는 굴절률이 큰 A로, 클래딩은 굴절률이 작은 B로 만든다.

(4) (가)에서 전반사의 임계각은 θ_1보다 크고, (나)에서 전반사의 임계각은 θ_2보다 작다. 따라서 $\theta_1<\theta_2$이다.

> 정답과 해설 **78**쪽

유제

그림 (가)는 매질 A에서 매질 B로 각 θ의 입사각으로 입사한 빛이 전반사되는 모습이고, 그림 (나)는 A와 B로 만든 광섬유를 나타낸 것이다.
이에 대한 설명으로 옳은 것만을 보기에서 있는 대로 고른 것은?

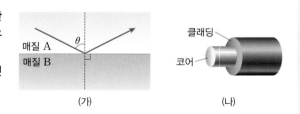

보기
ㄱ. (가)에서 매질 B에서 매질 A로 각 θ의 입사각으로 빛을 입사시켜도 전반사한다.
ㄴ. (나)에서 코어와 클래딩의 경계에서 임계각은 θ보다 크다.
ㄷ. (나)에서 코어는 A, 클래딩은 B이다.

① ㄱ   ② ㄷ   ③ ㄱ, ㄴ   ④ ㄱ, ㄷ   ⑤ ㄴ, ㄷ

02 전반사와 광통신

① 전반사

1. **전반사** 빛이 두 매질의 경계면에 입사할 때 굴절하여 나가는 빛 없이 모두 반사하는 현상

• 임계각(i_c): 굴절각이 (**❶**   )일 때의 입사각

• 전반사의 조건

  ➡ 빛이 굴절률이 (**❷**   ) 매질(빛의 속력이 느린 매질)에서 굴절률이 (**❸**   ) 매질(빛의 속력이 빠른 매질)로 입사할 때 일어난다.

  ➡ 빛의 입사각이 임계각 i_c보다 (**❹**   ) 때 일어난다.

• 임계각과 굴절률: 굴절하는 매질에 대한 입사하는 매질의 상대 굴절률이 클수록 임계각이 (**❺**   ).

빛이 굴절률 n인 매질에서 굴절률이 1인 진공 (또는 굴절률이 약 1인 공기)으로 진행할 때	빛이 굴절률 n_1인 매질에서 굴절률 n_2인 매질로 진행할 때
$$\sin i_c = \frac{1}{n}$$	$$\sin i_c = \frac{n_2}{n_1} = \frac{1}{n_{21}} \ (\text{단}, \ n_1 > n_2)$$

2. 전반사의 이용

• 전반사 프리즘: 빛의 진행 경로를 바꿀 수 있으므로, 쌍안경, 사진기, 잠망경 등에 이용된다.

• 다이아몬드: 내부로 들어간 빛이 전반사되도록 세공하여 반짝이도록 한다.

• 광섬유: 굴절률이 큰 유리로 된 (**❻**   )를 굴절률이 작은 유리로 된 (**❼**   )이 둘러싸고 있다.

  ➡ 코어 속으로 들어간 빛이 코어와 클래딩의 경계면에서 전반사하며 코어를 따라 진행한다.

  ➡ 광통신, 내시경, 장식품, 자연 채광 등에 사용된다.

② 광통신

1. **광통신** 빛의 (**❽**   )를 이용하여 광섬유를 통해 정보를 주고받는 통신 방식

• 송신부: 정보를 담은 전기 신호를 빛 신호로 변환한다.

• 정보 채널: 빛 신호가 (**❾**   )와 광 증폭기를 통해 전송된다.

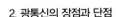

• 수신부: 빛 신호를 전기 신호로 변환하여 처음과 같은 음성, 영상 정보를 재생한다.

2. 광통신의 장점과 단점

• 많은 양의 정보를 동시에 교환할 수 있으며, 전송 거리가 매우 길다.

• 에너지 손실이 (**❿**   ) 증폭기를 설치하는 구간 사이의 거리가 길다.

• 외부 전자기장의 영향을 받지 않으므로 전파에 의한 간섭이나 혼선이 없고, 도청이 어렵다.

• 광섬유 연결 부위에 아주 작은 먼지나 틈이 있어도 광통신이 불가능해질 수 있다.

• 화재와 충격에 약하고, 한 번 끊어지면 연결이 어렵다.

• 구리 도선을 이용한 통신 방법에 비해 설치하는 비용이 많이 든다.

01 그림 1~5는 물에서 공기로 입사하는 빛의 입사각을 점점 증가시킬 때 빛의 진행 경로를 나타낸 것이다.

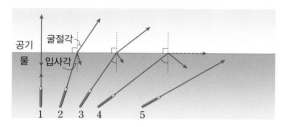

이에 대한 설명으로 옳은 것만을 보기에서 있는 대로 고르시오.

┌─ 보기 ─────────────────────────────┐
ㄱ. 그림 1~3은 반사 광선의 세기가 입사 광선의 세기보다 약하다.
ㄴ. 그림 4에서 빛의 입사각을 임계각이라고 한다.
ㄷ. 그림 5에서 빛은 전반사한다.
└──────────────────────────────────┘

02 그림과 같이 투명 아크릴통에 물과 식용유를 넣고 식용유에서 공기 쪽으로 레이저 빛을 비추었더니 빛이 전반사하며 식용유를 따라 진행하였다. 물과 식용유 중 어느 것이 굴절률이 더 큰지 쓰시오.

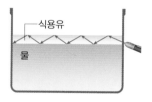

03 오른쪽 표는 물질 A~C의 굴절률을 나타낸 것이다. 물질 A~C에서 각각 공기로 빛을 입사시킬 때, 전반사가 일어나는 임계각이 가장 작은 물질은 무엇이며, 그 물질의 임계각은 몇 °인가? (단, 공기의 굴절률은 1이다.)

물질	굴절률
A	1.33
B	2
C	1.5

04 그림 (가)는 단색광이 매질 A에서 B를 향해 입사할 때 전반사하는 모습이고, (나)는 매질 A에서 C를 향해 (가)와 동일한 입사각으로 입사할 때 경계면에서 빛의 일부는 반사하고 일부는 굴절하는 모습이다. 세 매질 A, B, C의 굴절률의 크기를 비교하여 부등호로 나타내시오.

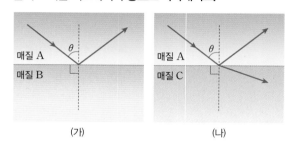

05 공기 중에서 유리로 만든 직각 프리즘의 한 변에 단색광이 수직으로 입사할 때 반사 또는 굴절되는 모습으로 옳은 것을 보기에서 있는 대로 고르시오. (단, 유리에서 공기로 향하는 단색광의 임계각은 약 42°이다.)

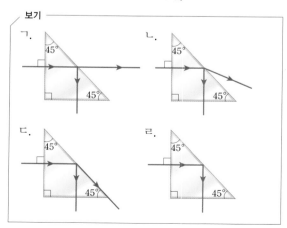

06 빛의 전반사 현상을 이용한 장치를 보기에서 있는 대로 고르시오.

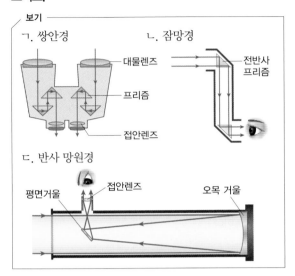

보기
ㄱ. 쌍안경
ㄴ. 잠망경
대물렌즈
프리즘
접안렌즈
전반사 프리즘
ㄷ. 반사 망원경
평면거울
접안렌즈
오목 거울

07 그림 (가)는 광섬유의 구조를 나타낸 것이고, (나)는 광섬유 속으로 입사한 레이저 빛이 A를 따라 진행하는 모습을 나타낸 것이다.

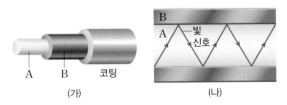

A B 코팅
(가)

B
A 빛 신호
(나)

(1) 위의 (가), (나)에 대한 설명으로 옳은 것을 보기에서 있는 대로 고르시오.

보기
ㄱ. A는 클래딩, B는 코어이다.
ㄴ. A는 투명한 물질이다.
ㄷ. (나)에서 빛은 전반사하며 진행한다.

(2) 굴절률은 A와 B 중 어떤 것이 더 큰지 쓰시오.

(3) $\dfrac{A의\ 굴절률}{B의\ 굴절률}$의 값이 클수록 A에서 B로 입사하는 빛의 임계각의 크기는 어떻게 되는지 쓰시오.

08 그림은 광통신 체계를 크게 송신부, 정보 채널, 수신부로 나누어 나타낸 것이다.

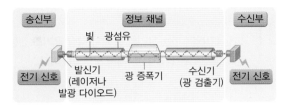

송신부 정보 채널 수신부
빛 광섬유
전기 신호 발신기 (레이저나 발광 다이오드) 광 증폭기 수신기 (광 검출기) 전기 신호

(1) 광통신은 빛의 어떤 성질을 이용한 것인가?

(2) 음성, 영상 등의 정보를 담은 전기 신호를 빛 신호로 변환하는 과정은 어느 부분에서 일어나는지 쓰시오.

(3) 빛 신호를 전기 신호로 변환한 후 음성, 영상 정보로 재생하는 과정은 어느 부분에서 일어나는지 쓰시오.

(4) 정보 채널 부분에서 빛 신호를 전달하는 장치와 약해진 빛 신호를 증폭하는 장치의 이름을 각각 쓰시오.

09 다음은 구리 도선을 이용한 통신 방법과 광섬유를 이용한 통신 방법을 비교하여 설명한 글이다. ㉠, ㉡에 들어갈 알맞은 말을 쓰시오.

(가)와 같은 구리 도선을 이용한 통신에서는 전류가 흐를 때 발생하는 열에 의해 에너지 손실이 발생한다. 따라서 멀리 전파될수록 전기 신호가 점점 감소하므로, 수 km 마다 증폭기가 필요하다. 그러나 (나)와 같은 광케이블을 이용한 통신에서 광섬유의 코어는 에너지 손실이 매우 (㉠). 따라서 증폭기를 설치하는 구간 사이의 거리가 구리 도선을 이용한 통신에 비해 더 (㉡).

(가) (나)

01 ▷ 전반사와 임계각
그림 (가)와 (나)는 유리와 물에서 각각 공기로 진행하는 단색광의 경로를 나타낸 것이다. 단색광의 굴절각은 (가)와 (나)에서 모두 **90°**이다.

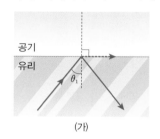
(가)

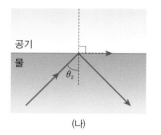
(나)

이에 대한 설명으로 옳은 것만을 보기에서 있는 대로 고른 것은? (단, $\theta_1 < \theta_2$이다.)

> 보기
> ㄱ. (가)에서 단색광의 입사각을 θ_1보다 크게 하면 전반사가 일어난다.
> ㄴ. (나)에서 단색광의 속력은 공기에서가 물에서보다 크다.
> ㄷ. 단색광을 물에서 유리로 입사시킬 때도 전반사가 일어날 수 있다.

① ㄱ　　　② ㄴ　　　③ ㄱ, ㄴ　　　④ ㄱ, ㄷ　　　⑤ ㄴ, ㄷ

- 물질에서 공기로 단색광이 입사할 때 임계각이 작을수록 물질의 굴절률이 크므로, 임계각으로 굴절률을 비교하여 전반사가 일어날 수 있는지 알아본다.

02 ▷ 임계각과 굴절률
그림은 매질 1에서 매질 2로 입사하는 빛의 입사각이 **60°**일 때 굴절각이 **90°**가 되는 경우를 나타낸 것이다.

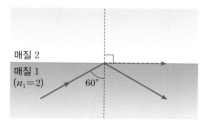

매질 1의 굴절률 n_1이 2일 때 매질 2의 굴절률 n_2는 얼마인가?

① 0.5　　　② 1　　　③ $\sqrt{2}$　　　④ $\sqrt{3}$　　　⑤ 2

- $n_1 \sin i_c = n_2 \sin 90°$의 식을 적용한다.

03 > 전반사의 이용

그림은 쌍안경과 잠망경에서 직각 프리즘을 이용하여 빛의 진행 경로를 바꾸는 모습을 나타낸 것이다.

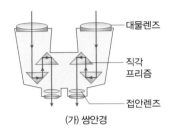

(가) 쌍안경

대물렌즈
직각
프리즘
접안렌즈

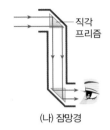

직각
프리즘

(나) 잠망경

이에 대한 설명으로 옳은 것만을 보기에서 있는 대로 고른 것은?

보기
ㄱ. 직각 프리즘으로 빛을 굴절시켜 빛의 진행 방향을 바꾼다.
ㄴ. 직각 프리즘 대신 거울을 이용하면 더 밝은 상을 얻을 수 있다.
ㄷ. 광섬유를 이용한 내시경도 같은 원리를 이용하여 빛의 진행 경로를 바꾼다.

① ㄱ   ② ㄴ   ③ ㄷ   ④ ㄱ, ㄴ   ⑤ ㄴ, ㄷ

- 직각 프리즘에 의해 빛의 진행 경로가 바뀌는 것은 전반사에 의한 것이다.

04 > 광섬유

그림 (가)는 빛이 물질 A, B, C를 통해 차례로 진행하는 모습을 나타낸 것이고, 그림 (나)는 클래딩과 코어로 이루어진 광섬유에서 빛이 전반사하며 진행하는 모습을 나타낸 것이다.

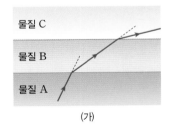

물질 C
물질 B
물질 A

(가)

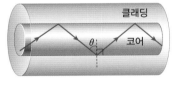

클래딩
코어
θ

(나)

이에 대한 설명으로 옳은 것만을 보기에서 있는 대로 고른 것은?

보기
ㄱ. (가)에서 빛의 속력은 물질 A에서 가장 빠르다.
ㄴ. (나)에서 θ는 임계각보다 크다.
ㄷ. 클래딩을 B로 만들었을 때 코어는 C로 만들어야 한다.

① ㄱ   ② ㄴ   ③ ㄷ   ④ ㄱ, ㄴ   ⑤ ㄴ, ㄷ

- 굴절률이 큰 매질에서 작은 매질로 빛이 입사하고, 입사각이 임계각보다 클 때 전반사한다.

05 > 광섬유

그림은 광섬유에서 단색광이 공기와 코어의 경계면에서 각 i로 입사하여 코어 내에서 전반사하며 진행하는 것을 나타낸 것이다. 코어와 클래딩의 굴절률은 각각 n_1, n_2이며, 코어와 클래딩 사이에서 전반사가 일어나는 i의 최댓값은 i_m이다.

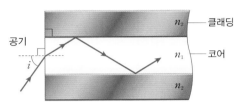

이에 대한 설명으로 옳은 것만을 보기에서 있는 대로 고른 것은?

보기
ㄱ. 단색광의 속력은 코어에서가 클래딩에서보다 작다.
ㄴ. n_1을 크게 하면 i_m은 커진다.
ㄷ. n_2를 작게 하면 i_m은 커진다.

① ㄱ   ② ㄱ, ㄴ   ③ ㄱ, ㄷ   ④ ㄴ, ㄷ   ⑤ ㄱ, ㄴ, ㄷ

• 클래딩에 대한 코어의 상대 굴절률이 클수록 코어와 클래딩 사이에서의 임계각이 작다.

06 > 광섬유

그림 (가)는 매질 A에 매질 B와 C로 만든 광섬유를 넣고 레이저 빛을 A와 B의 경계면에 입사각 θ로 입사시켰을 때 B와 C의 경계면에서 레이저 빛이 전반사하는 모습을 나타낸 것이다. 그림 (나)는 (가)에서 매질 A를 매질 D로 바꾸었을 때 동일한 레이저 빛이 B와 C의 경계면에서 굴절하는 모습을 나타낸 것이다.

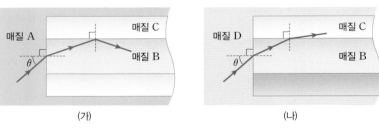

(가)   (나)

이에 대한 설명으로 옳은 것만을 보기에서 있는 대로 고른 것은?

보기
ㄱ. 레이저 빛의 속력은 A에서가 D에서보다 크다.
ㄴ. 굴절률은 B가 C보다 작다.
ㄷ. (나)에서 B에 입사하는 입사각을 θ보다 크고 90°보다 작게 하면, B와 C의 경계면에서 전반사가 일어난다.

① ㄱ   ② ㄴ   ③ ㄱ, ㄷ   ④ ㄴ, ㄷ   ⑤ ㄱ, ㄴ, ㄷ

• (나)에서 매질 B에 입사하는 빛의 입사각을 증가시키면 굴절각이 커지며, 매질 B와 C의 경계면에서 입사각은 작아진다.

그림은 광통신 과정을 나타낸 것이다.

송신부   정보 채널   수신부

광 증폭기

발신기   수신기

빛   광섬유

발신자   수신자

• 광 증폭기는 광섬유 내에서 약해 지는 빛 신호를 증폭한다.

이에 대한 설명으로 옳은 것만을 보기에서 있는 대로 고른 것은?

보기

ㄱ. 빛이 광섬유를 통해 먼 거리를 진행하면 빛의 세기가 약해진다.

ㄴ. 빛은 광섬유의 클래딩 속으로 진행한다.

ㄷ. 신호의 변환 단계는 빛 신호 → 전기 신호 → 빛 신호 과정을 거친다.

① ㄱ   ② ㄴ   ③ ㄱ, ㄷ   ④ ㄴ, ㄷ   ⑤ ㄱ, ㄴ, ㄷ

그림은 광섬유를 이용하는 광통신의 과정과 광섬유의 구조를 나타낸 것이다.

클래딩   코어

클래딩   코팅

코어

발신자 → 송신기 → 광섬유 → 수신기 → 수신자

• 광통신은 기존의 구리 도선을 이 용한 유선 통신보다 정보의 전송 용량이 크고 전송 거리가 매우 길다.

이에 대한 설명 중 옳은 것은?

① 구리 도선을 이용한 통신보다 증폭기를 설치하는 구간 사이의 거리가 짧다.

② 광섬유가 급격하게 휘어도 신호가 끊어지지 않는다.

③ 구리 도선을 이용한 통신보다 전달할 수 있는 정보의 양이 적다.

④ 잡음이나 혼선이 없고 도청이 어렵다.

⑤ 광섬유가 끊어져도 수리하기 쉽다.

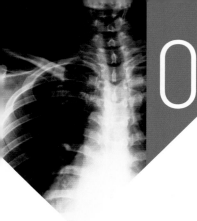

03 전자기파 스펙트럼

학습 Point   전자기파의 발생과 전파 〉 전자기파의 특징 〉 전자기파 스펙트럼 〉 전자기파의 이용

 전자기파

햇빛을 프리즘에 통과시키면 여러 가지 색깔의 빛으로 나누어지는 것을 볼 수 있는데, 이와 같은 빛은 눈으로 볼 수 있다고 하여 가시광선이라고 한다. 햇빛에는 가시광선 외에도 눈에 보이지 않는 적외선, 자외선 등이 포함되어 있다. 이 파동들은 휴대 전화에서 사용하는 것과 같은 종류의 파동으로, X선, 감마(γ)선과 더불어 전자기파에 속한다.

1. 전자기파의 발생과 전파

(1) **전자기파:** 공간의 한 곳에서 전기장의 변화가 일어나면 자기장이 발생하고 자기장의 변화가 일어나면 다시 전기장이 발생한다. 전기장의 변화와 자기장의 변화가 서로를 번갈아 유도하며 공간을 퍼져 나가는 파동을 전자기파라고 한다.

(2) **전자기파의 발생**

소리가 물체의 진동으로 발생하는 것과 유사하게 전자기파는 전하를 띤 입자의 진동으로 발생한다. 그림과 같이 수직으로 세워진 직선 안테나에서 전하가 아래 위로 가속 운동을 할 때 주위에 진동하는 전기장과 자기장이 생긴다. 전기력선이나 자기력선은 인접한 전기력선이나 자기력선을 서로 미는 성질을 가지고 있으므로, 계속해서 발생하는 전기장이나 자기장에 의해 먼저 발생한 전기장이나 자기장이 밀려서 주기적으로 진동하는 파동의 형태로 주위 공간 내에 퍼져 나간다.

안테나에서 전자기파가 퍼져 나가는 모습

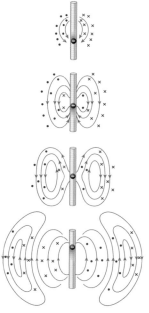

전기장은 폐곡선으로 표시하였고, 자기장은 종이면에 수직으로 들어가고(×) 나가는(·) 것으로 표시하였다.

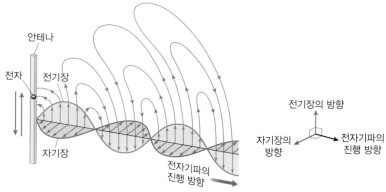

▲ **전자기파의 발생과 진행**

(3) **전자기파의 진행 방향:** 전자기파의 진행 방향과 전기장의 방향, 자기장의 방향은 그림과 같이 서로 수직이다. 전기장의 방향에서 자기장의 방향으로 오른나사를 돌릴 때 나사의 진행 방향이 전자기파의 진행 방향이다.

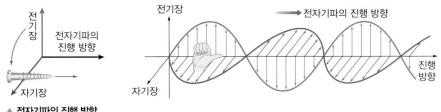

▲ 전자기파의 진행 방향

전자기파의 진행 방향을 찾는 방법
오른손을 이용해 전자기파의 진행 방향을 찾을 수도 있다. 오른손 네 손가락을 전기장에서 자기장 쪽으로 감아질 때 엄지손가락이 가리키는 방향이 전자기파의 진행 방향이다.

시야확장 ➕ 교류 회로를 이용한 전자기파의 발생

그림 (가)와 같이 축전기의 양 극판을 도선을 이용하여 교류 전원 장치에 연결하면 도선 내에 전자가 진동하면서 교류가 흐른다. 교류가 흐르는 도선 주위에 앙페르 법칙에 따라 자기장이 생기는데, 실제로 전류가 흐르지 않는 축전기의 양 극판 사이에도 자기장이 생긴다. 이는 축전기의 양 극판에서 충전과 방전이 반복되면서 극판 사이에 진동하는 전기장이 발생하는데, 이 진동하는 전기장이 도선에 흐르는 전류와 마찬가지로 자기장을 발생시킨다고 볼 수 있다. 이처럼 축전기 극판 사이로부터 진동하는 전기장과 자기장이 주위 공간으로 퍼져 나가는 현상이 전자기파가 발생하는 원리이다. 전하의 진동으로 발생된 전자기파의 진동수는 전하의 진동수와 같다. 안테나가 없는 교류 회로에서도 전자기파가 발생하지만, 안테나를 사용하면 더 강한 전자기파를 발생시킬 수 있다. 안테나는 그림 (다)와 같이 축전기의 양 극판을 벌린 것으로 생각할 수 있다.

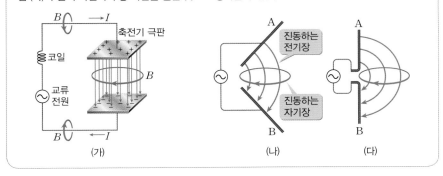

변위 전류
축전기에서 전류와 같은 효과를 내는 것은 전기장이 변하는 것이다. 맥스웰은 전류와 같은 효과를 내는 전기장의 변화율을 변위 전류라고 하였다.

2. 전자기파의 발견

(1) **전자기파의 존재 예측:** 1865년에 맥스웰은 전기장과 자기장의 성질을 기술한 방정식으로부터 전자기파의 존재를 예측했으며, 진공에서 전자기파의 속력이 빛의 속력과 같은 약 3×10^8 m/s라는 것을 계산하였다. 이를 근거로 빛도 일종의 전자기파라고 주장했다.

(2) **전자기파의 존재 확인:** 1886년에 헤르츠가 전자기파의 존재뿐만 아니라 전자기파의 성질이 빛의 성질과 같다는 것을 실험으로 확인했다.

시야확장 ➕ 전자기파의 존재를 확인한 헤르츠 실험

헤르츠는 유도 코일로 두 전극 사이에 고전압을 걸어 방전시켰더니 멀리 떨어진 곳에 있는 검출기에 불꽃이 튀는 것을 발견하였다. 이 현상은 두 전선 사이에서 방전이 일어날 때 전자가 가속 운동하면서 전자기파가 발생하고, 이 전자기파가 공기 중으로 퍼져 나가 검출기에서 다시 전기 방전을 일으킨 것이다.

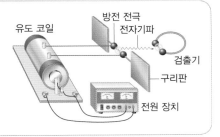

헤르츠 실험
헤르츠는 계속해서 전기 진동 회로에서 발생한 전자기파의 파장과 주파수를 측정하여 전자기파의 속력을 구한 결과 맥스웰의 예측대로 빛의 속력과 같음을 확인하였다. 이로써 빛은 공간에서 변하는 전기장과 자기장으로 전파되는 일종의 전자기파라는 것이 밝혀지게 되었다.

3. 전자기파의 특징

(1) 전자기파의 성질

① 전기장과 자기장의 진동 방향이 전자기파의 진행 방향과 수직이므로 횡파이다.

② 전자기파는 파동의 형태로 에너지를 전달하지만, 다른 파동과 달리 매질이 없어도 진행하는 파동이다.

③ 전자기파의 전파 속력은 진공에서 약 3×10^8 m/s로 빛의 속력과 같다.

④ 전자기파는 빛과 같이 반사, 굴절 등의 현상을 일으키며, 파장이 짧을수록 직진성이 강하고 파장이 길수록 회절이 잘 일어난다.

(2) 전자기파의 파장과 진동수: 전자기파는 진공에서 파장에 관계없이 모두 빛의 속력과 같은 약 3×10^8 m/s의 속력으로 진행한다. 따라서 빛의 속력을 c라고 할 때 전자기파의 진동수 f와 파장 λ 사이에는 다음의 관계가 성립한다.

$$c = f\lambda$$

(3) 전자기파가 전달하는 에너지: 다른 조건이 같다면 진동수가 클수록(파장이 짧을수록) 에너지가 크다.

진공 속에서의 전자기파의 속력

진공 속에서의 전자기파의 속력, 즉 광속 c는 다음과 같다.
$$c = 299792458 \text{ m/s}$$

② 전자기파의 종류와 이용

전자기파는 우리 생활에 다양하게 이용된다. 가시광선을 이용해 사물을 보고, 마이크로파를 이용해 휴대 전화 통신을 하거나 음식을 데운다. 또, 적외선과 X선, 감마(γ)선 등을 이용해 질병의 진단과 치료를 하며, 자외선을 이용해 의료 기구를 소독하기도 한다.

1. 전자기파의 종류

전자기파는 파장에 따라 다른 성질을 갖는다. 따라서 진공에서의 파장 또는 진동수에 따라 비슷한 성질을 가진 구간을 정하여 전자기파를 분류하여 나타내는데, 이것을 전자기파 스펙트럼이라고 한다. 우리 눈으로 볼 수 있는 가시광선의 파장은 약 380 nm~750 nm이며, 가시광선보다 파장이 짧거나 길면 눈으로 볼 수 없다. 전자기파는 그림과 같이 파장이 긴 영역부터 전파(라디오파, 마이크로파), 적외선, 가시광선, 자외선, X선, 감마(γ)선으로 구분한다.

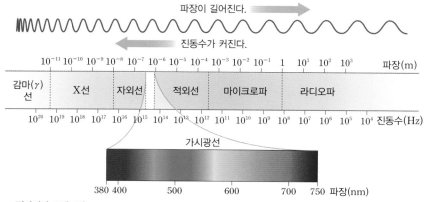

▲ 전자기파 스펙트럼

전자기파 스펙트럼의 영역

한 종류의 전자기파 스펙트럼 영역과 그 다음 영역을 정확하게 구분하는 파장 값은 존재하지 않는다. 전자기파 스펙트럼에서 전자기파의 영역은 서로 겹치기도 한다. 이렇게 2가지 영역이 겹치는 경우 전자기파에 붙이는 이름은 이 전자기파가 어떻게 만들어지는지에 달려 있다.

2. 전자기파의 이용

(1) **전파**: 마이크로파와 라디오파를 포함한 영역의 전자기파를 전파라고 한다.

① 라디오파: 파장이 가장 긴 영역의 전자기파이다.

- 파장이 1 m~100 km 정도이며, 전기 진동 회로에서 발생한다.
- 파장이 길어 회절이 잘 일어나 멀리까지 전파되므로, 라디오, 텔레비전 방송을 포함한 무선 통신에 사용된다.

② 마이크로파: 파장이 라디오파보다 짧은 전파이다.

- 파장이 1 mm~1 m 정도이며, 전기 기구에서 전자의 진동에 의해 발생한다.
- 라디오파보다 파장이 짧아 회절 현상이 덜 일어나지만, 진동수가 커서 많은 양의 정보를 보낼 수 있으므로 휴대 전화의 통신 등에 이용된다.
- 마이크로파의 진동수에 따라 전자레인지, 휴대 전화 및 무선 랜 등에 사용되며, 선박과 항공기 운항을 추적하거나 기상 관측에 필요한 레이더와 위성 통신에도 사용된다.
- 전자레인지에 사용되는 파장 12.2 cm, 진동수 2.45 GHz인 마이크로파는 물 분자의 고유 진동수와 같다. 따라서 수분이 있는 음식에 쪼이면 물 분자가 같이 진동하면서 열이 발생하여 음식을 가열할 수 있다.

▲ 전파 망원경

▲ 기상 레이더

▲ 전자레인지

시야확장 ➕ 전자레인지의 원리

전자레인지에서는 마그네트론이라는 발진기에서 마이크로파가 발생한다. 마그네트론 중심부의 음극이 가열되면 전자가 방출되어 원형 바깥쪽의 양극으로 끌려간다. 이때 윗방향의 강한 자기장을 걸어 주면 전자가 바깥쪽으로 이동하면서 회전한다. 전자의 회전은 가속 운동에 해당하므로 전기장과 자기장의 변화로 전자기파가 발생하는데, 이때 발생하는 전자기파가 마이크로파이다.

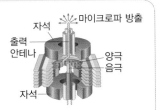
▲ 마그네트론

전자레인지가 음식물을 가열할 수 있는 것은 물 분자가 극성을 띠고 있기 때문이다. 물 분자에서 수소 원자가 있는 쪽은 (+)전하를 띠고, 산소 원자가 있는 쪽은 (−)전하를 띤다. 액체 상태의 물 분자들은 방향이 제멋대로이고 유동적이지만, 물을 강한 전기장 속에 넣으면 물 분자의 수소 원자가 있는 쪽이 전기장의 방향을 향하도록 회전한다. 그림과 같이 전기장 방향이 주기적으로 바뀌면 물 분자들도 계속 방향을 바꾸게 되어 물 분자의 운동 에너지가 증가하고, 주변의 분자에도 이 에너지가 전달되어 음식물의 온도가 높아진다.

▲ 전기장 속의 물 분자

전파의 발견

헤르츠의 실험으로 발견된 전파는 1895년 이탈리아의 마르코니(Marconi, M. G., 1874~1937)에 의한 무선 통신의 성공으로 실용화되기 시작하였다.

회절

파동이 장애물을 만났을 때 모서리에서 휘어져 장애물 뒤쪽으로 퍼져 나가거나 좁은 틈을 통과하여 퍼져 나가는 현상으로, 파장이 길수록 잘 일어난다. 건물 또는 산과 같은 장애물이 있을 때 파장이 긴 AM 라디오 전파가 파장이 짧은 FM 라디오 전파보다 구석구석 전파되어 수신이 잘 된다.

휴대 전화에서 사용하는 마이크로파

- 음성 통화(LTE; Long Term Evolution): 850 MHz~2100 MHz
- 와이파이: 약 2.4 GHz, 5 GHz
- 블루투스: 약 2.4 GHz
- 위성 위치 확인 시스템(GPS): 1.17 GHz, 1.22 GHz, 1.57 GHz

레이더

강력한 전파(마이크로파)를 방출하여, 그 전파가 물체에서 반사되어 되돌아오는 반향파를 수신하여 물체의 위치나 속도 등을 파악하는 장치이다.

전자레인지의 발견

전자레인지는 2차 세계대전이 끝난 직후 미국의 퍼시 스펜서란 사람이 발명하였다. 당시에 마이크로파를 군사용 레이더에 이용하였는데 스펜서가 마이크로파 발생 장치인 마그네트론 옆에 있을 때 바지 주머니의 초콜릿이 녹아 버리는 것을 발견하였다. 이를 계기로 전자레인지에 대한 아이디어를 얻었고, 1947년, '레이더레인지(Radarange)'라는 이름의 첫 전자레인지가 탄생했다.

(2) **적외선**: 가시광선의 빨간색 빛보다 파장이 긴 전자기파이다.

① 파장이 750 nm~1 mm 정도이며, 원자 내 들뜬상태에 있던 전자가 낮은 궤도로 전이하면서 발생한다. 뜨거운 물체에서의 열복사나 태양 광선 속에 많이 포함되어 있다.

② 대부분 복사로 전달되는 열이 적외선에 해당되며, 물체에 흡수되어 온도를 높이는 열작용을 하므로 열선이라고 한다.

③ 물체에서 방출되는 적외선을 사진기에 이용하면 온도를 재거나 사진 촬영을 할 수 있으므로 적외선 온도계나 열화상 카메라 등에 활용된다. 또, 열 치료기, 리모컨 등에도 사용된다.

▲ 적외선 온도계

▲ 열화상 카메라

▲ 열 치료기

(3) **가시광선**: 사람이 눈을 통해 인식할 수 있는 전자기파로, 흔히 빛이라고 부른다.

① 파장이 380 nm~750 nm 정도이며, 원자 내 들뜬상태에 있던 전자가 낮은 궤도로 전이하면서 발생한다. 태양과 전구 등에서 방출된다.

② 파장에 따라 사람의 눈에 다른 색으로 보인다. 보라색 빛의 파장이 가장 짧으며 빨간색 빛의 파장이 가장 길다.

③ 식물의 광합성뿐만 아니라 영상 장치, 레이저, 광학 기기에서 이용된다.

(4) **자외선**: 가시광선의 보라색 빛보다 파장이 짧은 전자기파이다.

① 파장이 약 10 nm~380 nm 정도이며, 원자 내 들뜬상태에 있던 전자가 낮은 궤도로 전이할 때 발생하고, 매우 뜨거운 물체 또는 특수 전등에서 방출된다. 태양 광선이나 수은등의 빛 속에도 포함되어 있다.

② 원자나 분자에 흡수되어 전리시키는 작용이 강해 물질의 화학 변화를 일으키기 쉽고, 물체를 변색시키거나 피부를 검게 만든다. 강한 자외선에 오래 노출되면 피부암에 걸릴 위험이 있으나, 자외선은 인체에서 비타민 D의 합성을 도와주므로 적절하게 쪼여야 한다.

③ 세균의 단백질 합성을 방해하여 살균 작용을 하므로 식기 소독기나 의료 기구 소독 등에 사용되며, 물질 속에 포함된 형광 물질에 흡수되면 가시광선을 방출하는 형광 작용을 하여 위조지폐 감별에도 사용된다. 또, 치과에서 레진을 굳힐 때도 이용된다.

▲ 위조지폐 감별

▲ 의료 기구 소독

▲ 레진을 굳힐 때

적외선의 발견
적외선의 존재는 1800년에 허셸이 가시광선 스펙트럼의 빨간색 바깥 부분에서 온도계의 온도가 상승하는 것을 발견함에 따라 알게 되었다.

열화상 카메라
물체의 표면으로부터 복사되는 열에너지를 시각적으로 보여 주는 장비로, 표면 온도에 따라 각각 다른 색으로 표현한다. 열화상 카메라는 물체에 접촉하지 않고도 온도를 측정할 수 있을 뿐만 아니라 대상 전체의 온도 분포를 알 수 있어, 질병을 진단하거나 산업 현장에서 기계의 과열 부위를 쉽게 파악할 수 있다. 또, 방범용 CCTV의 야간 촬영에 이용되기도 한다.

가시광선의 파장과 색깔

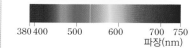

사람의 눈은 파장에 따라 반응 정도가 다른데 약 560 nm(노란색~초록색)의 파장대에서 가장 민감하다.

자외선의 발견
자외선의 존재는 1801년에 리커가 염화은의 흑화 현상을 연구하던 중에 보라색의 바깥 부분에서 강한 효과가 있음을 발견하여 알게 되었다.

레진
치아의 손실된 부분을 메꿀 때 쓰는 재료

(5) **X선**: 자외선보다 파장이 짧고 감마(γ)선보다 파장이 긴 전자기파이다.

① 파장이 0.01 nm~10 nm 정도이며, 고속의 전자를 금속박에 충돌시킬 때 전자의 감속 때문에 발생한다. 원자 내 에너지 준위 간에 전자가 전이할 때도 발생한다.

② 투과력이 강해 인체 내부의 모습이나 물질의 내부 구조를 파악하는 데 이용된다.

③ 진동수가 큰 X선은 매우 큰 에너지를 가지고 있어 생체 조직을 파괴하거나 손상을 주기 때문에 불필요한 과다 노출을 피해야 한다.

④ X선 사진, 컴퓨터 단층(CT) 촬영, 공항의 수하물 검사, 예술 사진 등에 이용되며, 고체 결정 구조를 연구하는 데 사용된다.

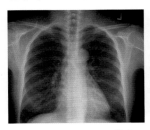  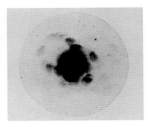

▲ X선을 이용한 인체 내부 촬영   ▲ X선을 이용한 수하물 검사   ▲ X선 회절 무늬로 고체 결정 연구

(6) **감마(γ)선**: 전자기파 중에서 파장이 가장 짧으며, 진동수와 에너지가 가장 크다.

① 파장이 0.01 nm 이하이며, 방사성 동위원소들이 핵반응을 할 때 방출된다.

② 투과력이 매우 강하여 감마(γ)선을 쪼인 생명체는 심각한 손상을 입는다. 화상뿐만 아니라 유전자 변형 또는 암이 발생할 수 있고 심하면 사망할 수 있다.

③ 감마(γ)선의 세기를 조절하여 항암 치료에 사용하거나 감마선 망원경, 비파괴 검사, 품종 개량 등에 이용된다.

시야확장 ➕ 전자기파의 발생 방법

교류 회로를 이용한 전기 진동으로 발생시키는 전자기파는 진동수가 10^{12} Hz 이내의 전파 영역이며, 그보다 큰 진동수를 가지는 전자기파는 전기 진동으로 발생시키기 어렵다.

원자 내의 원자핵 주위를 돌고 있는 전자가 높은 에너지 상태에서 낮은 에너지 상태로 될 때 방출하는 빛의 형태로 전자기파를 얻을 수 있는데, 이때 발생하는 전자기파는 진동수가 10^{12}~10^{20} Hz인 영역으로 적외선, 가시광선, 자외선, X선이 이에 속한다(X선은 음극의 필라멘트에서 발생한 전자를 가속시켜 고속으로 금속판에 충돌시키는 방법에 의해서도 발생시킬 수 있다.).

이와 같은 방법으로도 진동수가 10^{20} Hz 이상인 전자기파는 발생시킬 수 없다. 그 이상의 전자기파는 붕괴한 원자핵이 불안정한 상태에서 보다 안정한 상태로 되면서 방출되어 나오는 감마(γ)선의 형태로 얻을 수 있다. 또, 입자 가속기에 의한 넓은 영역의 전자기파도 얻을 수 있다.

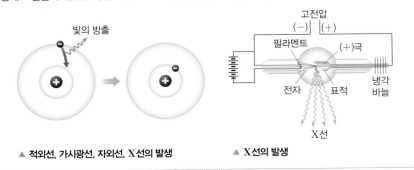

▲ 적외선, 가시광선, 자외선, X선의 발생   ▲ X선의 발생

X선의 발견

1895년에 뢴트겐은 실험실에서 검은 종이로 가려진 음극선관으로 실험을 하던 중 옆에 놓여 있던 감광 종이의 색이 변한 것을 관찰하게 되면서 X선을 발견하였다. 그는 최초로 자신의 부인의 손을 X선으로 찍는 데 성공하였다.

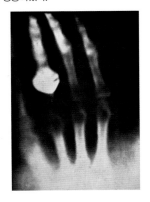

감마(γ)선의 발견

감마(γ)선은 1900년에 빌라드의 우라늄 연구를 통해 확인되었다.

감마(γ)선의 투과력

에너지가 커서 물질(진흙 9 cm, 콘크리트 6 cm, 납 1 cm)을 쉽게 투과할 수 있다.

감마(γ)선 치료 장비의 구조

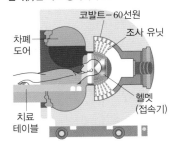

맥스웰 방정식과 전자기파 차폐

맥스웰은 패러데이가 발견한 실험의 이론적 기초를 세우는 데 그의 짧은 생애의 대부분을 보냈다. 변위 전류 개념을 발견한 맥스웰에 의해 정리된 4개의 방정식을 맥스웰의 전자기 방정식이라고 한다. 맥스웰이 이들 방정식을 발견한 것은 아니지만 그들의 의미를 인식하고 설명하면서 특히 전자기파의 존재를 예언하였다.

❶ 맥스웰 방정식

번호	방정식		의미
(1)	전기에 대한 가우스 법칙	$\oint E \cdot ds = \dfrac{q}{\varepsilon_0}$	알짜 전하에 의한 전기 선속
(2)	자기에 대한 가우스 법칙	$\oint B \cdot ds = 0$	알짜 자하에 의한 자기 선속
(3)	패러데이 법칙	$\oint E \cdot dl = -\dfrac{d\Phi_B}{dt}$	자기장의 변화에 의한 전기장의 유도
(4)	맥스웰·앙페르 법칙	$\oint B \cdot dl = \mu_0 \varepsilon_0 \dfrac{d\Phi_E}{dt} + \mu_0 I$	전기장의 변화와 전류에 의한 자기장의 유도

> **선속(flux)**
> 선속은 면적을 수직으로 통과하는 전기력선 또는 자기력선의 총수를 나타내는 척도이다.
> 면적 A를 통과하는 자기 선속은 다음과 같이 정의한다.
> $$\Phi_B = \int \vec{B} \cdot d\vec{A}$$

(1) 전기에 대한 가우스 법칙으로 폐곡면에서 E의 면적 적분의 식이다. 즉, 폐곡면을 지나는 전기 선속은 그 폐곡면 안에 들어 있는 알짜 전하 q에 비례한다. 이것은 전기력선은 (+)전하에서 시작되고 (−)전하에서 끝나며, 고립된 전하(전자나 양성자)가 존재한다는 것을 의미한다.

(2) 자기에 대한 가우스 법칙으로 폐곡면에서 B의 면적 적분의 식이다. 즉, 폐곡면을 지나는 자기 선속은 항상 0이다. 이것은 자기력선은 항상 폐곡선을 이루며, 고립된 자극(자기 홀극)이 존재하지 않는다는 것을 의미한다.

전기력선

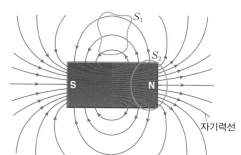

자기력선

> 전기력선은 (+)전하에서 시작되므로, 전하 q를 둘러싼 폐곡면을 통과하여 나오는 전기력선의 총 개수는 폐곡면을 어떻게 그리는지에 관계없이 항상 같으며, 폐곡면 안의 전하량에 비례한다.

> 자기력선은 폐곡선을 이루므로, 임의의 폐곡면을 통과하는 알짜 자기력선의 총 개수는 폐곡면을 어떻게 그리는지에 관계없이 항상 0이다.

(3) 패러데이 법칙으로, 폐곡선상에서 E의 선적분의 식이다. 자기장의 시간적 변화가 전기장을 유도한다는 것을 의미한다.

(4) 맥스웰·앙페르 법칙으로, 폐곡선상에서 B의 선적분의 식이다. 전기장의 시간적 변화(변위 전류)와 전류가 자기장을 유도한다는 것을 의미한다.

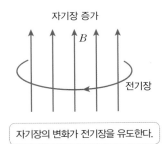

자기장 증가

B

전기장

자기장의 변화가 전기장을 유도한다.

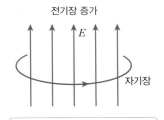

전기장 증가

E

자기장

전기장의 변화가 자기장을 유도한다.

❷ 전자기파 차폐

휴대 전화를 알루미늄 포일로 두세 겹으로 싸고 다른 전화기로 이 휴대 전화에 전화를 걸면 신호가 가지 않는다. 또, 특별한 장치가 없다면 일반적으로 엘리베이터 안에서는 휴대 전화 통화가 잘되지 않는다. 따라서 전자기파를 차폐하는 가장 기본적인 방법 중의 하나는 금속으로 된 상자를 만드는 것이다.

금속에 전자기파가 입사되면 금속의 자유 전자는 질량이 작으므로 민감하게 반응하여 전기장과 반대 방향의 힘을 받아 가속도 운동을 한다. 전자기파의 전기장은 주기적으로 크기와 방향이 변하므로 전자는 전기장의 변화에 따라서 같은 주기의 진동을 하게 된다. 전자가 진동하면 전자기파가 발생하며, 입사파와 반대 방향으로 방출되는 전자기파

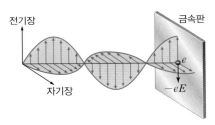

전기장

자기장

금속판

e

$-eE$

▲ **전자기파와 자유 전자**

가 반사파이다. 이와 같이 전자기파가 금속판에 의해 반사되며, 자유 전자의 진동에 의해 생긴 전기장이 전자기파의 전기장을 거부하여 금속 내부에 전기장이 거의 들어오지 않게 된다.

전자기파 차폐의 예로 전자레인지에서 금속판과 금속망을 사용하는 것을 들 수 있다. 마이크로파가 전자레인지 밖으로 나온다면 사람 몸속의 물 분자에 흡수되어 온도를 높여 위험해질 것이다. 따라서 전자레인지에는 마이크로파가 밖으로 나오지 않도록 하기 위해 몸체는 금속 상자로 만들고 문에 금속 철망을 설치한다. 마이크로파는 완전한 금속판이 아니라 조밀한 금속망 정도라도

투과하지 못한다. 금속망의 조밀한 정도가 작을수록 파장이 긴 전파는 금속망을 빠져나오기 어렵다.(파장이 짧은 가시광선은 빠져나올 수 있다). 이 사실은 전자레인지 안에 휴대 전화를 넣어 놓고 바깥에서 다른 전화기로 전화를 걸면 신호가 가지 않는다는 사실로도 확인할 수 있다. 이때 전자레인지 안에 휴대 전화를 넣어 둔 상태로 실수로 작동 버튼을 누르지 않도록 각별히 주의해야 한다.

금속망

금속판

▲ **전자레인지에서 금속판과 금속망에 의한 전자기파 차폐**

03 전자기파 스펙트럼

① 전자기파

1. **전자기파**   전기장의 변화와 (❶   )의 변화가 서로를 번갈아 유도하며 공간을 퍼져 나가는 파동
- 전자기파의 발생: (❷   )를 띤 입자의 진동으로 발생한다.
- 전자기파의 진행: 전자기파의 진행 방향과 전기장, 자기장의 방향은 각각 서로 (❸   )이다.

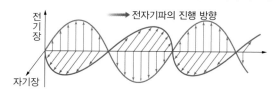

- 전자기파의 발견: 맥스웰이 전기장과 자기장의 성질을 기술한 방정식으로부터 전자기파의 존재를 예측 하였으며, 헤르츠가 전자기파의 존재를 실험으로 확인하였다.

2. **전자기파의 성질**
- 전자기파는 전기장과 자기장의 진동 방향이 전자기파의 진행 방향과 수직이므로 (❹   )이다.
- 전자기파는 매질이 없어도 진행하는 파동이다.
- 전자기파는 진공에서 파장에 관계없이 모두 (❺   )의 속력과 같은 속력으로 진행하므로, 전자기파의 속력은 진공에서 약 3×10^8 m/s이다.
- 전자기파는 빛과 같이 반사, 굴절 등의 현상을 일으킨다.

3. **전자기파의 파장과 진동수**
- 빛의 속력을 c, 전자기파의 진동수를 f, 파장을 λ라고 할 때 $c = (❻   )$이다.
- 다른 조건이 같을 때 진동수가 클수록 전자기파의 에너지가 크다.

② 전자기파의 종류와 이용

1. **전자기파의 종류**   파장 또는 진동수에 따라 구분하며, 파장이 긴 영역부터 전파(라디오파, 마이크로파), (❼   ), 가시광선, (❽   ), X선, 감마(γ)선으로 나뉜다.

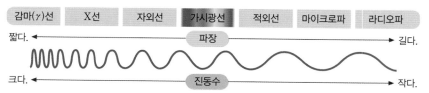

2. **전자기파의 이용**
- 라디오파: 파장이 가장 긴 전자기파로, 주로 라디오, 텔레비전 방송 등을 포함한 무선 통신에 사용된다.
- (❾   ): 휴대 전화의 통신, 전자레인지, 레이더에 사용된다.
- 적외선: 열작용을 하며, 적외선 온도계, 열 치료기, 리모컨, 열화상 카메라 등에 사용된다.
- 가시광선: 눈으로 볼 수 있으며, 조명이나 영상 장치 등에 사용된다.
- 자외선: (❿   ) 작용을 하여 소독기에 쓰이고 형광 작용을 하여 위조지폐 감별에 사용된다.
- X선: (⓫   )력이 있어 인체 내부 사진, 공항의 수하물 검사, 물질의 내부 구조 조사 등에 사용된다.
- 감마(γ)선: 전자기파 중에서 에너지가 가장 크고 투과력이 매우 크다. 항암 치료 등에 사용된다.

01 다음은 어떤 파동에 대한 설명이다.

> • 전하를 띤 입자의 진동으로 발생한다.
> • 전기장의 변화와 자기장의 변화가 서로를 유도하며 공간을 퍼져 나간다.
> • 사람이 눈으로 볼 수 있는 빛도 이 파동에 속한다.

(1) 이 파동의 이름을 쓰시오.

(2) 이 파동의 성질에 대한 설명으로 옳은 것만을 보기에서 있는 대로 고르시오.

> 보기
> ㄱ. 횡파이다.
> ㄴ. 매질이 없어도 진행한다.
> ㄷ. 진공에서의 속력은 진동수가 클수록 빠르다.
> ㄹ. 반사, 굴절, 회절, 간섭 현상을 일으킨다.

02 그림은 진공에서 진행하는 전자기파의 모습을 나타낸 것이다.

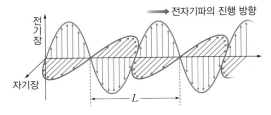

(1) 전기장과 자기장의 진동 방향이 전자기파의 진행 방향과 이루는 각은 몇 °인지 쓰시오.

(2) 이에 대한 설명으로 옳은 것만을 보기에서 있는 대로 고르시오. (단, 진공에서 빛의 속력은 c이다.)

> 보기
> ㄱ. 이 전자기파의 파장은 $\dfrac{L}{2}$이다.
> ㄴ. 이 전자기파의 진동수는 $\dfrac{c}{L}$이다.
> ㄷ. L이 클수록 회절이 잘 일어난다.

03 그림은 전자기파를 어떤 물리량의 크기 순서대로 나타낸 것이다.

| 감마(γ)선 | A | 자외선 | 가시광선 | B | 마이크로파 | 라디오파 |

(크다.) ◀──────── 물리량 ────────▶ (작다.)

(1) 위의 물리량이 무엇인지 쓰시오.

(2) A, B에 알맞은 전자기파의 종류를 쓰시오.

(3) 같은 조건일 때 에너지가 가장 큰 전자기파를 쓰시오.

04 그림 (가)~(다)는 전자기파를 이용하는 예를 나타낸 것이다. (가)~(다)에 사용된 전자기파의 이름을 각각 쓰시오.

(가) 열화상 카메라　　(나) 식기 소독기　　(다) 리모컨

05 다음은 세 가지 전자기파 (가), (나), (다)에 대한 설명이다.

> (가) 햇빛을 프리즘으로 분산시켰을 때 빨간색 바깥쪽에 나타난다.
> (나) 휴대 전화의 통신에 사용되며, 통신사마다 다른 주파수 대역을 사용한다.
> (다) 전자기파 중에서 파장이 가장 짧고 투과력이 매우 강하다.

(1) 물체의 온도를 측정하는 데 이용되는 전자기파의 기호를 쓰시오.

(2) 전자레인지에 사용되는 것과 같은 종류의 전자기파의 기호를 쓰시오.

(3) 항암 치료에 사용되는 전자기파의 기호를 쓰시오.

01 ▶ 전자기파

그림은 어느 순간에 진공 중에서 진행하는 전자기파의 전기장과 자기장을 나타낸 것이다. 전자기파의 진행 방향은 z 방향이며, 원형 도선 면은 xz 평면상에 있다.

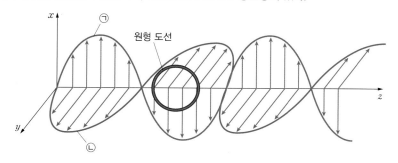

이에 대한 설명으로 옳은 것만을 보기에서 있는 대로 고른 것은?

> 보기

ㄱ. ㉠은 전기장, ㉡은 자기장이다.

ㄴ. 전기장의 세기가 최대인 지점에서 자기장의 세기도 최대이다.

ㄷ. 원형 도선에는 유도 전류가 발생한다.

① ㄱ   ② ㄷ   ③ ㄱ, ㄴ   ④ ㄴ, ㄷ   ⑤ ㄱ, ㄴ, ㄷ

• 전기장 방향에서 자기장 방향으로 오른나사를 돌릴 때 나사의 진행 방향이 전자기파의 진행 방향이다.

02 ▶ 전자기파 스펙트럼

그림은 전자기파 스펙트럼에 대하여 학생 A, B, C가 대화하는 모습을 나타낸 것이다.

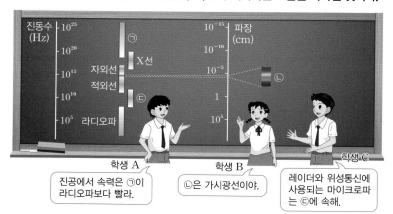

설명하는 내용이 옳은 학생만을 있는 대로 고른 것은?

① A   ② B   ③ A, C   ④ B, C   ⑤ A, B, C

• 전자기파의 진동수와 파장의 곱은 빛의 속력과 같다.

$$c = f\lambda$$

03

> 전자기파의 이용

그림 (가)~(다)는 여러 전자기파를 이용하는 예를 나타낸 것이다.

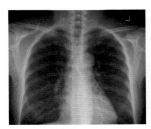
(가) 흉부 사진

(나) 전자레인지

(다) 라디오

이에 대한 설명으로 옳은 것만을 보기에서 있는 대로 고른 것은?

보기

ㄱ. (가)에 이용된 전자기파는 투과력이 강해서 공항의 수하물 검사에도 사용된다.

ㄴ. (나)에 이용된 전자기파는 물체에 흡수되어 온도를 높이는 열작용을 하므로 열선이라고 한다.

ㄷ. (다)에 이용된 전자기파는 마이크로파보다 같은 시간에 더 많은 정보를 전달할 수 있다.

① ㄱ   ② ㄴ   ③ ㄷ   ④ ㄱ, ㄴ   ⑤ ㄴ, ㄷ

• 진동수가 클수록 같은 시간에 많은 정보를 전달할 수 있다.

04

> 전자기파의 이용

그림은 전자기파를 파장에 따라 분류하여 나타낸 것이다.

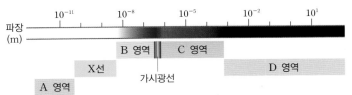

파장 (m)

10^{-11} 10^{-8} 10^{-5} 10^{-2} 10^{1}

B 영역   C 영역

X선

가시광선

D 영역

A 영역

이에 대한 설명으로 옳은 것만을 보기에서 있는 대로 고른 것은?

보기

ㄱ. 형광 작용이 있어 위조지폐 감별에 이용하는 전자기파는 A에 속한다.

ㄴ. 방범용 CCTV가 밤에 녹화할 때 이용하는 전자기파는 C에 속한다.

ㄷ. 전자레인지에서 이용하는 전자기파는 D에 속한다.

① ㄱ   ② ㄴ   ③ ㄷ   ④ ㄱ, ㄴ   ⑤ ㄴ, ㄷ

• 방범용 CCTV는 낮에는 사물에서 반사되는 가시광선을 이용하여 녹화를 하고, 밤에는 적외선을 이용하여 녹화를 한다.

04 파동의 간섭

학습 Point 중첩 원리, 파동의 독립성 〉 보강 간섭, 상쇄 간섭 〉 소리의 간섭의 활용 〉 빛의 간섭의 활용

파동의 간섭

　　두 야구공이 서로 충돌하면 충돌 전후 두 공의 속력과 운동 방향이 달라진다. 그러나 물결파는 동심원을 그리며 퍼져 나가다 다른 물결파와 만나면 서로 겹쳐지며, 겹쳐진 후에는 다시 원래의 모양이 되어 진행한다. 이처럼 파동이 겹쳐지는 현상과 겹쳐지더라도 서로에게 영향을 미치지 않는 현상은 입자와 구별되는 파동의 중요한 성질이다.

1. 파동의 중첩과 독립성

⑴ **중첩과 합성파:** 두 입자는 동시에 같은 위치에 존재할 수 없지만, 파동은 입자와 달리 여러 파동이 동시에 같은 위치에 존재할 수 있다. 이처럼 여러 개의 파동이 동시에 한 지점에서 겹쳐지는 현상을 중첩이라고 하며, 중첩한 결과 만들어지는 파동을 합성파라고 한다.

⑵ **중첩 원리:** 합성파의 변위는 그 점을 지나는 각각의 파동의 변위를 더한 것과 같은데, 이를 중첩 원리라고 한다. 그림에서 파동 A의 변위를 y_1, 파동 B의 변위를 y_2라고 하면, 두 파동이 중첩되었을 때 합성파의 변위는 두 파동의 변위의 합 $y_1 + y_2$와 같다.

⑶ **파동의 독립성:** 두 입자가 충돌하는 경우 각 입자의 운동 상태는 충돌 전과 충돌 후가 다르다. 그러나 파동은 입자와 달리 서로 중첩되는 동안은 파동의 모양이 변하지만, 중첩 후에는 서로 다른 파동에 아무런 영향을 주지 않고 본래 파동의 모양을 그대로 유지하면서 진행한다. 이와 같은 파동의 성질을 파동의 독립성이라고 한다.

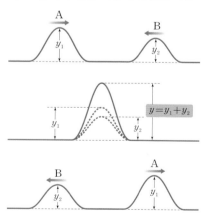

▲ **변위의 방향이 같은 두 펄스가 중첩될 때** $y_1 > 0$이고 $y_2 > 0$인 두 펄스가 중첩되면 합성파의 변위 y는 중첩 전보다 커지며, 중첩 후에는 원래의 파형을 유지하며 진행한다.

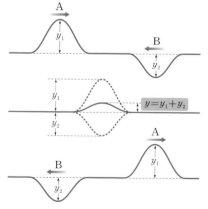

▲ **변위의 방향이 반대인 두 펄스가 중첩될 때** $y_1 > 0$이고 $y_2 < 0$인 두 펄스가 중첩되면 합성파의 변위 y가 중첩 전보다 작아지며, 중첩 후에는 원래의 파형을 유지하며 진행한다.

위상
진동이나 파동과 같이 주기적으로 반복되는 현상에서, 한 주기 내에서 매질의 각 점의 운동 상태를 나타내는 물리량이 위상이다. 즉, 진동수와 진폭이 일정한 파동이 전파될 때 위상이 같은 두 지점은 매질의 변위와 운동 상태가 동일하다. 마루와 마루는 위상이 같고, 마루와 골은 위상이 반대이다.

2. 파동의 간섭

(1) **파동의 간섭:** 두 파동이 진행하며 중첩될 때 합성파는 진폭이 커지기도 하고, 작아지기도 한다. 이와 같이 둘 이상의 파동이 중첩되어 합성파의 진폭이 변하는 현상을 파동의 간섭이라고 한다.

① **보강 간섭:** 두 파동의 마루와 마루, 골과 골이 만날 때와 같이, 두 파동이 같은 위상으로 중첩될 때 합성파의 진폭이 커지는 간섭을 보강 간섭이라고 한다.

② **상쇄 간섭:** 두 파동의 마루와 골, 골과 마루가 만날 때와 같이, 두 파동이 반대 위상으로 중첩될 때 합성파의 진폭이 작아지는 간섭을 상쇄 간섭이라고 한다.

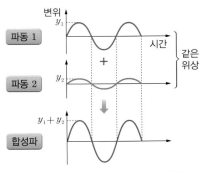

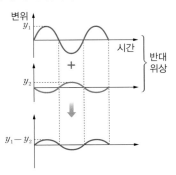

▲ **보강 간섭** 진동수가 같고 진폭이 y_1, y_2인 두 파동이 같은 위상으로 중첩되면, 합성파의 진폭은 y_1+y_2가 된다.

▲ **상쇄 간섭** 진동수가 같고 진폭이 y_1, y_2인 두 파동이 반대 위상으로 중첩되면, 합성파의 진폭은 y_1-y_2가 된다.

진폭이 같은 두 파동의 간섭
진동수와 진폭이 같은 두 파동이 보강 간섭을 하는 경우에 합성파의 진폭은 2배가 되며, 상쇄 간섭을 하는 경우에 합성파의 진폭은 0이 된다.

(2) **물결파의 간섭:** 두 점파원 S_1, S_2에서 진동수와 진폭이 같은 물결파가 같은 위상으로 발생하면, 두 물결파가 서로 간섭하여 보강 간섭 하는 지점과 상쇄 간섭 하는 지점이 생긴다.

① **보강 간섭:** P점은 두 점파원에서 오는 물결파가 같은 위상으로 만나 보강 간섭이 일어나므로, 수면이 크게 진동한다. 높이가 계속해서 변하는 수면을 빛이 통과하며 굴절하므로 스크린에 나타나는 밝기가 시간에 따라 변한다. ➡ 밝고 어두운 무늬가 반복적으로 나타난다.

② **상쇄 간섭:** R점은 두 점파원에서 오는 물결파가 반대 위상으로 만나 상쇄 간섭이 일어나므로, 수면이 거의 진동하지 않는다. 높이가 일정한 수면을 빛이 통과할 때는 스크린에 밝기의 변화가 거의 나타나지 않는다. ➡ 밝기의 변화가 거의 없는 부분인 마디선이 나타난다.

• 마디선: 상쇄 간섭이 일어나는 지점을 연결한 선이다.

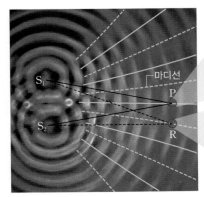

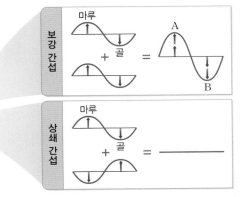

▲ **물결파의 간섭** 밝고 어두운 무늬가 반복적으로 나타나는 곳은 보강 간섭이 일어나는 지점이고, 밝기 변화가 거의 없는 흐릿한 곳은 상쇄 간섭이 일어나는 지점이다.

물결파의 보강 간섭이 일어나는 지점의 밝기 변화

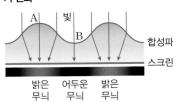

• 마루와 마루가 만나 높아진 A 지점의 수면은 그 순간 볼록 렌즈의 역할을 하여 빛을 모은다. 따라서 스크린에 밝은 무늬가 나타난다.

• 골과 골이 만나 낮아진 B 지점의 수면은 그 순간 오목 렌즈의 역할을 하여 빛이 퍼진다. 따라서 스크린에 상대적으로 어두운 무늬가 나타난다.

04 파동의 간섭 **199**

(3) **소리의 간섭**: 2개의 스피커에서 같은 진동수로 동일한 위상의 소리를 발생시키고 임의의 지점에서 소리를 들어 보면, 두 스피커에서의 경로차에 따라 보강 간섭 또는 상쇄 간섭이 일어나 소리의 크기가 다르게 들린다.

경로차

두 파동이 한 지점에서 만날 때 두 파동이 진행한 거리의 차이이다.

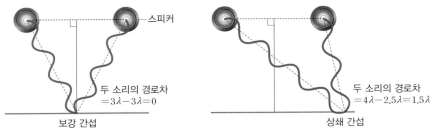

스피커

두 소리의 경로차
$=3\lambda-3\lambda=0$

보강 간섭

두 소리의 경로차
$=4\lambda-2.5\lambda=1.5\lambda$

상쇄 간섭

▲ **소리의 간섭** 보강 간섭이 일어나는 지점에서는 소리가 크게 들리고, 상쇄 간섭이 일어나는 지점에서는 소리가 작게 들린다.

① **보강 간섭**: 두 스피커로부터의 경로차가 반파장의 짝수 배가 되는 지점에서는 두 소리가 같은 위상으로 만나므로, 보강 간섭이 일어나 소리가 크게 들린다.

$$경로차=\frac{\lambda}{2}(2m) \ (m=0, 1, 2, 3, \cdots) \Rightarrow 반파장의 짝수 배$$

② **상쇄 간섭**: 두 스피커로부터의 경로차가 반파장의 홀수 배가 되는 지점에서는 두 소리가 반대 위상으로 만나므로, 상쇄 간섭이 일어나 소리가 작게 들린다.

$$경로차=\frac{\lambda}{2}(2m+1) \ (m=0, 1, 2, 3, \cdots) \Rightarrow 반파장의 홀수 배$$

③ **소리의 진동수와 간섭 간격**: 파장이 짧으면 중앙에서 가까운 지점에서 첫 번째 상쇄 간섭이 일어나고, 파장이 길면 중앙에서 먼 지점에서 첫 번째 상쇄 간섭이 일어난다. 즉, 소리의 파장이 짧을수록(진동수가 클수록) 상쇄 간섭이 일어나는 지점 사이의 간격이 좁아진다.

(4) **빛의 간섭**: 빛도 물결파나 소리처럼 파동의 성질을 가지므로 간섭 현상이 나타난다. 이중 슬릿을 같은 위상으로 통과한 동일한 두 단색광이 스크린의 한 점에서 만나 중첩될 때, 그 경로차에 따라 보강 간섭과 상쇄 간섭이 번갈아 일어나므로 스크린에 밝고 어두운 간섭무늬가 생긴다.

영의 간섭 실험

빛의 간섭 실험은 1803년에 영국의 과학자 영이 그림과 같이 단색 광원에서 나온 빛을 단일 슬릿과 이중 슬릿에 통과시켜 스크린에 밝고 어두운 간섭무늬를 얻음으로써 처음으로 성공했다.

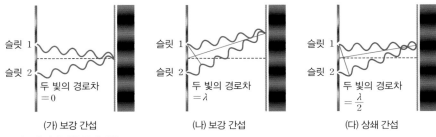

슬릿 1
슬릿 2
두 빛의 경로차
$=0$
(가) 보강 간섭

슬릿 1
슬릿 2
두 빛의 경로차
$=\lambda$
(나) 보강 간섭

슬릿 1
슬릿 2
두 빛의 경로차
$=\frac{\lambda}{2}$
(다) 상쇄 간섭

▲ **이중 슬릿에 의한 빛의 간섭**

단색
광원

단일 슬릿   이중 슬릿   스크린

단일 슬릿을 이중 슬릿 뒤에 놓은 것은 이중 슬릿에 동일한 위상의 빛을 통과시키기 위해서이다. 동일한 위상의 빛을 발생시키는 레이저를 사용하면 단일 슬릿이 없어도 간섭무늬가 생긴다.

① **보강 간섭**: 이중 슬릿을 통과한 두 빛이 같은 위상으로 만나 보강 간섭이 일어나는 지점의 밝기는 밝아진다. 이중 슬릿으로부터의 경로차가 반파장의 짝수 배가 되는 점에서 보강 간섭이 일어난다.

② **상쇄 간섭**: 이중 슬릿을 통과한 두 빛이 반대 위상으로 만나 상쇄 간섭이 일어나는 지점의 밝기는 어두워진다. 이중 슬릿으로부터의 경로차가 반파장의 홀수 배가 되는 점에서 상쇄 간섭이 일어난다.

❶ 간섭 조건

이중 슬릿 S_1, S_2의 간격을 d, 이중 슬릿과 스크린 사이의 거리를 L, 스크린의 중앙 O점에서 임의의 P점까지의 거리를 x라고 하자. 이중 슬릿을 지나 스크린의 P에 도달하는 두 빛은 이중 슬릿으로부터 경로차가 생긴다. d에 비해 L이 매우 크다면 두 빛은 평행 광선에 가까워 지므로, 두 빛의 경로차는 $d\sin\theta$가 된다. 이때 θ가 매우 작아서 $\sin\theta = \tan\theta = \dfrac{x}{L}$로 쓸 수 있으므로, 경로차는 다음과 같다.

$$\Delta = |\overline{S_1P} - \overline{S_2P}| = d\sin\theta = \frac{dx}{L}$$

따라서 두 빛의 경로차에 따라 보강 간섭 하여 밝은 무늬가 나타나고, 상쇄 간섭 하여 어두운 무늬가 나타나는 조건은 다음과 같다.

- 밝은 무늬(보강 간섭)의 조건: $\Delta = \dfrac{dx}{L} = \dfrac{\lambda}{2}(2m)$ $(m = 0, 1, 2, 3, \cdots)$

- 어두운 무늬(상쇄 간섭)의 조건: $\Delta = \dfrac{dx}{L} = \dfrac{\lambda}{2}(2m+1)$ $(m = 0, 1, 2, 3, \cdots)$

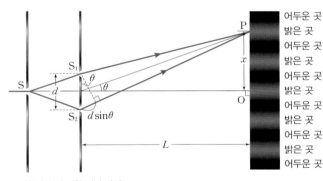

▲ 이중 슬릿에 의한 빛의 간섭

❷ 밝은 무늬 사이의 간격 Δx

스크린의 P점과 Q점에 인접한 밝은 무늬가 생긴다고 하자. 스크린의 중앙점 O에서 P점까지의 거리를 x_m, Q점까지의 거리를 x_{m+1}이라고 할 때, 인접한 밝은 무늬 사이의 간격 $\Delta x = x_{m+1} - x_m$이다. P점의 경로차는 $\dfrac{dx_m}{L}$이고 Q점의 경로차는 $\dfrac{dx_{m+1}}{L}$이며, 인접한 밝은 무늬마다 경로차가 한 파장만큼 차이가 나므로 인접한 밝은 무늬 사이의 간격 Δx는 다음과 같다.

$$\frac{dx_{m+1}}{L} - \frac{dx_m}{L} = \frac{d\Delta x}{L} = \lambda \rightarrow \Delta x = \frac{L\lambda}{d}$$

즉, 밝은 무늬 사이의 간격 Δx는 빛의 파장 λ가 길수록, 슬릿 사이의 간격 d가 좁을수록, 슬릿과 스크린 사이의 거리 L이 멀수록 넓어진다.

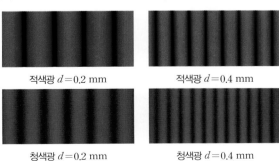

적색광 $d = 0.2$ mm	적색광 $d = 0.4$ mm
청색광 $d = 0.2$ mm	청색광 $d = 0.4$ mm

▲ 밝은 무늬 사이의 간격

이중 슬릿을 지난 두 빛의 경로차

왼쪽 그림에서 $L \gg d$이면, 이중 슬릿을 지난 두 빛이 거의 평행하다. 따라서 아래 그림과 같이 두 빛은 이중 슬릿 사이의 중심축과 θ의 각을 이루고, 경로차는 $d\sin\theta$가 된다.

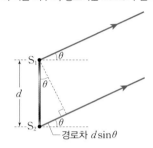

이중 슬릿을 이용한 빛의 파장 측정

이중 슬릿에 의한 빛의 간섭 실험에서 이중 슬릿의 간격 d와 이중 슬릿과 스크린 사이의 거리 L을 알 때 스크린에 나타난 밝은 무늬 사이의 간격 Δx를 측정하면, $\lambda = \dfrac{d}{L}\Delta x$ 식에 의해 빛의 파장 λ를 구할 수 있다.

백색광의 간섭

백색광은 여러 파장의 빛이 합쳐져 있고, 빛의 파장에 따라 간섭무늬 사이의 간격이 다르다. 따라서 이중 슬릿에 의한 간섭 실험에서 광원으로 백색광을 사용하면, 중앙은 백색의 밝은 무늬를 띠지만, 밝은 무늬 끝부분에서 중앙 쪽으로 갈수록 파장이 짧은 빛(빨강 → 노랑 → 파랑 …) 순으로 색의 띠가 생긴다.

백색광 $d = 0.2$ mm

백색광 $d = 0.4$ mm

② 파동의 간섭의 활용

소리의 상쇄 간섭 현상을 이용하여 소음을 줄일 수 있으므로, 시끄러운 길거리에서도 음악을 듣고 통화를 할 수 있다. 또, 자동차 안이나 비행기 안에서도 엔진 소음을 크게 느끼지 않도록 할 수 있다.

1. 소리의 간섭의 활용

(1) **소음 제거 기술**: 소음과 반대 위상의 소리를 만들어 상쇄 간섭을 일으켜 소음을 제거한다.
① **소음 제거 헤드폰**: 헤드폰에 장착된 소음 감지 마이크로 외부 소음을 입력 받아서 소음 제거 회로를 통해 반대 위상의 소리로 만들어 발생시킨다. 이 소리가 원래의 소음과 상쇄 간섭을 일으키므로 소음이 줄어든다.

휴대 전화의 소음 제거 기술
외부 소음을 마이크로 감지한 뒤 위상이 반전된 음파를 발생시키면 상쇄 간섭이 일어나 소음이 제거된다.

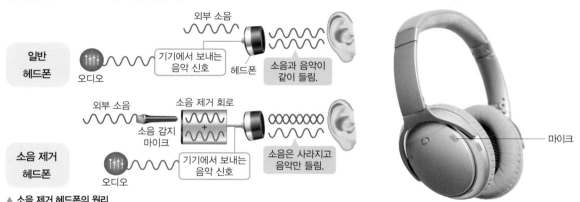

▲ 소음 제거 헤드폰의 원리

② **자동차나 비행기의 엔진 소음 제거**: 엔진에서 발생하는 소음을 마이크로 감지하여 반대 위상의 소리를 내부에서 발생시켜 상쇄 간섭을 일으키면 엔진 소음을 크게 느낄 수 없다.
③ **자동차의 배기음 제거**: 자동차 엔진에서 발생하는 배기음의 통로를 2개로 나누어 한 통로를 다른 통로보다 배기음의 반 파장만큼 길게 하면, 이 두 통로를 통과한 소리가 만날 때 상쇄 간섭이 일어나 소음이 감소한다.

▲ 비행기의 엔진 소음 제거

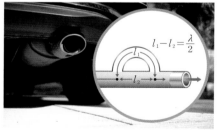

▲ 자동차의 배기음 제거

(2) **악기와 공연장 설계**

① **악기 연주**: 기타, 바이올린 등의 현악기는 진동하는 줄의 길이에 따라 여러 가지 음이 발생하며, 플루트, 색소폰 등의 관악기는 관 속에서 진동하는 공기 기둥의 길이에 따라 여러 가지 음이 발생한다. 이와 같은 현상은 파장과 진폭이 같고 진행 방향이 서로 반대인 2개의 파동이 중첩되어 정상파가 만들어지는 특정한 진동수의 소리가 나는 것이다. 소리의 진동수는 정상파의 파장에 의해 결정되므로, 현악기는 진동하는 줄의 길이를 변화시키고 관악기는 진동하는 공기 기둥의 길이를 변화시켜 정상파의 파장을 다르게 한다.

울림통(공명 장치)
현악기나 관악기에서 볼 수 있는 울림통은 소리의 보강 간섭을 이용하여 소리를 크게 하는 장치이다.

시야확장 ➕ 정상파

진폭과 파장이 같은 두 파동이 서로 반대 방향으로 진행하여 중첩될 때, 어느 방향으로도 진행하지 않고 제자리에서 진동하는 것처럼 보이는 합성파가 만들어지는 경우가 있다. 이러한 파동을 정상파라고 한다.

❶ **정상파의 특징**: 일반적인 파동에서는 모든 점의 매질이 같은 진폭으로 진동하지만, 정상파에서는 매질의 각 점이 다른 진폭으로 진동한다. 따라서 진폭이 0인 지점인 마디와 진폭이 최대인 지점인 배가 생긴다. 정상파의 마디와 마디(또는 배와 배) 사이의 거리는 $\frac{\lambda}{2}$이며, 정상파의 최대 진폭은 원래 파동의 2배가 되고, 진동수는 원래 파동과 같다.

❷ **정상파의 발생(줄에 생기는 정상파)**: 줄의 한 끝을 고정하고 다른 끝을 위 아래로 흔들면 파동이 발생하여 줄을 따라 진행한다. 이 파동은 줄의 고정점에서 반사되어 다시 줄을 따라 반대 방향으로 진행하게 된다. 이때 서로 반대 방향으로 진행하는 입사파와 반사파가 중첩되어 정상파가 만들어지는데, 줄을 고정한 쪽은 움직이지 못하므로 마디가 된다.

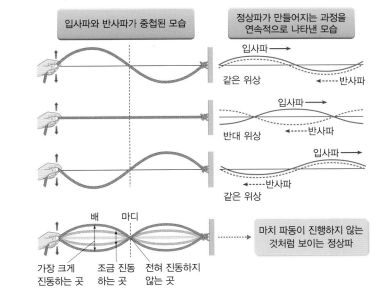

> 입사파와 반사파가 중첩된 모습

> 정상파가 만들어지는 과정을 연속적으로 나타낸 모습

입사파 →
같은 위상
← 반사파

입사파 →
반대 위상
← 반사파

입사파 →
← 반사파
같은 위상

배 | 마디

> 마치 파동이 진행하지 않는 것처럼 보이는 정상파

가장 크게 진동하는 곳 | 조금 진동하는 곳 | 전혀 진동하지 않는 곳

② **악기 조율**: 진동수가 비슷한 소리가 간섭하게 되면 소리가 주기적으로 커졌다 작아졌다 하는 맥놀이 현상이 나타나는데, 악기를 조율할 때 맥놀이 현상을 이용한다. 기준이 되는 음과 악기의 음을 동시에 발생시킬 때 맥놀이 현상이 나타나면 두 음이 일치하지 않는 것이므로, 맥놀이 현상이 사라질 때까지 조율하여 음을 일치시킨다.

③ **공연장 설계**: 공연장의 무대에서 발생하여 관람객의 귀에 직접 도달하는 소리와 공연장의 벽과 천장에서 반사한 소리가 상쇄 간섭을 하면 소리를 잘 들을 수 없다. 따라서 공연장이나 강당 등의 건물을 설계할 때, 벽이나 천장에서 반사된 소리가 공연장의 어느 곳에서도 상쇄 간섭이 일어나지 않도록 각도를 조절하여 설계한다.

(3) **신장 결석 치료**: 신장에 생긴 결석을 치료할 때 초음파를 이용한다. 초음파가 신체 내부의 여러 다른 조직을 약한 세기로 통과하므로 다른 조직에 주는 손상을 최소화하고, 결석이 있는 위치에서는 초음파가 보강 간섭 하므로 세기가 강해져 결석을 부술 수 있다.

정상파

정상파(Standing wave)는 '정지해 있는 파동'이라는 뜻이지만 실제로 파동이 정지할 수는 없다. 정상파는 진행하는 두 파동이 중첩되어 마치 진행하지 않고 정지해 있는 것처럼 보인다는 뜻이다.

관에 생기는 정상파

관에 입을 대고 불면 관 속의 공기 기둥이 진동하여 종파가 발생하며, 관 내에서 입사파와 반사파가 중첩되어 정상파가 만들어진다. 관이 막힌 쪽은 공기가 진동할 수 없어 마디가 되고, 열린 쪽은 배가 된다. 또한, 관의 구멍을 막는 손가락의 위치에 따라 관의 길이가 바뀌는 셈이 되므로, 이에 따라 소리의 높이가 달라진다.

맥놀이

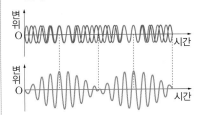

변위 O ──── 시간

변위 O ──── 시간

2. 빛의 간섭의 활용

(1) 얇은 막에 의한 빛의 간섭: 단색광을 얇은 막(10^{-5} m 이하)에 비추면, 막의 윗면에서 반사되는 빛과 아랫면에서 반사되는 빛이 중첩되어 간섭 현상을 일으킨다. 막의 두께와 보는 각도에 따라 반사되는 두 빛의 경로차가 달라지는데, 보강 간섭이 일어나면 밝게 보이고 상쇄 간섭이 일어나면 어둡게 보인다.

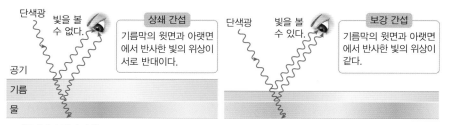

▲ 기름막에서 빛의 간섭

① **비누 막에 나타나는 무지갯빛 무늬:** 햇빛이 얇은 비눗방울 막에 비칠 때, 비누 막의 안쪽 면과 바깥쪽 면에서 반사된 두 빛이 간섭을 일으켜 아름다운 무지개 색이 나타난다. 고리에 생긴 비누 막은 비눗물이 중력에 의해 아래쪽으로 모이게 되어 비누 막의 두께가 달라지므로, 막에서 반사되는 두 빛의 경로차가 달라진다. 비누 막의 두께뿐만 아니라 비누 막을 보는 각도에 따라서도 경로차가 달라지므로 간섭하는 빛의 파장이 달라져 아름다운 빛의 무늬가 나타난다.

▲ 비누 막에서의 빛의 간섭

② **곤충의 날개, 새의 깃털 색:** 모르포 나비의 날개는 파란색 색소가 없어도 빛의 간섭 현상에 의해 파란색을 띤다. 모르포 나비의 날개 표면을 확대해 보면 여러 개의 얇은 층을 이루고 있는 것을 볼 수 있는데, 이 얇은 층에서 반사된 빛 가운데 파란색 빛이 보강 간섭을 하여 날개가 파란색으로 보이는 것이다. 또, 공작새의 깃털과 벌새의 깃털도 빛의 간섭에 의해 다양한 색의 무늬를 나타낸다.

▲ 파란색을 띠는 모르포 나비의 날개

③ **렌즈의 코팅:** 안경 렌즈나 카메라 렌즈에 얇은 반사 방지막을 알맞은 두께로 코팅하여 막의 윗면과 아랫면에서 반사하는 빛들이 상쇄 간섭을 하도록 하면, 반사되는 빛의 세기가 감소한다. 따라서 무반사 코팅을 한 안경을 착용한 경우가 코팅하지 않은 경우보다 더 선명한 시야를 얻을 수 있다.

(가) 무반사 코팅이 안 된 안경　(나) 무반사 코팅이 된 안경

▲ 무반사 코팅 렌즈

광로차

두 빛이 매질에서 다른 경로를 지나 한 점에서 만날 때 광학적 거리의 차를 광로차라고 하기도 한다. 두 빛의 경로차가 d일 때 굴절률이 n인 매질 속에서 빛의 파장은 $\lambda_n = \dfrac{\lambda}{n}$로 짧아지므로, 예를 들어 보강 간섭 경로차 $d = \dfrac{\lambda_n}{2} \times 2m = \dfrac{\dfrac{\lambda}{n}}{2} \times 2m$의 식이 $nd = \dfrac{\lambda}{2} \times 2m$으로 바뀐다. 이때 nd를 광로차라고 한다.

비누 막의 색깔

비누 막의 어떤 곳의 두께가 파란색 빛이 상쇄 간섭하기에 알맞다면, 그 곳에서 반사되어 우리 눈에 들어오는 빛에는 파란 빛이 없으므로 파란색의 보색인 노란색으로 보인다. 또, 두께가 조금 다른 곳에서 초록색 빛이 상쇄 간섭 한다면 그 곳의 색은 자홍색을 띤다. 비누 막의 두께와 보는 각도에 따라서도 상쇄 간섭 하는 빛의 파장이 달라지므로 아름다운 빛의 무늬가 나타난다.

물체의 색

물체가 띠는 색깔은 물체가 가진 색소에 의해서 나타나기도 하지만, 표면 구조에 의한 빛의 간섭 때문에 나타나기도 한다.

태양 전지의 코팅

태양 전지에도 얇은 반사 방지막을 코팅하여 반사되는 태양 빛의 세기를 줄인다. 이렇게 하면 태양 전지에 흡수되는 빛의 세기가 증가하여 더 많은 전기 에너지를 생산할 수 있다.

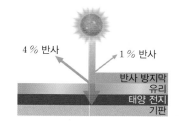

④ **지폐의 색 변환 잉크:** 지폐의 위조 방지를 위해 사용되는 색 변환 잉크는 잉크 안에 굴절률이 약간 다른 화학 물질이 있어서 잉크의 표면에서 반사하는 빛과 안쪽에서 반사하는 빛이 서로 간섭한다. 따라서 이러한 색 변환 잉크로 그려진 숫자는 보는 각도에 따라 노란색이나 초록색으로 보이는데, 이는 보는 각도에 따라서 보강 간섭 하는 빛의 파장이 달라지기 때문이다.

▲ 지폐에서 빛의 간섭의 이용

시야확장 ➕ 얇은 막에 의한 빛의 간섭 조건

오른쪽 그림과 같이 빛이 공기 중에서 두께 d인 얇은 막에 비스듬히 입사하여 B′에서 일부는 반사하고 일부는 굴절하여 들어갔다가 C에서 반사하여 D에서 다시 만날 때 두 빛은 중첩되어 간섭한다.

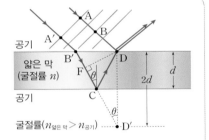

굴절률($n_{얇은 막} > n_{공기}$)

❶ **막의 윗면과 아랫면에서 반사하여 D점에서 만나는 두 빛의 광로차:** 파면 $\overline{AA'}$이 $\overline{BB'}$에 도달한 다음 B가 D에 도달할 때까지 B′은 F까지 진행하게 된다. 따라서 두 빛의 거리차는 $\overline{FC}+\overline{CD}$가 되고, $\overline{CD}=\overline{CD'}$이므로 두 빛의 거리차는 다음과 같다.

$$\overline{FC}+\overline{CD}=\overline{FC}+\overline{CD'}=\overline{FD'}=2d\cos\theta$$

굴절률 n인 매질 속에서 빛이 이동한 거리 d를 진공 또는 공기 속에서의 거리로 환산하면 $d'=nd$가 되므로, 두 빛의 광로차 $\Delta=2nd\cos\theta$이다.

❷ **막의 윗면과 아랫면에서 반사하는 빛의 위상 변화:** 윗면의 D에서 반사되는 빛은 고정단 반사가 되어 위상이 반대$\left(180°, \dfrac{\lambda}{2}\right)$가 되고, 아랫면의 C에서 반사되는 빛은 자유단 반사가 되어 위상의 변화가 없다.

❸ **얇은 막에 의한 간섭 조건:** D에서 만나는 두 빛의 광로차 $2nd\cos\theta$와 고정단 반사 1회에 의한 위상 변화까지 고려하면 얇은 막에 의한 빛의 간섭 조건이 다음과 같이 바뀐다.

• 보강 간섭(밝다.): $2nd\cos\theta=\dfrac{\lambda}{2}(2m+1)$ ($m=0, 1, 2, 3, \cdots$)

• 상쇄 간섭(어둡다.): $2nd\cos\theta=\dfrac{\lambda}{2}(2m)$ ($m=0, 1, 2, 3, \cdots$)

❹ **얇은 막의 굴절률이 위 매질의 굴절률(n_1)보다 크고 아래 매질의 굴절률(n_2)보다 작을 때**
$n_1<n_{막}<n_2$일 때 빛은 얇은 막의 윗면과 아랫면에서 모두 고정단 반사를 하므로, 윗면과 아랫면에서 반사하는 빛의 위상이 모두 반대가 되어 이들 위상 변화는 간섭 조건에 영향을 주지 않는다.

• 보강 간섭(밝다.): $2nd\cos\theta=\dfrac{\lambda}{2}(2m)$ ($m=0, 1, 2, 3, \cdots$)

• 상쇄 간섭(어둡다.): $2nd\cos\theta=\dfrac{\lambda}{2}(2m+1)$ ($m=0, 1, 2, 3, \cdots$)

반사에 의한 위상 변화

빛이 두 매질의 경계면에서 굴절할 때는 위상 변화가 생기지 않지만, 반사할 때는 두 매질의 굴절률에 따라 위상 변화가 생긴다.

• **고정단 반사:** 막대에 줄의 한쪽을 고정시키고 줄을 따라 파동을 보내면 반사파는 입사파를 뒤집은 형태가 된다. 파동이 굴절률이 작은 매질에서 큰 매질로 입사하여 반사할 때도 이처럼 반사파의 위상이 반대가 되는데, 이를 고정단 반사라고 한다.

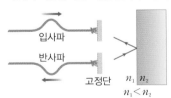

• **자유단 반사:** 줄의 한쪽 끝을 고리를 통해 막대에 연결하고, 줄을 따라 파동을 보내면 반사파의 위상은 바뀌지 않는다. 파동이 굴절률이 큰 매질에서 작은 매질로 입사하여 반사할 때도 이처럼 반사파는 위상이 변하지 않는데, 이를 자유단 반사라고 한다.

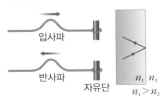

(2) **홀로그램 이미지:** 복사나 위조를 방지하기 위해 신용카드나 지폐, 인증서에 붙이는 홀로그램 이미지나 홀로그램 스티커는 보는 방향과 각도에 따라 색깔과 문양이 달라지기도 하고 입체적인 상이 생기기도 한다. 홀로그램은 빛의 간섭 현상을 이용한 것이다.

(가) 신용카드

(나) 지폐

▲ 빛의 간섭을 이용한 홀로그램의 사용 예

(3) **CD, DVD의 재생:** CD에 정보를 기록할 때 새겨진 홈의 깊이는 레이저 빛 파장의 $\frac{1}{4}$ 배로 만들어져 있다. 레이저 빛을 CD의 홈에 수직으로 비추어 정보를 읽을 때 그림에서와 같이 빛 A와 B가 반사되어 중첩하면 두 빛의 경로차가 $\frac{\lambda}{2}$가 되어 상쇄 간섭이 일어나고, 빛 C와 D가 반사되어 중첩하면 보강 간섭이 일어난다. 이때 반사되는 빛의 밝기 차이를 광센서로 감지하여 CD에 기록된 정보를 읽는다.

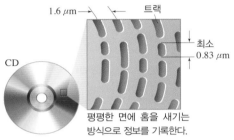

1.6 μm · 트랙
최소 0.83 μm
CD
평평한 면에 홈을 새기는 방식으로 정보를 기록한다.
▲ 정보가 기록된 CD 표면

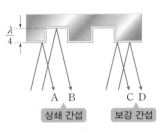
$\frac{\lambda}{4}$
A B   C D
상쇄 간섭   보강 간섭
▲ CD에서 레이저 빛의 반사

(4) **천문 연구**

① **전파 간섭계:** 전파 망원경의 지름이 클수록 집광력과 분해능이 좋아져 더 밝고 선명하게 천체를 관찰할 수 있지만, 전파 망원경의 크기를 증가시키는 것은 한계가 있다. 따라서 크기를 크게 하는 대신 여러 대의 전파 망원경을 세우고 이들이 수신한 전파의 간섭을 이용하면 선명한 영상을 얻을 수 있어 거대한 전파 망원경을 사용한 것과 같은 효과를 얻을 수 있다.

▲ 전파 간섭계

② **간섭 분광기:** 빛이 간섭 분광기의 여러 개의 좁은 틈(회절격자)을 통과하며 회절할 때 빛을 관측하는 각도에 따라서 보강 간섭 하는 파장이 달라지므로 파장별로 분리된 스펙트럼이 나타난다. 이를 이용해 별이나 성운의 스펙트럼을 관측하여 구성 물질의 성분을 알아낸다.

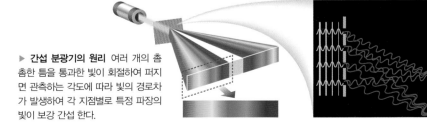

▶ **간섭 분광기의 원리** 여러 개의 촘촘한 틈을 통과한 빛이 회절하여 퍼지면 관측하는 각도에 따라 빛의 경로차가 발생하여 각 지점별로 특정 파장의 빛이 보강 간섭 한다.

광 기록 방식
CD(Compact Disc)는 빛(레이저)을 이용하여 정보를 기록하고 재생하는 원반 모양의 매체로, 이러한 방식을 광 기록 방식이라고 한다. 광 기록 방식의 매체에는 CD, DVD, 블루레이 디스크 등이 있다.

DVD
CD나 DVD 표면에 홈들이 배열된 열을 트랙이라고 한다. DVD는 트랙 간격이 0.74 μm로 CD보다 좁아서, 같은 넓이에 더 많은 홈들을 배열할 수 있다. 따라서 DVD는 CD보다 많은 정보를 저장할 수 있다.

간섭 분광기의 이용
간섭 분광기를 이용하여 물질의 전자와 원자핵의 배열 등을 알아낼 수 있고, 신소재나 신약의 분자 구조 등을 연구할 수 있다.

소리의 간섭

2개의 스피커에서 발생한 소리가 중첩되어 보강 간섭과 상쇄 간섭이 나타나는 원리를 설명할 수 있다.

과정

1 2개의 책상 위에 스마트폰을 연결한 스피커 2개를 각각 올려놓은 후, 약 2 m 간격을 두고 같은 방향을 바라보게 한다. 두 스피커의 중앙에서 수직 방향으로 2~3 m 떨어진 지점을 선으로 표시한다.
2 소리 발생 애플리케이션으로 진동수 440 Hz의 소리를 발생시킨다.
3 선을 따라 이동하면서 스피커의 소리가 크게 들리는 곳과 작게 들리는 곳을 바닥에 표시한다.
4 소리의 진동수를 880 Hz로 바꾼 후, 과정 3을 반복한다.

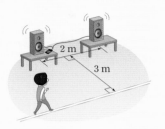

유의점

· 소리가 반사되지 않도록 넓고, 장애물이 거의 없는 곳에서 실험한다.
· 젖은 손으로 전기 기구를 만지지 않는다.
· 증폭 기능이 있는 스피커(건전지 또는 전원을 사용하는 스피커)를 사용한다.

결과

1 선을 따라 이동하면서 들었을 때 2개의 스피커에서 나오는 소리가 크게 들리는 곳과 작게 들리는 곳이 교대로 나타난다.
2 소리의 진동수를 증가시켰을 때 소리가 크게 들리는 곳과 작게 들리는 곳의 간격이 좁아진다.

정리

· 소리의 크기가 변하는 것은 두 스피커에서 나오는 소리가 중첩되어 간섭 현상이 나타나기 때문이다.
· 소리가 크게 들리는 지점에서는 공기가 크게 진동하므로 보강 간섭이 일어나고, 소리가 작게 들리는 지점에서는 공기가 작게 진동하므로 상쇄 간섭이 일어난다.
· 보강 간섭이 일어나는 지점은 두 스피커로부터의 거리 차가 반파장의 짝수 배이고, 상쇄 간섭이 일어나는 지점은 두 스피커로부터의 거리 차가 반파장의 홀수 배이다.
· 소리의 진동수가 클수록 파장이 짧아서 간섭이 일어나는 간격이 좁아진다.

탐구 확인 문제

> 정답과 해설 **81**쪽

01 위 실험에 대한 설명으로 옳지 **않은** 것은?

① 보강 간섭이 일어나는 곳은 공기의 진폭이 크다.
② 상쇄 간섭이 일어나는 곳은 두 소리가 반대 위상으로 만난다.
③ 두 스피커로부터 같은 거리에 있는 지점에서는 보강 간섭이 일어난다.
④ 두 스피커로부터의 거리 차가 파장과 같은 곳에서는 상쇄 간섭이 일어난다.
⑤ 소리의 파장이 증가하면 보강 간섭이 일어나는 간격이 넓어진다.

02 그림은 두 스피커에서 발생하는 소리를 횡파의 마루와 골로 나타낸 것이다. (단, 실선은 마루, 점선은 골이다.)

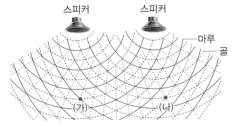

(1) (가)와 (나)에서 일어나는 간섭의 종류를 쓰시오.

(2) 두 스피커의 간격이 더 좁아지면 간섭이 일어나는 간격이 어떻게 변하는지 쓰시오.

파동의 간섭

물결파나 소리의 진행 과정에서 파동의 기본적인 성질인 간섭 현상이 나타나듯이, 빛도 간섭 현상을 보이므로 빛이 파동의 성질을 가지고 있음을 알 수 있다. 파동의 간섭 조건을 해석하는 문제에서 물결파나 빛의 간섭무늬를 모식적으로 나타낸 자료가 제시되는 경우가 많다.

물결파 투영장치를 이용하여 두 점파원에서 진동수와 진폭이 같은 물결파를 같은 위상으로 발생시켰을 때, 명암이 뚜렷하게 바뀌는 부분과 밝기가 거의 일정한 부분이 나타나는 간섭무늬를 볼 수 있다. 물결파의 간섭 현상에서 보강 간섭이나 상쇄 간섭이 일어나는 조건은 소리나 빛의 간섭 현상에서도 마찬가지로 성립한다.

❶ 물결파의 간섭무늬

그림은 물결파 투영장치의 두 점파원 S_1, S_2에서 발생한 각 물결파의 파면을 마루는 실선, 골은 점선으로 나타낸 것이다.

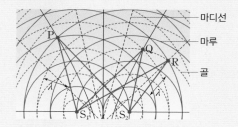

(1) 점 P, Q, R에서 일어나는 간섭의 종류와 무늬, 경로차

	중첩	간섭 종류	무늬	경로차
P	마루+마루	보강 간섭	밝은 무늬	$4\lambda-3\lambda=\lambda$
Q	골+골	보강 간섭	어두운 무늬	$3.5\lambda-2.5\lambda=\lambda$
R	마루+골	상쇄 간섭	밝기 변화가 없는 마디선	$4\lambda-2.5\lambda=1.5\lambda$

(2) 간섭 조건
- 보강 간섭: 두 파원으로부터의 경로차가 반파장의 짝수 배
- 상쇄 간섭: 두 파원으로부터의 경로차가 반파장의 홀수 배

❷ 이중 슬릿에 의한 빛의 간섭무늬

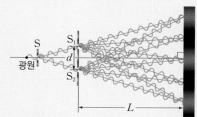

밝은 무늬 경로차$=\lambda$
어두운 무늬 경로차$=\dfrac{\lambda}{2}$
밝은 무늬 경로차$=0$
어두운 무늬 경로차$=\dfrac{\lambda}{2}$
밝은 무늬 경로차$=\lambda$

(1) 중앙에서부터 차례로 나타나는 밝은 무늬의 경로차
➡ 0, λ, 2λ, $\cdots$

(2) 중앙에서 첫 번째 어두운 무늬에서부터 차례로 나타나는 어두운 무늬의 경로차
➡ $\dfrac{\lambda}{2}$, $\dfrac{3\lambda}{2}$, $\dfrac{5\lambda}{2}$, $\cdots$

(3) 간섭 조건
- 보강 간섭: 경로차$=\dfrac{\lambda}{2}(2m)$ ($m=0, 1, 2, 3, \cdots$)
- 상쇄 간섭: 경로차$=\dfrac{\lambda}{2}(2m+1)$ ($m=0, 1, 2, 3, \cdots$)

(4) 인접한 밝은 무늬 사이의 간격: $\varDelta x=\dfrac{L\lambda}{d}$

유제

> 정답과 해설 82쪽

그림은 물결파 발생기의 두 점파원 S_1, S_2에서 진폭과 위상이 같은 두 물결파가 발생할 때 각각의 파면을 마루는 실선, 골은 점선으로 나타낸 것이다. 점 p, q, r는 수면 위의 점이다. 이에 관한 설명으로 옳은 것만을 보기에서 있는 대로 고른 것은?

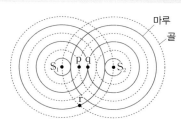

보기
ㄱ. p에서는 보강 간섭이 일어난다.
ㄴ. q에서는 상쇄 간섭이 일어난다.
ㄷ. p, q, r 중 수면의 높이가 가장 낮은 곳은 r이다.

① ㄱ   ② ㄴ   ③ ㄷ   ④ ㄱ, ㄴ   ⑤ ㄴ, ㄷ

빛의 회절

빛의 회절 현상은 빛이 파동의 성질을 가지고 있다는 것을 증명하는 현상 중 하나이다. 빛의 회절 현상의 예로 어떤 것들이 있는지, 어떤 조건에서 회절이 더 잘 되는지 알아보고, 단일 슬릿에 의한 회절 무늬에서 밝은 무늬와 어두운 무늬가 생기는 경우에 대해서도 알아보자.

❶ 빛의 회절

빛도 파동의 성질을 가지므로 회절 현상을 나타낸다. 그러나 보통 빛은 장애물 뒤쪽에 그림자를 만든다. 이것은 빛의 파장이 매우 짧기 때문에 직진성이 커서 일어나는 현상이다. 빛의 회절 정도는 빛의 파장과 그림자를 만드는 물체의 크기에 따라 다르다. 빛의 파장이 물체의 크기보다 크면 회절이 잘 일어나고, 빛의 파장이 물체의 크기보다 작으면 직진성이 커진다.

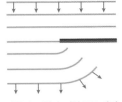

파동이 그림자 지역으로 퍼져 나간다.

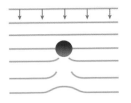

파장이 물체 크기와 비슷하면 그림자는 바로 사라진다.

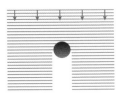

파장이 물체보다 작으면 선명한 그림자가 생긴다.

▲ 파장의 크기와 회절 정도

❷ 빛의 회절 현상의 예

빛이 통과하는 슬릿의 폭이 넓으면 선명한 그림자를 만들지만, 슬릿의 폭이 좁으면 빛의 회절하는 정도가 커져 그림자의 가장자리가 흐릿해진다.

단색광을 좁은 슬릿이나 작은 구멍에 통과시키면 빛이 회절하며 간섭하여 밝고 어두운 무늬가 교대로 나타나는 회절 무늬가 생긴다. 이러한 회절 무늬는 슬릿이나 구멍에서뿐만 아니라 물체의 그림자에서도 볼 수 있다. 단색광을 물체에 비출 때 빛이 물체 뒤로 회절하여 간섭하기 때문에 그림자의 가장자리에 여러 개의 줄무늬로 된 회절 무늬가 생기는 것을 관찰할 수 있다.

광원 | 넓은 슬릿 | 선명한 그림자
좁은 슬릿 | 가장자리가 흐릿한 그림자

▲ 슬릿의 폭과 빛의 회절

파동의 회절

파동이 장애물을 만났을 때 그 모서리에서 휘어져 장애물의 뒤쪽으로도 전파되거나, 좁은 틈을 통과한 파동이 넓게 퍼지는 현상이다.

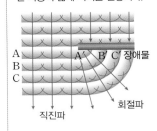

A B C 장애물
A' B' C'
회절파
직진파

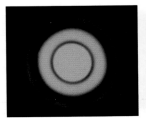

▲ 원형 구멍에 의한 회절 무늬

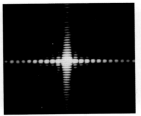

▲ 사각형 구멍에 의한 회절 무늬

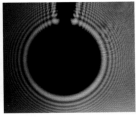

▲ 그림자에 생기는 회절 무늬

❸ 단일 슬릿에 의한 빛의 회절

빛이 단일 슬릿을 통과하면 스크린의 중앙에 밝은 무늬가 생기고 그 양쪽으로 어둡고 밝은 무늬가 교대로 나타나는 회절 무늬를  볼 수 있다. 빛의 파장이 길수록, 슬릿의 폭이 좁을수록 회절이 잘 일어나기 때문에 회절 무늬 간격이 넓어진다. 중앙의 밝은 무늬의 폭은 다른 밝은 무늬 간격의 2배이다.

레이저　　　단일 슬릿　　　종이

❹ 단일 슬릿에 의한 회절 무늬가 생기는 조건

파장 λ인 평행한 빛이 간격 d인 단일 슬릿을 지나며 회절하여 P점에 도달한다고 하자.

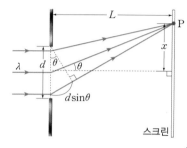

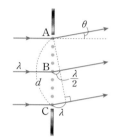
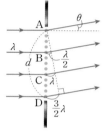

(가) 어두운 회절 무늬를 만들 때　　　(나) 밝은 회절 무늬를 만들 때

슬릿 간격 d에 비해 슬릿에서 스크린까지의 거리 L이 매우 크다면 슬릿을 지난 빛은 거의 평행하다고 볼 수 있다. 따라서 스크린 상의 중심에서 P까지의 거리를 x라고 하면 가장 위에 있는 빛과 가장 아래에 있는 빛의 경로차 $\Delta = d\sin\theta = \dfrac{dx}{L}$가 된다.

(1) **어두운 무늬가 생기는 경우**: 그림 (가)와 같이 경로차 $\Delta = \dfrac{\lambda}{2}(2m) = m\lambda$일 때 슬릿 간격 d를 $2m$등분하여 생각한다. 예를 들어 $m=1$인 경우, 즉 $\Delta = \dfrac{\lambda}{2}(2) = \lambda$인 경우, 슬릿 간격 d를 2등분했을 때 AB 부분과 BC 부분에서 위로부터 차례대로 대응되는 점에 입사한 광선들은 회절하여 스크린에 도달하였을 때 경로차가 모두 $\dfrac{\lambda}{2}$가 된다. 따라서 모든 빛이 상쇄되어 P점에 첫 번째 어두운 무늬가 나타난다.

(2) **밝은 무늬가 생기는 경우**: 그림 (나)와 같이 경로차 $\Delta = \dfrac{\lambda}{2}(2m+1)$일 때 슬릿 간격 d를 $(2m+1)$등분하여 생각한다. 예를 들어 $m=1$일 때, 즉 $\Delta = \dfrac{3}{2}\lambda$인 경우, 슬릿 간격 d를 3등분한다. 이때 P점을 향하여 AB 부분과 BC 부분에서 나가는 빛은 P점에 도달하여 모두 상쇄되지만, CD 부분에서 회절한 빛은 P점에 도달하여 밝은 무늬를 만든다.

(3) **회절 무늬가 생기는 조건**: 위 (1), (2)의 조건을 정리하면 다음과 같다.

① 어두운 무늬: $\Delta = d\sin\theta = \dfrac{dx}{L} = \dfrac{\lambda}{2}(2m)$ ($m=1, 2, 3, \cdots$)

② 밝은 무늬: $\Delta = d\sin\theta = \dfrac{dx}{L} = \dfrac{\lambda}{2}(2m+1)$ ($m=1, 2, 3, \cdots$)

단일 슬릿을 통과한 빛의 회절 무늬

적색광, 슬릿의 폭 0.2 mm

적색광, 슬릿의 폭 0.8 mm

청색광, 슬릿의 폭 0.8 mm

단일 슬릿에 의한 회절 무늬 사이 간격

무늬 사이 간격(Δx)은 이중 슬릿에 의한 간섭 실험에서와 같이 $\Delta x = \dfrac{L\lambda}{d}$의 관계가 있다.

04 파동의 간섭

❶ 파동의 간섭

1. 파동의 중첩 여러 개의 파동이 동시에 한 지점에서 겹쳐지는 현상

• 중첩 원리: 두 파동이 중첩될 때 합성파의 변위는 각 파동의 변위의 합과 같다.

• 파동의 (❶   ): 중첩이 끝나면 각 파동은 중첩되기 전의 파형을 그대로 유지하면서 진행한다.

2. 파동의 간섭 파동이 중첩되어 진폭이 커지거나 작아지는 현상

• 보강 간섭: 경로차가 반파장의 짝수 배인 지점에서 두 파동이 (❷   ) 위상으로 만나 진폭이 커진다.

• 상쇄 간섭: 경로차가 반파장의 홀수 배인 지점에서 두 파동이 (❸   ) 위상으로 만나 진폭이 작아진다.

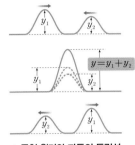

▲ 중첩 원리와 파동의 독립성

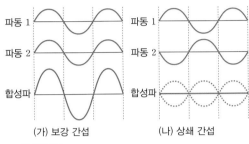

(가) 보강 간섭   (나) 상쇄 간섭

▲ 파동의 간섭

3. 파동의 간섭의 예

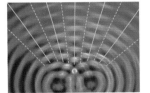

• 물결파의 간섭: 보강 간섭이 일어나는 지점은 수면이 크게 진동하여 밝기가 (❹   )는 무늬가 나타나고, 상쇄 간섭이 일어나는 지점은 수면이 거의 진동하지 않으므로 밝기가 (❺   )한 마디선이 나타난다.

• 2개의 스피커에 의한 소리의 간섭: 보강 간섭이 일어나는 지점은 소리가 (❻   )지고, 상쇄 간섭이 일어나는 지점은 소리가 (❼   )진다.

• 이중 슬릿에 의한 빛의 간섭: 보강 간섭이 일어나는 지점은 밝고, 상쇄 간섭이 일어나는 지점은 어둡다.

❷ 간섭의 활용

1. 소리의 간섭 활용

• 소음 제거: 소음과 위상이 (❽   )인 파동을 발생시켜서 소음과 상쇄 간섭 하도록 하여 소음을 줄인다.

   예 소음 제거 헤드폰, 자동차와 비행기 엔진 소음 제거, 자동차의 배기음 제거

• 공연장은 벽이나 천장에서 반사된 소리에 의해 상쇄 간섭이 일어나지 않도록 설계한다.

2. 빛의 간섭 활용

• 얇은 막에 의한 빛의 간섭: 얇은 막의 윗면과 아랫면에서 반사한 빛이 (❾   ) 간섭하면 밝게 보이고 (❿   ) 간섭하면 어둡게 보인다.

• 비누 막에 나타나는 무지갯빛 무늬: 비누 막의 두께와 보는 각도에 따라서도 경로차가 달라지므로 간섭하는 빛의 파장이 달라져 아름다운 빛의 무늬가 나타난다.

• 무반사 코팅: 코팅한 막의 윗면과 아랫면에서 반사하는 빛이 (⓫   ) 간섭하여 반사되는 빛의 세기는 줄고 투과되는 빛의 세기가 증가한다. **예** 안경, 태양 전지

• 지폐의 색 변환 잉크, 홀로그램 이미지: 보는 각도에 따라 보강 간섭 하는 빛의 파장이 달라져 다른 색깔이나 문양이 나타난다.

01 그림과 같이 서로 반대 방향으로 진행하는 두 파동에서 변위가 최대인 지점이 완전히 중첩되었을 때 합성파의 변위는 몇 cm인지 쓰시오.

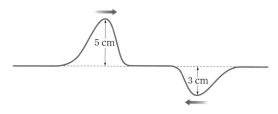

02 다음의 현상과 관련있는 파동의 성질을 쓰시오.

> • 중첩이 끝나면 각 파동은 중첩되기 전의 파형을 그대로 유지하면서 진행한다.
> • 여러 악기가 동시에 연주되어도 각각의 소리를 구분할 수 있다.

03 그림 (가), (나)는 진동수와 파장 및 진폭이 같은 두 파동 1, 2가 중첩되기 전의 모습을 나타낸 것이다.

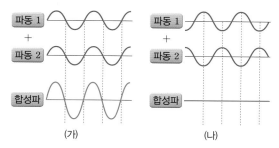

(1) 파동 1, 2가 중첩될 때의 합성파의 모습을 그리시오.

(2) (가)와 (나)는 각각 어떤 종류의 간섭에 해당하는지 쓰시오.

04 그림 (가)는 물결파 투영장치에서 진동수와 진폭이 같은 두 물결파를 발생시켰을 때 생기는 무늬에서 밝고 어두운 무늬가 나타나는 지점을 선으로 연결한 것이고, 그림 (나)는 밝기의 변화가 없는 지점을 선으로 연결한 것이다.

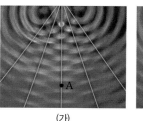 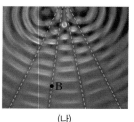

(가)   (나)

(1) (가), (나)에서 선으로 표시한 지점을 설명한 다음 글의 ㉠~㉣에 들어갈 알맞은 말을 쓰시오.

> • (가): 두 물결파가 (㉠) 위상으로 만나 (㉡) 간섭이 일어난다.
> • (나): 두 물결파가 (㉢) 위상으로 만나 (㉣) 간섭이 일어난다.

(2) (가), (나)에서 A, B 지점의 수면이 진동하는 진폭을 등호 또는 부등호를 사용하여 비교하시오.

05 그림과 같이 두 스피커에서 진동수와 진폭이 같은 소리를 동일한 위상으로 발생시키고 일정 거리만큼 떨어진 지점에서 소리를 들었더니, A 지점에서는 소리가 크게 들렸고 B 지점에서는 소리가 작게 들렸다.

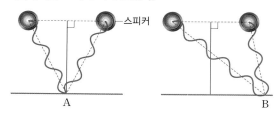

(1) A와 B 지점에서 일어나는 간섭의 종류를 각각 쓰시오.

(2) A와 B 중에서 소음을 제거하기 위해서 이용되는 원리와 관계있는 것을 쓰시오.

06 그림 (가)~(다)는 동일한 위상으로 이중 슬릿을 통과하여 스크린의 한 점에 도달하는 빛의 경로와 스크린에 생기는 간섭무늬를 나타낸 것이다.

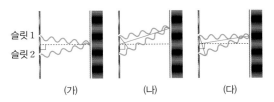

슬릿 1
슬릿 2

(가)   (나)   (다)

이에 대한 설명으로 옳은 것만을 보기에서 있는 대로 고르시오.

보기

ㄱ. 보강 간섭 할 때 빛의 밝기는 밝아진다.

ㄴ. 상쇄 간섭 할 때 빛의 밝기는 어두워진다.

ㄷ. 보강 간섭이 일어나기 위한 조건은 빛의 경로차가 반파장의 짝수 배일 때다.

07 그림 (가)는 고리를 이용해 비누 막을 만든 후 연직으로 세우고 백색광을 비추었을 때 비누 막이 무지갯빛을 띠는 현상을 나타낸 것이고, 그림 (나)는 (가)의 원리를 모식적으로 나타낸 것이다.

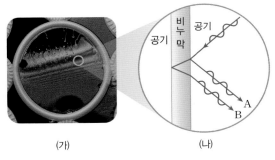

공기   비누막   공기

A
B

(가)   (나)

(1) 위의 현상과 관련이 있는 빛의 성질은 무엇인지 쓰시오.

(2) 이에 대한 설명으로 옳은 것만을 보기에서 모두 고르시오.

보기

ㄱ. 비누 막의 두께는 아래쪽이 위쪽보다 두껍다.

ㄴ. 비누 막의 두께에 따라 나타나는 색깔이 달라진다.

ㄷ. 비누 막에 빨간색 빛을 비추어도 무지갯빛이 나타난다.

08 그림 (가), (나)는 무반사 코팅을 한 렌즈를 이용한 안경과 무반사 코팅을 하지 않은 렌즈를 이용한 안경에 동일한 빛을 비추었을 때의 모습을 순서 없이 나타낸 것이다.

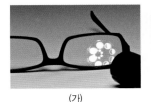 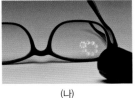

(가)   (나)

(1) 무반사 코팅을 한 렌즈를 이용한 안경은 어느 것인가?

(2) 무반사 코팅에서 적용된 파동의 성질을 활용하는 예를 보기에서 있는 대로 고르시오.

보기

ㄱ. 자동차 소음기

ㄴ. 광섬유

ㄷ. 홀로그램 이미지

09 파동의 간섭으로 설명할 수 있는 현상을 보기에서 있는 대로 고르시오.

보기

ㄱ. 지폐에 인쇄된 숫자는 보는 각도에 따라 다른 색깔로 보인다.

ㄴ. 비행기 내부에서는 엔진 소음을 크게 느끼지 못한다.

ㄷ. 다이아몬드가 반짝거린다.

ㄹ. 모르포 나비의 날개가 파란색을 띤다.

10 현악기를 연주할 때 줄의 진동으로 소리가 나며, 울림통이 함께 울림으로써 더 큰 소리가 나는 현상과 관계있는 파동의 성질을 쓰시오.

01 ▶파동의 중첩
그림은 파장과 진폭이 같고 연속적으로 발생하는 두 파동 P, Q가 서로 반대 방향으로 진행할 때, 두 파동이 만나기 전 어느 순간의 모습을 나타낸 것이다. P와 Q의 속력은 **1 m/s**로 같다.

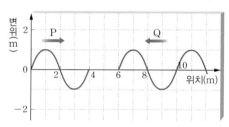

이 순간으로부터 **3초**가 지나는 순간 위치가 **6 m**인 지점에서 중첩된 파동의 변위는?

① -2 m ② -1 m ③ 0 ④ 1 m ⑤ 2 m

• 중첩 원리에 따라 위치가 6 m인 지점에서 합성파의 변위는 그 점을 지나는 P와 Q의 변위를 더한 것과 같다.

02 ▶물결파의 간섭
그림 (가)는 두 점 S_1, S_2에서 진폭이 같은 물결파를 같은 위상으로 발생시켰을 때의 모습을 나타낸 것이고, (나)는 (가)의 물결파의 어느 순간의 마루와 골의 위치를 각각 실선과 점선으로 나타낸 것이다. 두 물결파의 파장은 λ이고, 주기는 T이며, 속력은 같다.

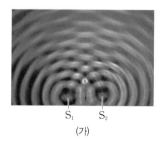
(가)

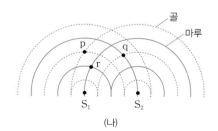
(나)

이에 대한 설명으로 옳은 것만을 보기에서 있는 대로 고른 것은?

보기
ㄱ. p의 진폭은 r에서와 같다.
ㄴ. $\frac{T}{2}$초 후 수면의 높이는 p가 q보다 높다.
ㄷ. S_1, S_2에서 r까지의 경로차는 λ이다.

① ㄴ   ② ㄱ, ㄴ   ③ ㄱ, ㄷ   ④ ㄴ, ㄷ   ⑤ ㄱ, ㄴ, ㄷ

• 마루와 마루 또는 골과 골이 만나 보강 간섭이 일어나는 지점의 수면은 크게 진동하며, 마루와 골이 만나 상쇄 간섭이 일어나는 지점의 수면은 거의 진동하지 않는다.

03 ❯ 소리의 간섭

그림과 같이 두 스피커 A, B를 1.5 m 간격을 두어 설치하고, 파장과 진폭이 같은 소리를 같은 위상으로 발생시켰다. 관찰자는 스피커 B의 정면에서 2 m 떨어진 지점에서 소리의 크기를 측정하고 있다.

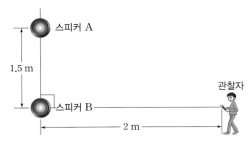

두 스피커에서 발생하는 소리의 파장을 변화시킬 때, 관찰자의 위치에서 상쇄 간섭이 일어나는 소리의 파장 중 가장 긴 것은 몇 m인가?

① 0.5 m   ② 1 m   ③ 2 m   ④ 3 m   ⑤ 4 m

> • 두 스피커로부터 상쇄 간섭이 일어나는 지점의 경로차는 반파장의 홀수 배이다.

04 ❯ 빛의 간섭

그림은 파장 λ인 단색광이 동일한 위상으로 슬릿 A, B를 통과하여 스크린에 간섭무늬를 만드는 것을 나타낸 것이다. 점 P는 스크린의 중앙으로부터 첫 번째 밝은 무늬가 나타나는 지점이고, s는 슬릿의 A, B를 통과한 단색광이 스크린의 점 P에서 만났을 때의 경로차이다.

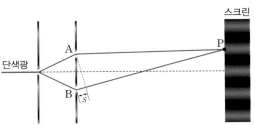

이에 대한 설명으로 옳은 것만을 보기에서 있는 대로 고른 것은?

> 보기
> ㄱ. P에서 두 단색광은 보강 간섭 한다.
> ㄴ. s는 $\frac{1}{2}\lambda$이다.
> ㄷ. 스크린의 중앙에서 멀어질수록 무늬의 밝기는 점점 줄어든다.

① ㄷ   ② ㄱ, ㄴ   ③ ㄱ, ㄷ   ④ ㄴ, ㄷ   ⑤ ㄱ, ㄴ, ㄷ

> • 스크린에 나타난 밝은 무늬는 보강 간섭이 일어난 지점이고, 어두운 무늬는 상쇄 간섭이 일어난 지점이다.

05 ❯ 소리의 간섭의 활용
그림 (가)는 여객기 내부에서 엔진 소음을 제거하는 원리를 나타낸 것이고, (나)는 자동차 엔진에서 발생하는 배기음을 제거하는 원리를 나타낸 것이다.

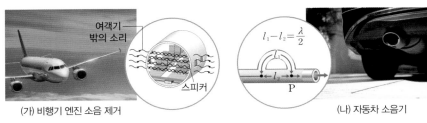

(가) 비행기 엔진 소음 제거   (나) 자동차 소음기

이에 대한 설명으로 옳은 것만을 보기에서 있는 대로 고른 것은?

보기
ㄱ. (가)의 비행기 내부 스피커에서는 엔진 소음과 반대 위상의 소리가 발생한다.
ㄴ. (나)의 자동차 소음기에서는 소음 채집용 마이크가 장착되어 있다.
ㄷ. (나)의 P점에서 소리는 보강 간섭을 한다.

① ㄱ   ② ㄴ   ③ ㄷ   ④ ㄱ, ㄴ   ⑤ ㄴ, ㄷ

• 자동차 소음기의 한 통로는 다른 통로보다 반파장만큼 길어서 이 두 통로를 통과한 소리가 만날 때 상쇄 간섭이 일어난다.

06 ❯ 소리의 간섭의 활용 - 소음 제거
그림은 소음 제거 기술이 적용된 헤드폰에서 소음이 제거되는 원리를 나타낸 것이다.

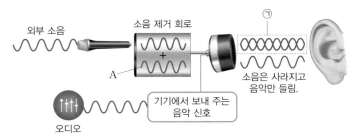

이에 대한 설명으로 옳은 것만을 보기에서 있는 대로 고른 것은?

보기
ㄱ. A는 소음 감지 마이크로 입력 받은 파동이다.
ㄴ. A의 위상은 외부 소음과 반대이다.
ㄷ. ㉠은 A와 외부 소음의 상쇄 간섭을 나타낸다.

① ㄷ   ② ㄱ, ㄴ   ③ ㄱ, ㄷ   ④ ㄴ, ㄷ   ⑤ ㄱ, ㄴ, ㄷ

• 소음을 마이크로 감지하여 회로에서 소음과 반대 위상의 소리를 발생시킨다.

07 ❯ 빛의 간섭의 활용 – 비누 막의 간섭무늬

그림 (가)는 빛의 삼원색의 합성을 나타낸 것이고, 그림 (나)는 햇빛을 받은 비누 막에서 일어나는 빛의 간섭을 나타낸 것이다. A는 어느 순간에 비누 막에서 자홍색으로 보이는 부분이다.

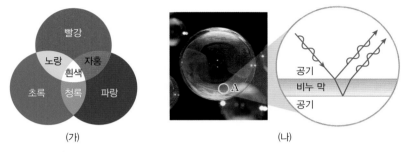

(가)   (나)

A에 대한 설명으로 옳은 것만을 보기에서 있는 대로 고른 것은?

보기

ㄱ. 가시광선 중에서 초록색 빛의 상쇄 간섭이 일어난다.

ㄴ. 다른 각도에서 보더라도 자홍색으로 보인다.

ㄷ. 시간이 지날수록 두께가 변하면서 다른 색으로 보인다.

① ㄱ　　　　② ㄴ　　　　③ ㄱ, ㄷ　　　　④ ㄴ, ㄷ　　　　⑤ ㄱ, ㄴ, ㄷ

• 백색광에서 초록색 빛을 빼면 자홍색 빛만 남는다. 따라서 초록색 빛이 상쇄 간섭 하면 자홍색으로 보인다.

08 ❯ 빛의 간섭의 활용 – 무반사 코팅

그림은 무반사 코팅을 한 렌즈에 빛이 입사했을 때 빛의 경로를 나타낸 것이다. A, B는 반사하는 빛의 경로이며, C는 투과하는 빛의 경로이다.

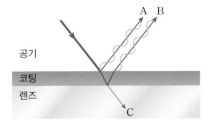

이에 대한 설명으로 옳은 것만을 보기에서 있는 대로 고른 것은?

보기

ㄱ. A와 B가 보강 간섭 하도록 코팅 막의 두께를 정한다.

ㄴ. A와 B가 상쇄 간섭 할 때 C의 양이 최대가 된다.

ㄷ. 렌즈를 코팅하지 않으면 C의 양이 증가한다.

① ㄱ　　　　② ㄴ　　　　③ ㄷ　　　　④ ㄱ, ㄴ　　　　⑤ ㄴ, ㄷ

• 반사광이 상쇄 간섭을 일으킬 때 투과광의 세기는 최대가 된다. 코팅을 하지 않으면 반사광을 줄이기 어렵다.

09 ▶ 빛의 간섭의 활용 - 색 변환 잉크

그림 (가)는 지폐의 숫자를 보는 각도에 따라 색깔이 다르게 보이는 것을 나타낸 것이고, 그림 (나)는 종이에 숫자를 인쇄하는 데 사용한 잉크의 표면과 안쪽 면에서 각각 반사하는 빛 **a, b** 의 경로를 나타낸 것이다.

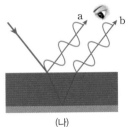

(가)　　　　　　　　(나)

> 잉크의 표면과 안쪽 면에서 반사하는 빛의 경로차에 따라 보강 간섭하는 빛의 파장이 달라진다.

이에 대한 설명으로 옳은 것만을 보기에서 있는 대로 고른 것은?

보기
ㄱ. a와 b가 중첩하여 간섭을 일으킨다.
ㄴ. a와 b의 경로차는 보는 각도에 따라 달라진다.
ㄷ. a와 b의 경로차에 의해 숫자의 색깔이 다르게 보인다.

① ㄱ　　② ㄱ, ㄴ　　③ ㄱ, ㄷ　　④ ㄴ, ㄷ　　⑤ ㄱ, ㄴ, ㄷ

10 ▶ 빛의 간섭의 활용 - DVD

그림 (가)는 DVD에 홈으로 정보가 기록된 것을 나타낸 것이고, 그림 (나)는 DVD에서 정보를 읽는 원리를 나타낸 것이다. A~D는 레이저 빛을 DVD의 홈에 수직으로 비출 때 반사되는 빛이다. 레이저 빛의 파장은 λ이며, DVD 홈의 깊이는 $\frac{1}{4}\lambda$와 같다.

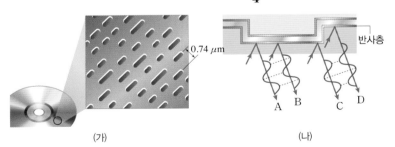

(가)　　　　　　　　(나)

> A와 B의 경로차는 0이므로 보강 간섭을 하며, C와 D의 경로차는 $\frac{1}{2}\lambda$이므로 상쇄 간섭을 한다.

이에 대한 설명으로 옳은 것만을 보기에서 있는 대로 고른 것은?

보기
ㄱ. DVD에서 반사되어 간섭하는 빛의 세기를 감지하여 정보를 읽는다.
ㄴ. 빛 A와 B는 상쇄 간섭을 한다.
ㄷ. 빛 C와 빛 D의 경로차는 $\frac{1}{2}\lambda$이다.

① ㄱ　　② ㄴ　　③ ㄷ　　④ ㄱ, ㄷ　　⑤ ㄴ, ㄷ

홀로(Holo)의 어원은 '전체'라는 의미를 가진 그리스어에서, 그램(gram)은 '메시지' 또는 '정보'라는 의미를 가진 그리스어에서 유래되었다. 홀로그램을 맨눈으로 보면 투명한 필름 조각에 지나지 않지만, 그 표면에는 아주 미세한 간섭무늬가 있다. 홀로그램은 이들 간섭무늬에 물체의 정보나 영상이 담겨져 있는 3차원 형태의 사진이다. 이 간섭무늬에서 회절된 빛은 실물과 똑같이 보이는 입체상을 만든다.

❶ 홀로그램의 제작

홀로그램은 하나의 레이저에서 나온 두 레이저 광선이 사진 필름에서 간섭함으로써 만들어진다. 그림과 같이 레이저 빛은 두 부분으로 나뉘어 사진 필름에 도달하게 되는데, 한 부분은 물체를 비춘 후 물체로부터 반사되어 필름에 도달하며 다른 부분은 거울을 비춘 후 거울로부터 반사되어 필름에 도달한다. 이때 거울에서 반사되어 필름에 도달하는 빛을 기준 광선이라고 한다. 물체의 각기 다른 부분에서 반사된 빛과 기준 광선이 간섭하여 필름에 아주 미세한 간섭무늬를 만든다. 물체의 가까운 부분에서 반사되는 빛의 경로는 좀 더 먼 부분에서 반사된 빛의 경로보다 짧다. 이러한 경로 차이 때문에 물체에서 반사되는 빛들이 기준 광선과 약간씩 다른 간섭무늬를 만들게 된다. 이러한 방법으로 물체의 깊이(가까운 부분에서 먼 부분까지의 거리)에 대한 정보가 기록된다. 이 필름을 현상(약품 처리하여 상이 나타나도록 하는 과정)하면 홀로그램이 된다.

일반 사진은 밝기 정보만 담고 있어 2차원 이미지를 보여주지만 밝기 정보와 거리 정보가 모두 있으면 3차원 이미지를 재현할 수 있다.

❷ 홀로그램의 재현

홀로그램에 빛을 비추면 물체의 밝기와 거리 정보가 두 눈으로 들어와 3차원 이미지를 볼 수 있다.

제작할 때 사용했던 것과 같은 기준 광선이 홀로그램에 비칠 때, 간섭무늬에서 회절된 빛이 만드는 파면은 물체에서 반사되는 빛이 만드는 본래의 파면과 똑같다. 따라서 홀로그램의 간섭무늬에서 회절된 빛의 파면은 물체에서 반사되는 빛의 본래 파면과 같은 효과를 낸다. 마치 창문을 통해 물체를 보는 것처럼 홀로그램을 통해 3차원 상을 볼 수 있으며, 거울로 물체를 보는 것처럼 홀로그램에서 반사되는 3차원 상을 볼 수 있다. 머리를 옆으로 움직여 상의 옆면을 볼 때나 머리를 낮추어 상의 아랫면을 볼 때 시차가 생기므로, 홀로그램에 의한 영상은 실물과 같다.

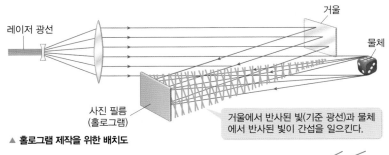

레이저 광선

거울

물체

사진 필름
(홀로그램)

거울에서 반사된 빛(기준 광선)과 물체에서 반사된 빛이 간섭을 일으킨다.

▲ 홀로그램 제작을 위한 배치도

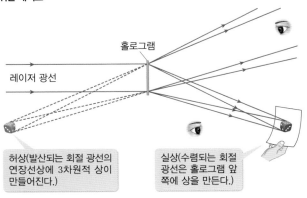

홀로그램

레이저 광선

허상(발산되는 회절 광선의 연장선상에 3차원적 상이 만들어진다.)

실상(수렴되는 회절 광선은 홀로그램 앞쪽에 상을 만든다.)

▲ 홀로그램의 재현

01 ▶파동의 전파와 속력

그림 (가)는 xy 평면에서 줄에 생긴 파동이 x축과 나란하게 진행하는 어느 순간의 모습을 나타낸 것이고, 그림 (나)는 (가)의 순간부터 줄에 고정된 점 P의 y축 방향의 변위를 시간에 따라 나타낸 것이다. 이 파동의 파장은 **0.2 m**이다.

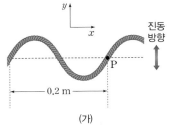

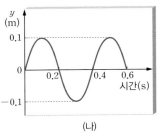

(가)　　　　　　　(나)

• (가)에 P의 변위가 y 방향으로 커질 때 줄의 모습을 그려 보면 파동의 진행 방향을 알 수 있다.

이 파동에 대한 설명으로 옳은 것만을 보기에서 있는 대로 고른 것은?

보기
ㄱ. 이 파동은 횡파이다.
ㄴ. 파동의 속력은 0.5 m/s이다.
ㄷ. 파동의 진행 방향은 $+x$ 방향이다.

① ㄱ　　② ㄱ, ㄴ　　③ ㄱ, ㄷ　　④ ㄴ, ㄷ　　⑤ ㄱ, ㄴ, ㄷ

02 ▶굴절 법칙

그림 (가)는 단색광이 공기에서 입사각 i로 입사하여 매질 A, B를 차례로 통과한 후 굴절각 r로 다시 공기로 나오는 경로를 나타낸 것이다. 그림 (나)는 A, B의 위치만 바꾸었을 때 빛의 진행 경로를 나타낸 것이다. (가), (나)에서 a와 b는 각각 두 법선 사이의 거리이다.

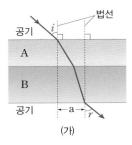

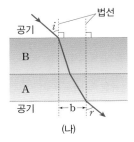

(가)　　　　　　　(나)

• (나)에서 빛의 진행 경로는 (가)에서의 반대 경로와 일치하는지 확인해 보면 a, b의 길이가 같은지 알 수 있다.

이에 대한 설명으로 옳은 것만을 보기에서 있는 대로 고른 것은? (단, 각 매질 사이의 경계면은 서로 평행하다.)

보기
ㄱ. 단색광의 속력은 A에서가 B에서보다 작다.
ㄴ. i와 r는 같다.
ㄷ. a와 b는 같다.

① ㄱ　　② ㄴ　　③ ㄷ　　④ ㄱ, ㄴ　　⑤ ㄴ, ㄷ

03 > 빛의 파장에 따른 굴절률의 변화

그림 (가)는 어떤 물질의 파장에 따른 빛의 굴절률의 변화를 나타낸 것이고, 그림 (나)는 공기에서 이 물질에 파장이 다른 단색광 A, B를 같은 입사각으로 비추었을 때 A, B의 진행 경로를 나타낸 것이다.

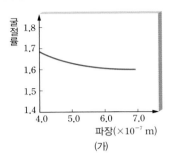
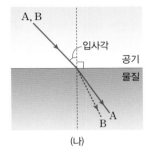

• 파장이 짧을수록 굴절률이 커지면, 같은 입사각에 대해 굴절각이 작아진다.

이에 대한 설명으로 옳은 것만을 보기에서 있는 대로 고른 것은?

> 보기

ㄱ. 물질의 굴절률은 공기보다 작다.

ㄴ. 파장은 A가 B보다 작다.

ㄷ. 물질 내부에서의 속력은 A가 B보다 크다.

① ㄷ   ② ㄱ, ㄴ   ③ ㄱ, ㄷ   ④ ㄴ, ㄷ   ⑤ ㄱ, ㄴ, ㄷ

04 > 굴절 현상의 예

다음은 해가 이미 지평선 아래로 졌는데도 잠시 동안 태양을 계속해서 볼 수 있는 원리를 설명한 것이다.

⊙대기의 밀도가 지면에 가까울수록 크기 때문에 빛의 속력은 지면에 가까울수록 (A)진다. 따라서 태양으로부터 오는 ⓒ빛의 진행 경로가 휘어지므로 태양이 실제 위치보다 위쪽에 있는 것으로 보인다.

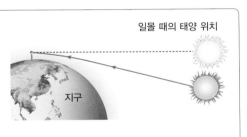

일몰 때의 태양 위치

지구

• 대기를 이루는 공기 입자들은 지구 중력에 의해 지구 표면 가까이에 존재한다.

이에 대한 설명으로 옳은 것만을 보기에서 있는 대로 고른 것은?

> 보기

ㄱ. ⊙은 높이에 따른 대기의 온도 변화 때문에 발생한다.

ㄴ. A는 '빨라'이다.

ㄷ. ⓒ과 같은 빛의 성질을 굴절이라고 한다.

① ㄱ   ② ㄴ   ③ ㄷ   ④ ㄱ, ㄴ   ⑤ ㄴ, ㄷ

05 ❯ 전반사

그림은 단색광이 공기와 유리의 경계면상의 P점을 향해 입사각 i_0로 입사하여 굴절한 후, 유리와 물체의 경계면에서 굴절각이 **90°**가 되는 임계각 θ_c로 입사하는 것을 나타낸 것이다.

이에 대한 설명으로 옳은 것만을 보기에서 있는 대로 고른 것은?

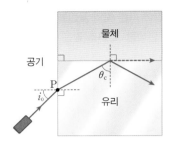

보기
- ㄱ. 빛의 속력은 유리에서가 물체에서보다 느리다.
- ㄴ. 빛을 i_0보다 큰 각으로 입사시키면, 유리와 물체의 경계면에서 전반사한다.
- ㄷ. 물체만 굴절률이 더 작은 것으로 바꾸면, 유리와 물체의 경계면에서 전반사한다.

① ㄱ   ② ㄷ   ③ ㄱ, ㄴ   ④ ㄱ, ㄷ   ⑤ ㄴ, ㄷ

공기에서 유리로 입사하는 단색광의 입사각이 i_0보다 커지면 굴절각도 커지므로, 유리와 물체의 경계면에 입사하는 단색광의 입사각이 θ_c보다 작아진다.

06 ❯ 광섬유

그림 (가)는 단색광이 두 물질 A, B의 경계면에서 굴절할 때 입사각에 따른 굴절각을 측정하여 나타낸 것이고, (나)는 두 물질 A, B로 만든 광섬유에서 (가)에서 사용된 단색광이 전반사하며 진행하는 모습을 나타낸 것이다.

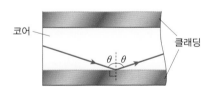

입사각(i)	63.0°	68.0°	73.6°
굴절각(r)	68.3°	75.2°	89.4°

(가)   (나)

이에 대한 설명으로 옳은 것만을 보기에서 있는 대로 고른 것은?

보기
- ㄱ. 굴절률은 A가 B보다 크다.
- ㄴ. 코어는 B, 클래딩은 A이다.
- ㄷ. (나)에서 $0° < \theta < 73.6°$이다.

① ㄱ   ② ㄴ   ③ ㄷ   ④ ㄱ, ㄷ   ⑤ ㄱ, ㄴ, ㄷ

단색광이 임계각보다 큰 각도로 입사할 때 전반사가 일어난다. (가)에서 단색광의 입사각은 임계각보다 작다.

07 ❯ 전자기파

그림은 수직으로 세워진 직선 안테나에서 전하의 운동에 의해 전자기파가 퍼져 나가는 모습을 나타낸 것이다.

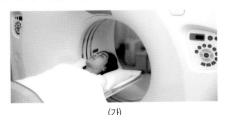

이에 대한 설명으로 옳은 것만을 보기에서 있는 대로 고른 것은?

> 보기
>
> ㄱ. 안테나 속에서 전하가 아래위로 진동할 때 주위에 전자기파가 발생한다.
> ㄴ. 폐곡선은 자기장을 나타내고, 종이면에 수직으로 들어오는 것(×)과 나가는 것(•)은 전기장을 나타낸다.
> ㄷ. 안테나 속 전하의 진동수가 클수록 전자기파의 속력이 빨라진다.

① ㄱ   ② ㄷ   ③ ㄱ, ㄴ   ④ ㄱ, ㄷ   ⑤ ㄴ, ㄷ

• 전하가 아래위로 진동하는 운동은 가속 운동이다.

08 ❯ 전자기파 스펙트럼

그림 (가)는 어떤 전자기파를 이용해 컴퓨터 단층(CT) 촬영을 하는 모습을 나타낸 것이고, (나)는 전자기파를 진동수에 따라 분류한 것을 나타낸 것이다.

(가)

진동수 (Hz): 10^6 10^9 10^{12} 10^{15} 10^{18} 10^{21}

A   B

적외선   자외선   감마선
가시광선

(나)

이에 대한 설명으로 옳은 것만을 보기에서 있는 대로 고른 것은?

> 보기
>
> ㄱ. (가)에서 이용되는 전자기파는 A에 속한다.
> ㄴ. B는 고속의 전자를 금속박에 충돌시킬 때 발생한다.
> ㄷ. B가 A보다 직진성이 강하다.

① ㄱ   ② ㄷ   ③ ㄱ, ㄴ   ④ ㄱ, ㄷ   ⑤ ㄴ, ㄷ

• 파장이 짧을수록 직진성이 강하고, 파장이 길수록 회절이 잘 일어나 멀리 전파된다.

09 ❯ 중첩 원리

오른쪽 그림은 파장과 전파 속력이 같고, 진폭이 각각 **1 cm**, **2 cm**인 두 파동 A, B가 서로 반대 방향으로 진행하고 있는 것을 나타낸 것이다.

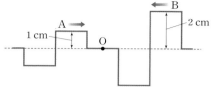

두 파동의 중간 지점에 있는 매질 위의 한 점 O의 변위를 시간에 따라 나타낸 그래프로 가장 적절한 것은?

• 중첩 원리에 따라 합성파의 변위는 각 파동의 변위의 합과 같다.

①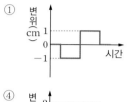
②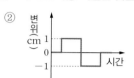
③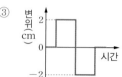

④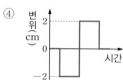
⑤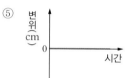

10 ❯ 물결파의 간섭

그림은 두 점파원 S_1, S_2에서 진동수와 진폭이 같은 물결파를 같은 위상으로 발생시켰을 때 얻은 물결파의 어느 순간의 모습을 모식적으로 나타낸 것이다. 실선과 점선은 각각 물결파의 마루와 골의 위치를 나타낸 것이며, P와 Q는 S_1과 S_2로부터 일정한 거리에 있는 두 점을 나타낸다. S_1과 S_2 사이의 거리는 **9 cm**이며 두 점파원에서 발생한 물결파의 진동수는 **5 Hz**이다.

• 물결파의 진동수만 2배로 하면 파장이 $\frac{1}{2}$배가 되므로, 마루의 위치는 그대로 마루가 되고 골의 위치도 마루가 된다.

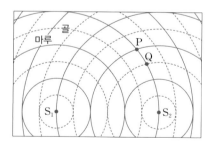

이에 대한 설명으로 옳은 것만을 보기에서 있는 대로 고른 것은? (단, 물의 깊이는 일정하다.)

┌─ 보기 ─────────────────────────────
ㄱ. 물결파의 속력은 15 cm/s이다.
ㄴ. P에서 수면은 0.1초의 주기로 진동한다.
ㄷ. 물결파의 진동수만 2배로 하면 Q에서 보강 간섭이 일어난다.
└─────────────────────────────────

① ㄱ   ② ㄱ, ㄴ   ③ ㄱ, ㄷ   ④ ㄴ, ㄷ   ⑤ ㄱ, ㄴ, ㄷ

11 › 소리의 간섭

그림과 같이 두 스피커 A, B를 마주보게 설치하고, 각각 680 Hz의 소리를 같은 위상으로 발생시켰다. 두 스피커를 연결하는 직선상에 있던 철수가 B를 향하여 걸어가며 소리의 세기를 측정하였더니, 소리의 세기가 커지고 작아지기를 반복했다.

스피커 A   소음 측정기   스피커 B

이에 대한 설명으로 옳은 것만을 보기에서 있는 대로 고른 것은? (단, 공기중에서 소리의 속력은 340 m/s이며, 반사파는 무시하고 소음 측정기와 스피커 A, B는 일직선상에 있다.)

> 보기

ㄱ. 소리가 크게 측정되는 이웃한 지점 사이의 거리는 0.25 m이다.

ㄴ. 소리의 진동수만 변화시키면 소리가 크게 측정되는 이웃한 두 지점 사이의 거리가 달라진다.

ㄷ. 두 스피커 사이의 거리만 변화시키면 소리가 크게 측정되는 이웃한 두 지점 사이의 거리가 달라진다.

① ㄴ   ② ㄱ, ㄴ   ③ ㄱ, ㄷ   ④ ㄴ, ㄷ   ⑤ ㄱ, ㄴ, ㄷ

• 두 스피커를 잇는 직선상에서 소리의 세기가 큰 두 지점은 경로차가 반파장의 짝수 배인 지점이다.

12 › 빛의 간섭

그림은 물 위에 뜬 기름막에서 나타나는 무지갯빛 무늬이다. 이와 같은 원리로 설명할 수 있는 현상은?

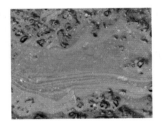

• 기름막에서 나타나는 무늬는 얇은 막에 의한 빛의 간섭 현상으로 인한 것이다.

①
해안선에 나란해지는 파도

②
무더운 날 아스팔트 위에 보이는 신기루

③
물속에서 짧아 보이는 다리

④
공작새 깃털의 색깔

⑤
물에 비친 백조의 상

01 다음은 빛의 굴절에 대한 자료이다.

KEYWORDS
(1) • 입사각, 굴절각
(2) • 굴절 법칙
(3) • 상대 굴절률

그림 (가), (나)와 같이 파장이 같은 단색광이 각각 매질 A와 매질 B에서 동일한 프리즘을 통과한 후 다시 매질 A와 매질 B로 진행하고 있다.

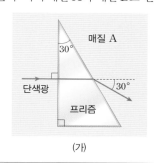

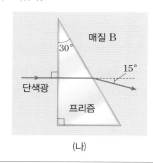

(가)   (나)

(1) 프리즘과 매질 A에서의 단색광의 속력을 비교하되 근거를 들어 서술하시오.

(2) 프리즘과 매질 B에서의 단색광의 파장의 비를 구하고, 그 과정을 서술하시오.

(3) A에 대한 B의 굴절률을 구하고, 그 과정을 서술하시오.

02 그림 (가)는 공기 중에서 단색광이 어떤 물체의 단면에 수직으로 입사하여 물체 속을 지나가는 것을 나타낸 것이다. 점 P와 점 Q는 물체 속에서 빛이 진행하는 경로 위의 두 점이다. 그림 (나)는 이 단색광에 대하여 물체의 왼쪽 면으로부터의 진행 거리 x에 따른 물체의 굴절률 n을 나타낸 그래프이다.

KEYWORDS
• 굴절률, 굴절 법칙

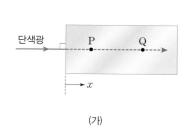

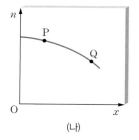

(가)   (나)

단색광이 점 P에서 점 Q까지 진행하는 동안 속력과 파장 및 진동수의 변화에 대해 근거를 들어 서술하시오.

KEYWORDS
(1) • 임계각과 굴절률
• 굴절률과 속력
• 파장과 진동수의 관계
(2) • 굴절 법칙, 굴절률

03 다음은 전반사에 대한 자료이다.

그림 (가)와 같이 공기 중에서 파장이 다른 두 단색광 a, b를 프리즘에 수직으로 입사시 켰더니 점 P에서 a는 전반사하고, b는 일부는 반사하고 일부는 굴절하였다. P에서 반 사된 a, b는 점 Q에서 굴절하여 하나는 점 R를, 다른 하나는 점 S를 지난다. 그림 (나) 는 공기에서의 빛의 파장에 따른 프리즘의 굴절률을 나타낸 것이다. (단, 공기에서 a, b 의 파장은 λ_1과 λ_2 사이에 있다.)

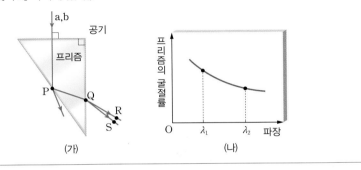

(가)   (나)

(1) 프리즘에서 단색광 a, b의 속력과 진동수를 비교하시오.

(2) R를 지나는 단색광은 a와 b 중 어느 것인지 근거를 들어 서술하시오.

KEYWORDS
• 임계각과 굴절률

04 그림은 유리봉의 한 조각을 지면 위에 올려놓고, 공기 중에서 지면에 평행한 방향으로 단색광 을 유리 조각에 수직으로 입사시키는 것을 나타낸 것이다. 유리봉의 굴절률은 n이고, 반지름 은 R이다. 단색광이 유리 조각에 입사되는 지점과 지면 사이의 거리는 h이다.

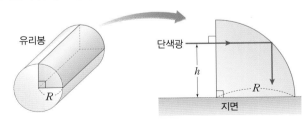

유리 조각 내부의 곡면에서 전반사가 일어나기 위한 h의 범위를 n과 R로 나타내고, 그 과정 을 서술하시오. (단, 공기의 굴절률은 1이다.)

05 다음은 레이저 빛의 파장을 알아내기 위해 빛의 간섭 현상을 이용하는 실험을 나타낸 것이다.

KEY WORDS
(1) • 경로차
• 보강 간섭(또는 상쇄 간섭)의 조건
(2) • 경로차
• 보강 간섭(또는 상쇄 간섭)의 조건

> 그림은 직선 AB의 중점 O를 기준으로 같은 거리에 두 음파 발생기 S_1, S_2를 설치하고, S_1과 S_2 사이의 거리 d를 변화시키면서 반지름 R인 반원 위의 점들에서 소리의 세기를 측정하는 실험을 나타낸 것이다. S_1과 S_2에서는 진폭과 진동수가 일정한 음파가 같은 위상으로 발생하고 있으며, P는 S_1과 S_2로부터 떨어진 거리가 같은 반원 위의 점이다. 그래프는 점 A에서 소리의 세기를 d의 변화에 따라 나타낸 것이다. 단, 음파 발생기는 점파원으로 가정한다.

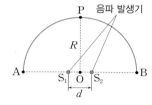
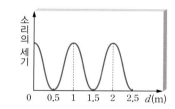

(1) 음파 발생기에서 발생하는 소리의 파장을 구하는 과정을 서술하시오.

(2) d가 증가할수록 반원 위에서 상쇄 간섭이 일어나는 지점의 개수는 어떻게 변하는지 과정과 함께 서술하시오.

06 그림 (가)와 같이 거울과 스크린을 설치하고 파장이 같은 레이저 빛을 경로 1과 2를 따라 스크린에 비춘 후, 경로 1의 빛이 첫 번째 거울로 입사하는 방향과 수직 방향으로 거울 A와 B를 거리 x만큼 동시에 움직였다. 그림 (나)는 거울이 움직인 거리 x를 증가시키면서 스크린 위의 한 점 P에서 빛의 세기를 측정한 것을 나타낸다.

KEY WORDS
• 경로차
• 보강 간섭(또는 상쇄 간섭)의 조건

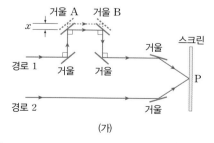
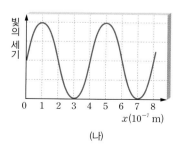

(가)   (나)

실험 결과를 해석하여 레이저 빛의 파장을 구하는 방법을 서술하시오.

KEY WORDS
상쇄 간섭의 조건, 굴절 법칙

07 다음은 태양 전지의 무반사 코팅에 대해 설명한 자료이다.

태양의 빛에너지를 전기 에너지로 전환하는 태양 전지는 보통 일산화 규소(SiO)와 같은 투명한 박막을 코팅하여 반사에 의한 빛에너지의 손실을 최소화한다. 코팅되지 않은 태양 전지는 반사에 의한 손실이 약 30 % 이상인 반면, 일산화 규소 코팅을 하면 반사에 의한 손실을 약 10 %
정도로 줄일 수 있다. 이렇게 반사에 의한 손실을 줄이면 더 많은 빛에너지가 태양 전지로 들어가므로 효율을 높일 수 있다.

일산화 규소(SiO)의 굴절률이 1.45일 때 가시광선 영역의 가운데에 있는 파장이 550 nm인 빛이 태양 전지 면에 수직으로 입사할 때 빛의 반사를 최소로 하기 위한 투명 박막의 최소 두께를 구하고, 그 과정을 서술하시오. (단, 공기의 굴절률은 1이고, 빛이 박막의 윗면과 아랫면에서 반사할 때 모두 위상이 반대로 바뀐다.)

KEY WORDS
(1) • 빛의 파장
　　 • 간섭무늬 간격
(2) • 빛의 파장
　　 • 간섭무늬 간격
　　 • 백색광

08 그림 (가)~(다)는 이중 슬릿에 의한 빛의 간섭 실험에서 슬릿 사이의 간격이 같은 이중 슬릿을 이용하여 청색광, 적색광, 백색광을 사용했을 때의 간섭무늬이다.

청색광 $d = 0.2$ mm
(가)

적색광 $d = 0.2$ mm
(나)

백색광 $d = 0.2$ mm
(다)

(1) (가)와 (나)에서 얻을 수 있는 결론에 대해 서술하시오.

(2) (다)에서 백색광을 사용했을 때 간섭무늬에서 여러 가지 색이 나타나는 까닭을 (1)의 결론을 참고하여 서술하시오.

2

빛과 물질의 이중성

단원
Preview

간섭
회절
파동성
빛의
이중성
입자성
전하 결합
소자(CCD)
광전 효과
광양자설

입자성
물질의
이중성
투과 전자 현미경(TEM)
주사 전자 현미경(SEM)
파동성
전자
현미경
파장−분해능

빛의 이중성

물질의 이중성

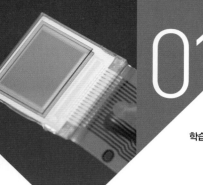

01 빛의 이중성

학습 Point 빛의 입자설과 파동설 〉 광전 효과와 광양자설 〉 빛의 이중성 〉 전하 결합 소자(CCD)의 원리

 빛의 파동설과 입자설

빛의 본성을 알기 위한 과학적 탐구는 17세기부터 시작되었고 빛을 입자라고 주장하는 입자설과 파동이라고 주장하는 파동설이 19세기 후반까지 대립하였다.

1. 빛의 입자설

17세기 후반에 뉴턴은 빛의 직진성과 물체의 그림자가 뚜렷하게 나타난다는 사실로부터 빛은 광원에서 방출되어 빠른 속력으로 공간을 퍼져 나가는 작은 입자의 흐름이라고 주장하였다. 뉴턴은 입자설을 이용하여 빛의 반사와 굴절 현상을 설명하였다. 그러나 뉴턴과 같은 시대의 과학자인 네덜란드의 하위헌스는 빛이 파동의 형태로 전달된다고 주장하였고, 파동 모형으로 빛의 반사와 굴절 법칙을 설명하였다. 뉴턴과 하위헌스의 주장은 양쪽 다 완전하지 못했지만, 당시 뉴턴의 명성 때문에 빛의 입자설이 더 많은 지지를 받았다.

2. 빛의 파동설

19세기 초에 영국의 물리학자 영은 적절한 조건에서 이중 슬릿을 통과한 빛이 간섭 현상을 나타내는 것을 관측하였다. 몇 년 뒤에 프랑스 물리학자 프레넬이 수행한 간섭과 회절에 관한 여러 실험도 영의 실험과 마찬가지로 빛을 파동으로 보아야만 설명이 가능하였다. 또, 19세기 중반에는 푸코가 뉴턴의 입자설에 의한 예측과 반대로 물속에서 빛의 속력이 공기 중에서보다 느리다는 사실을 측정함으로써, 빛의 파동설을 뒷받침하는 결정적 증거를 제시하였다. 이로써 빛이 파동인가 입자인가 하는 200여 년간의 논쟁 끝에 19세기에는 빛의 파동설이 일반적으로 인정받았다. 그 후 맥스웰이 전자기 이론을 완성하여 전자기파의 존재를 예언하고, 빛도 전자기파의 일종이라고 주장하였다. 또, 1887년에 헤르츠가 전자기파를 발생시키고 검출함으로써 빛의 파동설이 확립되었다.

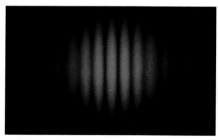

▲ **이중 슬릿에 의한 빛의 간섭무늬** 2개의 슬릿을 지나며 회절한 빛이 서로 간섭하여 밝고 어두운 무늬가 번갈아 나타나는 간섭무늬를 만든다.

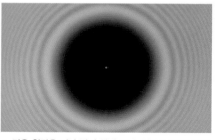

▲ **작은 원판을 지난 빛의 회절 무늬** 원판의 가장자리에서 회절한 빛이 서로 간섭하여 원판의 그림자 부분의 중심에 밝은 점이 나타난다.

뉴턴의 입자 모형으로 설명한 빛의 굴절

뉴턴의 입자 모형에 따르면, 수면에서 빛이 굴절하는 것은 공기 분자가 빛 입자를 끌어당기는 힘보다 물 입자가 빛 입자를 끌어당기는 힘이 더 크기 때문이라고 하였다. 이렇게 되면 빛의 속력은 공기에서보다 물속에서 더 빨라야 한다.

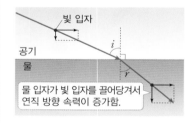

물 입자가 빛 입자를 끌어당겨서 연직 방향 속력이 증가함.

프레넬 회절 실험

원판 모양의 장애물에 단색광을 비추면 원판의 가장자리에서 회절한 빛이 서로 간섭하여 그림자의 중심 부분에 밝은 점이 나타난다. 이것을 프레넬의 밝은 점이라고 하며, 이를 통해 빛의 파동설이 더욱 신뢰를 얻게 되었다.

② 광전 효과와 광양자설

맥스웰의 전자기 이론은 당시에 알려진 빛의 성질들을 대부분 설명할 수 있었지만, 그 이후 이루어진 몇 가지 실험 결과를 설명할 수 없었다. 그중 가장 대표적인 것이 19세기 말 헤르츠에 의해 발견된 광전 효과이다.

1. 광전 효과

금속 표면에 빛을 비추었을 때 금속 표면에서 전자가 에너지를 얻어 튀어나오는 현상을 광전 효과라고 한다.

(1) **광전자**: 광전 효과에 의해 금속에서 튀어나온 전자이다.

(2) **광전 효과 실험**: 그림은 광전 효과가 어떤 요인에 의해 달라지는지 알아보기 위한 실험 장치로, 광전관 속

집중 분석 2권 240쪽

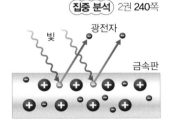

▲ 광전 효과

금속판 E, C 사이에는 약한 전압이 걸려 있다. 금속판 E에 빛을 쪼이지 않으면 광전 효과가 일어나지 않아 전류가 흐르지 않지만, 빛을 쪼여 광전 효과가 일어나면 금속판 E에서 튀어나온 전자가 금속판 C에 도달하므로, 회로에 전류가 흐른다. 이때 금속판에 쪼여 주는 빛의 진동수와 세기를 달리 하며, 전류의 세기를 측정한다.

① **최대 전류 세기**: 금속판 E에서 단위 시간당 방출된 광전자의 수에 비례한다.

② **정지 전압**: 전류 세기가 0이 되는 순간의 전압으로, 광전자 1개가 가지는 최대 운동 에너지에 비례한다.

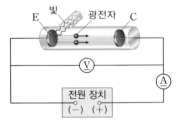

▲ 광전 효과 실험 장치

▲ 양극 전압에 따른 광전류의 세기 변화

헤르츠의 광전 효과 발견
광전 효과를 최초로 발견한 것은 헤르츠이다. 1887년, 헤르츠는 전자기파 검출 실험을 하는 도중 (−)전하로 대전된 금속 구에 자외선을 비추면 방전이 더 잘 일어난다는 것을 발견하였다. 그 후 전자가 발견됨에 따라 금속에 자외선을 쪼이면 전자가 방출된다는 것을 알게 되었다. 그러나 그는 이것이 광전 효과인지 알지는 못했다고 한다.

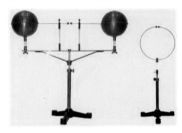

▲ 헤르츠의 실험 장치

반도체나 절연체에서의 광전 효과
광전 효과는 반도체나 절연체에서도 일어난다. 반도체에서는 원자가 띠의 전자가 전도 띠로 전이하는 광전 효과가 일어나며, 절연체에서도 광전 효과가 일어난다.

시야확장 ➕ 광전자의 최대 운동 에너지

위 그림의 광전 효과 실험 장치에서 양극인 금속판 C의 전압을 음극인 금속판 E의 전압보다 낮게 하면, E에서 방출되는 광전자는 C로부터 밀리는 방향으로 전기력(척력)을 받는다. 광전자 중의 어떤 것은 충분한 운동 에너지를 갖고 있어 척력을 이기고 C에 도달하여 전류가 흐른다. 이때 C의 전압 $-V$를 역전압으로 계속 높여 주면, C에 도달하는 전자의 수가 점점 줄어들기 때문에 전류의 세기도 줄어든다. 전압이 어느 일정한 값 $-V_0$에 이르면 C에 도달하는 광전자는 없어서 전류의 세기가 0이 된다. 이때 $-V_0$를 정지 전압이라고 한다. 금속판 E에서 방출되는 광전자의 최대 운동 에너지 $\frac{1}{2}mv_0^2$이 커진다면, 광전류의 세기가 0이 되는 양극 전압 $-V_0$의 크기도 커진다. 따라서 $\frac{1}{2}mv_0^2 \propto V_0$가 성립하며, 식을 완성하면 $\frac{1}{2}mv_0^2 = eV_0$가 된다. 이 식은 광전자의 최대 운동 에너지 $\frac{1}{2}mv_0^2$은 E에서 방출된 전하량 e인 전자를 음극으로부터 전위차 $-V_0$인 양극으로 이동시키는 동안 전기력이 하는 일 eV_0와 같다는 의미이다. 따라서 광전류가 0이 될 때의 양극 전압 $-V_0$의 크기를 측정하면, 광전자의 최대 운동 에너지를 구할 수 있다.

2. 빛의 파동설에 따른 예측과 광전 효과 실험 결과

빛의 파동설에 의하면 금속 안의 전자가 받는 빛에너지는 진동수와 빛의 세기에 따라 달라지므로 이에 따른 결과가 나와야 하지만, 광전 효과의 실제 실험 결과는 이와 달랐다.

(1) 빛의 진동수와 광전자의 방출 사이의 관계

① 빛의 파동설에 따른 예측: 빛의 세기가 충분히 세기만 하다면, 어떤 진동수의 빛이 입사해도 광전자가 방출되어야 한다.

② 실험 결과: 금속판에 쪼여 주는 빛의 진동수가 특정한 진동수보다 작으면, 빛의 세기가 아무리 세도 광전자가 방출되지 않는다. 이 진동수를 문턱 진동수라고 한다.

➡ 문턱 진동수보다 큰 빛을 쪼여 주면 광전자가 방출되며, 빛의 세기가 셀수록 단위 시간당 방출되는 광전자의 수가 많다.

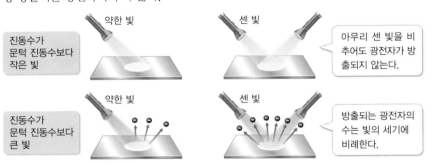

▲ 빛의 세기와 진동수에 따른 광전 효과

(2) 빛의 입사와 광전자 방출 사이의 시간 지연

① 빛의 파동설에 따른 예측: 빛의 진동수가 문턱 진동수보다 크더라도 세기가 약하면 전자가 에너지를 축적하는 데 시간이 걸리므로, 광전자가 방출되는 데 시간이 걸려야 한다.

② 실험 결과: 빛의 진동수가 문턱 진동수보다 크면 빛의 세기가 아무리 약하더라도 광전자는 즉시 방출된다.

(3) 빛의 세기와 광전자의 운동 에너지의 관계

① 빛의 파동설에 따른 예측: 빛의 세기가 셀수록 더 큰 에너지를 전달하므로, 방출되는 광전자의 최대 운동 에너지가 커야 한다.

② 실험 결과: 광전자의 최대 운동 에너지는 빛의 세기와 무관하다.

시선 집중 ★ 광전관을 이용한 광전 효과 실험

그림의 광전관에 단색광 A를 비추었더니 전류가 흘렀고, 단색광 B를 비추었더니 전류가 흐르지 않았다.

단색광	A	B
광전자	방출됨.	방출되지 않음.
진동수	문턱 진동수보다 큼.	문턱 진동수보다 작음.
파장	짧다.	길다.
빛의 세기를 증가시킬 때	광전자의 수 증가 → 전류의 세기 증가	방출되지 않음. → 전류가 흐르지 않음.

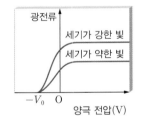

문턱 진동수 f_0

빛을 금속에 쪼여 줄 때, 금속 표면에서 전자 1개를 떼어 내기 위한 빛의 최소한의 진동수이다. 한계 진동수라고도 하며, 금속에 따라 다른 값을 가진다.

금속	문턱 진동수(Hz)
알루미늄	9.87×10^{14}
철	10.88×10^{14}
아연	10.40×10^{14}

빛의 세기에 따른 광전류의 변화

광전 효과 실험에서 금속판에 진동수가 문턱 진동수 이상인 빛을 쪼일 때 진동수는 같고 세기가 센 빛을 쪼이면, 정지 전압은 일정하고 광전류가 증가한다. 즉, 광전자의 최대 운동 에너지는 빛의 세기에 무관하고, 방출되는 광전자의 수는 빛의 세기에 따라 증가하는 것을 알 수 있다.

광전관

광전관은 진공의 유리관 안에 음극에 연결된 금속판과 양극에 연결된 금속봉이 들어 있다. 금속판과 금속봉은 서로 떨어져 있어 전압을 걸어도 전류가 흐르지 않지만, 진동수가 금속판의 문턱 진동수 이상인 빛을 비추면 금속판에서 나온 광전자가 금속봉으로 이동하여 전류가 흐른다.

3. 광양자설

1905년에 아인슈타인은 광전 효과를 설명하기 위해 "빛은 연속적인 파동의 흐름이 아니라 불연속적인 에너지 양자인 광자(광양자)의 흐름이고, 광자가 가지는 에너지는 진동수에 비례한다."는 광양자설을 제안하였다. 빛의 진동수가 f일 때 광자 1개의 에너지는 다음과 같다.

$$E = hf = \frac{hc}{\lambda} \quad (\text{플랑크 상수 } h = 6.63 \times 10^{-34} \text{ J·s})$$

(1) 진동수가 f인 빛의 에너지는 광자의 개수에 따라 hf, $2hf$, $3hf$, $\cdots$ 와 같이 불연속적인 값만을 가질 수 있다.

(2) 빛의 진동수가 클수록 광자 1개의 에너지가 크며, 빛의 세기가 셀수록 단위 시간당 입사하는 광자의 수가 많다.

4. 광양자설에 의한 광전 효과의 해석

광양자설에 의하면 광전 효과는 광자와 전자의 일대일 충돌로 설명할 수 있다. 전자는 전기력에 의해 금속에 속박되어 있으므로, 이 인력에 대해 일을 해 주어야 금속에서 전자가 방출될 수 있다. 이때 금속에서 전자 1개를 떼어 내는 데 필요한 최소한의 에너지를 일함수(W)라고 한다. 즉, 광자 1개의 에너지가 그 금속의 일함수보다 커야 광전자를 방출시킬 수 있으므로, 특정한 값보다 큰 진동수의 빛을 비출 때만 광전자가 방출된다. 즉, 문턱 진동수(f_0)는 광자 1개의 에너지가 금속의 일함수와 같은 빛의 진동수를 말한다. ➡ $W = hf_0$

(1) **빛의 진동수가 문턱 진동수보다 작은 경우($hf < W$):** 광자 1개의 에너지가 금속의 일함수보다 작으므로 전자가 금속에서 방출되지 않는다. 빛의 세기가 아무리 세도 진동수가 문턱 진동수보다 작은 광자는 전자에 전달하는 에너지가 작으므로 광전자가 방출되지 않는다. 즉, 아무리 많은 수의 광자가 충돌하더라도 단 1개의 전자도 방출되지 않는다.

▲ **광자의 에너지가 일함수보다 작을 때** 전자가 금속을 탈출하지 못한다.

(2) **빛의 진동수가 문턱 진동수 이상인 경우($hf \geq W$):** 광자 1개의 에너지가 금속의 일함수 이상이므로 광전자가 방출된다. 이때 빛의 세기가 아무리 약해도 광자 1개의 에너지가 충분히 크므로, 광자와 충돌한 전자는 즉시 튀어나온다. 빛의 세기가 셀수록 단위 시간당 전자와 충돌하는 광자의 수가 많아지므로, 단위 시간당 방출되는 광전자의 수도 빛의 세기에 비례하여 증가한다.

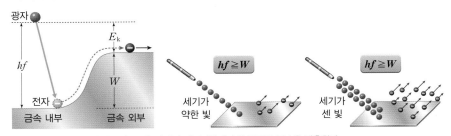

▲ **광자의 에너지가 일함수보다 클 때** 광자의 에너지를 흡수한 전자가 금속을 탈출한다.

광자(광양자)

양자화된 에너지를 갖는 빛 입자를 의미한다. 빛이 양자화되어 있다는 것은 빛의 에너지가 hf라는 기본적인 양의 정수배만 가능하다는 것을 의미한다. 즉, 진동수 f인 빛은 $0.6hf$나 $0.8hf$와 같은 에너지를 가질 수 없다.

일함수 W

금속 표면의 자유 전자 1개가 금속 이온과의 전기적 인력을 이겨 내고 금속 밖으로 나오기 위해 필요한 최소한의 에너지로, 금속의 종류마다 다르다.

금속	일함수(eV)
나트륨	2.46
아연	4.31
구리	4.70
알루미늄	4.08
철	4.50

(3) 빛의 진동수와 광전자의 최대 운동 에너지의 관계

금속에서 방출되는 광전자의 최대 운동 에너지 E_k는 광자 1개의 에너지에서 금속의 일함수를 뺀 값으로 다음과 같다.

$$E_k = hf - W$$

따라서 광전자의 최대 운동 에너지는 빛의 진동수가 클수록 크며, 이를 그래프로 나타내면 그림과 같이 기울기가 일정한 직선이 된다.

① 기울기는 플랑크 상수 h로 모든 금속에서 같다.

② 그래프가 가로축과 만나는 점은 문턱 진동수를, 그래프를 연장한 선이 세로축과 만나는 값은 일함수의 음수인 $-W$가 된다.

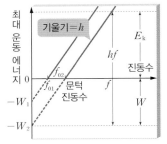

◀ **최대 운동 에너지-진동수 그래프** $E_k = hf - W$를 일차함수의 식 $y = ax + b$와 비교해 보면 플랑크 상수 h는 기울기 a와 대응되고, $-W$는 세로축의 절편 b와 대응된다.

(4) 빛의 입자성과 광전 효과: 빛을 입자라고 보는 광양자설로 광전 효과 실험 결과를 잘 설명할 수 있으므로, 광전 효과는 빛이 파동이 아니라 입자임을 보여 주는 현상이다.

시야확장 ➕ 콤프턴 효과 – 빛의 입자성으로 설명할 수 있는 실험

아인슈타인이 광전 효과를 광양자설로 설명한 이후 빛의 입자성이 대두되었다. 1923년, 미국의 물리학자 콤프턴은 X선과 전자의 충돌 실험을 통해 이를 뒷받침하는 실험 결과를 얻었다.

❶ **콤프턴 산란:** 그림과 같이 파장이 짧은 X선을 탄소로 된 얇은 흑연판에 쪼이면 탄소 원자의 전자가 튀어나가며 X선이 산란된다. 이때 산란된 X선의 파장이 입사된 X선의 파장보다 길어지며, 산란된 각도가 클수록 파장이 더 길어지는 것을 발견하였다.

❷ **빛의 파동설에 따른 예측:** 전자기파 이론(빛의 파동성)에 의하면 산란된 X선의 파장은 처음 입사된 X선의 파장과 같아야 하므로, 이 실험 결과는 빛의 파동 이론으로는 설명할 수 없다.

❸ **빛의 입자성에 의한 해석:** X선을 광자(빛의 입자성)로 가정하면 진동수 f인 X선 광자의 에너지는 $E = hf = h\dfrac{c}{\lambda}$로 표현된다. X선 광자가 전자에 충돌하여 에너지의 일부를 전자에게 주면 전자가 에너지를 얻어 튀어나간다. 충돌 후 X선 광자의 에너지는 감소하므로, 빛의 진동수는 작아지고 파장은 길어진다. 콤프턴은 X선 광자와 전자가 탄성 충돌할 때 에너지 보존 법칙과 운동량 보존 법칙이 성립된다는 이론을 전개시킴으로써, 산란된 X선의 파장 증가와 산란각 ϕ의 관계가 실험 결과와 일치하는 것을 확인하여 빛의 입자성을 재확인하였다.

산란된 X선은 입사한 X선에 비해 에너지와 운동량이 감소한다.
→ 진동수가 작아지고, 파장이 길어진다.

광자의 에너지와 운동량

• 광자의 에너지 $E = hf$

• 광자의 운동량 $p = \dfrac{h}{\lambda}$

③ 빛의 이중성

영의 간섭 실험 이후 맥스웰의 전자기 이론을 포함한 여러 현상들이 빛의 파동설로 잘 설명되었기 때문에 빛을 파동으로 인정해 오던 중, 아인슈타인이 빛의 입자 이론으로 광전 효과 실험을 해석하자 빛의 입자성과 파동성의 논란이 다시 일어났다. 그렇다면 빛은 입자일까 파동일까?

1. 빛의 이중성

빛의 간섭과 회절 현상은 빛의 파동 이론으로 설명할 수 있고 광전 효과는 입자 이론으로 설명할 수 있으므로, 현대에는 빛이 입자성과 파동성을 모두 가지고 있는 것으로 이해하고 있으며, 이를 빛의 이중성이라고 한다. 즉, 빛은 전자기파이면서 동시에 광자의 흐름으로 생각할 수 있다.

그러나 한 실험에서 두 가지 성질이 동시에 나타나지는 않는다. 빛의 파동성을 관찰하는 실험에서는 입자성이 나타나지 않고, 입자성을 관찰하는 실험에서는 파동성이 나타나지 않는다. 마치 동전의 앞면을 볼 때는 뒷면을 볼 수 없고, 뒷면을 볼 때는 앞면을 볼 수 없는 것과 같다.

2. 빛의 이중성의 예(사진 필름에 맺히는 상)

사진 건판에 상이 생기는 과정을 살펴보면 빛의 양이 많아질수록 상이 또렷해진다. 물체로부터 나온 빛이 사진기의 렌즈를 지나 사진 건판에 도달하기까지 빛의 진행 과정은 빛의 파동성으로 설명할 수 있지만, 사진 건판에 도달한 광자가 사진 건판을 감광시키는 과정은 빛의 입자성으로 설명할 수 있다. 사진 건판 표면에는 은의 할로젠 화합물이 발려 있는데, 사진 건판에 광자가 도달하면 화합물의 입자에 흡수된 광자는 자신의 에너지를 입자에 전달하여 입자를 활성화시키면서 광화학적 과정이 일어나며 감광된다. 그림 (가)~(라)는 매우 희미한 빛으로 찍은 사진으로, 사진이 감광되어 가는 과정을 보여 준다. 빛의 양이 매우 적은 (가)를 보면 각각의 광자들이 무작위적으로 사진 건판에 도달한 것처럼 보인다. 그러나 (나), (다), (라)와 같이 노출 시간이 점점 늘어나 더 많은 수의 광자가 도달할수록, 차츰 파동의 성질이 뚜렷하게 나타나 사진 건판에 상이 점점 또렷하게 형성되는 것을 볼 수 있다.

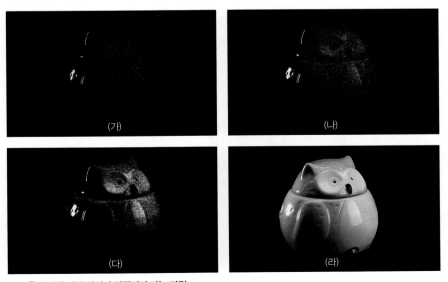

▲ 노출 시간에 따라 사진이 감광되어 가는 과정

지폐의 형광 무늬

지폐의 형광 무늬는 가시광선을 비출 때는 빛의 세기를 증가시키거나 오래 비추어도 나타나지 않지만, 자외선을 비출 때는 빛의 세기에 관계없이 비추는 즉시 나타나므로 빛의 입자 이론으로 설명할 수 있다.

사진 필름에는 은의 할로젠 화합물 알갱이로 만든 감광제가 칠해져 있고, 각 알갱이에는 10^{10}개의 은 원자가 들어 있다.

④ 영상 정보의 기록

반도체에 특정한 진동수 이상의 빛을 비추면 전자가 전이하여 전류가 흐를 수 있으므로, 광전 효과는 금속뿐만 아니라 반도체에서도 일어난다. 반도체에서 일어나는 광전 효과를 이용하여 빛 신호를 전기 신호로 전환하는 장치의 예로 광 다이오드를 들 수 있는데, 광 다이오드의 원리를 응용하면 영상 정보를 기록할 수 있다.

1. 광 다이오드

(1) 광 다이오드는 p형 반도체와 n형 반도체의 접합 구조로 되어 있는 다이오드의 한 종류로, 빛을 비추면 전류가 흐른다.

(2) 작동 원리

① 광 다이오드에 반도체의 띠 간격 이상의 에너지를 가진 빛을 쪼이면, 원자가 띠의 전자가 전도띠로 전이하면서 전자와 양공 쌍이 생성된다.

② 생성된 양공과 전자는 접합면 부근의 전기장에 의해 양공은 p형 반도체 쪽으로 이동하고, 전자는 n형 반도체 쪽으로 이동하여 전압이 발생한다.

③ 입사하는 광자의 수가 많을수록 전도띠로 전이하는 전자의 수가 많아지므로, 외부 회로에 연결했을 때 흐르는 전류의 세기가 증가한다. 따라서 광 다이오드를 이용하면 빛의 세기를 측정할 수 있다.

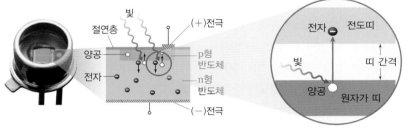

▲ **광 다이오드의 원리** p−n 접합면에 빛을 비추면 광전 효과에 의해 빛의 세기에 비례하는 전류가 발생한다.

2. 전하 결합 소자(CCD)

전하 결합 소자(CCD, Charge Coupled Device)는 디지털카메라 등에서 필름을 대신하여 영상 정보를 기록하는 이미지 센서의 한 종류이다. CCD는 빛을 비출 때 전자가 발생하는 광전 효과에 의해 작동되므로, 빛의 입자성을 이용하여 빛 신호를 전기 신호로 변환한다.

(1) **CCD의 구조:** 2차원 격자 배열 속에 내장된 수천만 개의 광 다이오드와 컬러 영상을 얻기 위해 빛을 세 가지 색상으로 분리하는 컬러 필터, 빛을 모으는 마이크로 렌즈로 구성된다.

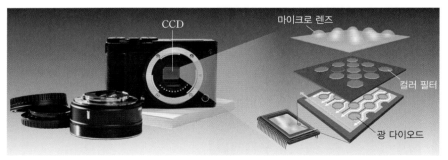

▲ 디지털카메라에 사용되는 전하 결합 소자(CCD)의 구조

(2) CCD의 원리

① CCD는 아주 작은 화소들로 구성되어 있는데, 각 화소는 그림과 같이 일종의 작은 광 다이오드이다. 빛이 입사하여 CCD에 상을 맺으면, 수천만 개의 광 다이오드에서 입사하는 광자의 수에 비례하는 만큼의 전자가 발생하므로, 각 화소에 들어오는 빛의 세기 분포를 알 수 있다. 이때 발생한 전자는 (+)전압이 걸려 있는 전극 아래쪽에 쌓인다.

◀ **CCD의 화소의 구조** CCD를 구성하는 기본 단위는 p형 반도체와 n형 반도체 기판 위에 절연체와 전극이 있는 구조로 되어 있다. 빛이 비치면 광전 효과에 의해 전자와 양공이 생성된다.

② 각 화소에 발생한 전자의 양을 측정하기 위해, 그림과 같이 인접한 전극에 순차적으로 전압을 걸어서 전자를 수직, 수평 방향으로 이동시켜 전하량 측정 장치로 전송한다.

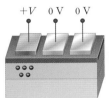 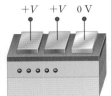  

(가) +V의 전압이 걸린 왼쪽 전극 아래에 전자들이 쌓인다.

(나) 가운데 전극에 +V의 전압을 걸어 주면 두 전극에 전자들이 고루 퍼진다.

(다) 왼쪽 전극의 전압을 0으로 하면 가운데 전극 아래에 전자들이 쌓인다.

(라) 오른쪽 전극에 +V의 전압을 걸어 주면 두 전극에 전자들이 고루 퍼진다.

▲ **CCD에서 전자의 이동** 전극의 전압을 차례대로 변화시키면 전자들이 전극을 따라 이동한다.

③ 전하량 측정 장치에서는 각각의 화소에서 전송되어 온 전자의 양을 측정하여 전자의 수에 비례하는 전압으로 변환하여 출력한다. 이 전압 신호는 아날로그 신호이므로 변환기를 통해 디지털 신호로 변환한 후, CPU의 영상 처리 프로그램에서 처리되어 메모리 카드에 파일의 형태로 저장되거나 화면을 통해 나타나게 된다. 전하 결합 소자는 이러한 방식으로 각 화소에 도달한 빛의 세기를 측정하여 영상을 기록한다.

(3) 컬러 필터

: CCD는 그 자체로는 빛의 세기만을 측정할 수 있기 때문에 색깔을 감지할 수 없다. 따라서 컬러 영상을 기록하기 위해서는 몇 가지 색깔의 필터를 교대로 각 화소 위에 배치한 컬러 필터를 CCD에 붙여서 사용한다. 그림과 같이 렌즈를 통과한 빛이 컬러 필터를 통과하면서, 세 가지 색깔의 빛으로 분리되면, 각 화소에서 각 색깔의 빛의 세기를 측정하여 그 지점의 색을 결정한다.

CCD에서 전자의 이동

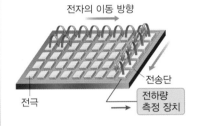

전자의 이동 방향

전송단

전극

전하량 측정 장치

화소

사진이나 영상에서 화면을 구성하는 가장 기본적인 단위로, CCD의 단위 면적당 화소 수가 클수록 고화질의 선명한 사진을 얻을 수 있다. 하나의 화소는 CCD에서 1개 또는 몇 개의 광 다이오드에 해당한다.

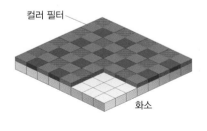

컬러 필터

화소

입사하는 빛
빨간색 빛만 통과시킨다.
빨간색 필터

초록색 빛만 통과시킨다.
초록색 필터

파란색 빛만 통과시킨다.
파란색 필터

▲ **컬러 필터의 구조**

(4) CCD의 이용

: CCD는 디지털카메라뿐만 아니라 CCTV, 천체 망원경, 심해 관측 기구, 스캐너, 내시경, 차량용 블랙박스와 같은 다양한 분야에서 영상 정보를 기록하는 용도로 사용되거나 빛을 인식하는 여러 기구에 광센서로 활용되고 있다.

집중
분석

광전 효과

광전 효과 실험에서 특정한 진동수 이상의 빛을 비추어야 광전자가 방출되므로, 광전자의 방출 여부는 빛의 세기가 아닌 빛의 진동수와 관계있다. 광전 효과에서는 이와 관련하여 빛의 진동수와 세기를 변화시키며 실험한 결과를 자료로 제시하고, 이를 해석하는 유형의 문제가 빈번하게 출제된다.

아연판을 올려놓은 검전기에 (−)전하로 대전된 에보나이트 막대를 접촉하면 전자가 아연판과 금속박 표면에 퍼지면서 금속박이 벌어진다. 이때 아연판에 자외선을 비추면 금속박이 오므라드는데, 이는 광전 효과가 일어나 아연판 표면에서 광전자가 튀어나오며 검전기가 방전되었기 때문이다. 즉, 금속박을 보고 광전자의 방출 여부를 알 수 있다.

❶ 광전 효과 실험 (1)

(−)전하로 대전된 검전기 위의 아연판에 백열등과 자외선등을 쪼이는 경우

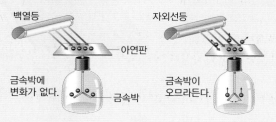

(1) 아연판에 가시광선을 쪼인 경우에는 광전자가 방출되지 않으며, 자외선을 쪼인 경우 광전자가 방출된다.
  ➡ 광전자의 방출 여부를 결정하는 요인: 빛의 진동수
• 가시광선의 진동수는 아연판의 문턱 진동수보다 작다.
• 자외선의 진동수는 아연판의 문턱 진동수보다 크다.
(2) 아연판에 자외선을 쪼인 경우 빛의 세기가 셀수록 금속박이 빠르게 오므라든다.
  ➡ 단위 시간당 방출되는 광전자의 수를 결정하는 요인: 빛의 세기

❷ 광전 효과 실험 (2)

세 금속 A, B, C에 각각 다른 빛을 쪼이는 경우

금속	광전자 검출 여부(○: 검출됨, ×: 검출되지 않음.)		
	청색 광선	보라색 광선	자외선
A	○	○	○
B	×	○	○
C	×	×	○

(1) 광자의 에너지: 광자의 에너지는 진동수에 비례하므로, 광자 1개의 에너지의 크기는 청색 광선<보라색 광선<자외선이다.
(2) 금속의 일함수: 금속의 일함수가 클수록 광전 효과가 일어나기 위한 빛의 문턱 진동수가 크므로, 금속의 일함수는 A<B<C이다.
(3) 같은 진동수의 자외선을 쪼일 때 세 금속에서 방출된 광전자의 최대 운동 에너지: 금속의 일함수가 작을수록 광전자의 최대 운동 에너지가 크므로, 최대 운동 에너지는 A>B>C 순이다.

유제

> 정답과 해설 **88**쪽

(−)전하로 대전된 검전기 위의 아연판에 같은 세기의 빛 A와 B를 비추고 금속박의 움직임을 관찰했더니, A를 비출 때는 금속박이 오므라들었지만, B를 비출 때는 금속박에 변화가 없었다.
이에 대한 설명으로 옳은 것만을 보기에서 있는 대로 고른 것은?

보기
ㄱ. 진동수는 A가 B보다 크다.
ㄴ. A의 세기를 증가시키면 금속판에서 방출되는 광전자의 최대 운동 에너지가 증가한다.
ㄷ. B의 세기를 증가시키면 금속박을 오므라들게 할 수 있다.

① ㄱ   ② ㄴ   ③ ㄱ, ㄴ   ④ ㄱ, ㄷ   ⑤ ㄴ, ㄷ

전하 결합 소재(CCD)

CCD는 필름보다 빛을 감지하는 능력이 1000배 이상 뛰어날 뿐 아니라, 가시광선은 물론이고 자외선이나 적외선까지 감지할 수 있어 인간의 눈이 가진 한계를 극복하는 도구가 된다. 따라서 우주를 관측하는 망원경의 핵심 부품으로 유용하게 쓰이며, 의학 분야에서도 캡슐형 내시경으로 사용하는 등 CCD의 활약이 매우 크다.

❶ CCD의 발명

CCD는 1969년 10월 벨연구소의 보일과 스미스가 처음 개발했다. 원래는 새로운 형태의 메모리로 사용하려고 개발된 기술로, 한 구역에 저장된 전하(Charge)를 다른 구역으로 이동(결합: Coupling)시키는 성질을 가졌기 때문에 Charge Coupled Device라는 이름을 붙였다. 하지만 얼마 지나지 않아 보일과 스미스는 CCD의 용도를 이미지 센서로 활용하는 방안을 생각해 냈고, 발명 1년 후 비디오카메라에 최초로 CCD를 장착했다. 1981년에

▲ CCD를 장착한 비디오카메라의 성능을 확인하는 보일(왼쪽)과 스미스(오른쪽)

CCD가 들어간 디지털카메라가 최초로 시장에 나온 이후 해상도가 높아지고 소형화되면서 오늘날 디지털카메라, 광학 스캐너, 천체 망원경 같은 장치의 주요 부품으로 쓰이고 있다. 보일 박사와 스미스 박사는 그 공로로 2009년에 노벨 물리학상을 공동 수상했다.

❷ CCD의 종류

CCD는 우표만한 크기의 네모 판으로 그 위에는 수많은 광 다이오드들이 배열되어 있다. 전송 방식에 따라 크게 그림 (가)와 같은 FT(Frame Transfer) 방식과 그림 (나)와 같은 IT(Interline Transfer) 방식으로 나눌 수 있다.

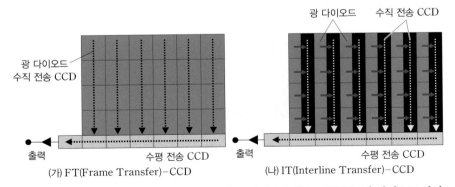

(가) FT(Frame Transfer)-CCD

(나) IT(Interline Transfer)-CCD

FT - CCD는 광 다이오드들이 전자를 전송하는 방식이며, IT - CCD는 광 다이오드 사이에 전송 CCD 통로가 따로 존재하는 방식으로 광 다이오드들이 생성한 전자를 전송로에 넘겨 주고 전송로가 전자를 전달한다는 차이점이 있다. 따라서 IT - CCD는 각 화소에 해당하는 광 다이오드, 광 다이오드에서 발생한 전자를 이동시키는 CCD 전송로, 그리고 전달된 전자의 개수에 비례하는 전압으로 변환해서 외부로 출력하는 출력부로 구성되어 있다.

CCD와 CCD 센서
엄밀하게 말하면 CCD는 전하를 축적, 전송하는 소자이고, CCD 센서는 디지털카메라 등에서 사용하는 이미지 센서로, 광 다이오드와 CCD의 두 소자를 조합한 것이다. 그러나 일반적으로는 CCD 센서를 그냥 CCD라고 부른다.

❸ 컬러 CCD

CCD만으로는 흑백 영상만 얻을 수 있으므로, 빛의 색깔을 구분하기 위해 CCD 위에 컬러 필터를 얹는데 보통 '바이어 필터(Bayer filter)'라는 필터를 사용한다. 그리고 CCD에 빛을 더 많이 모으기 위해 마이크로 렌즈를 부착하고 적외선 차단 필터를 얹기도 한다. 바이어 필터는 초록색 필터가 50 %를 차지하고, 빨간색 필터와 파란색 필터가 각각 25 %씩 차지한다. 이처럼 초록색 필터가 다른 색깔의 필터보다 더 많은 까닭은 인간의 눈이 빨간색이나 파란색보다 초록색에 더 민감하기 때문이다.

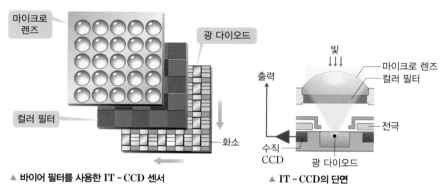

▲ **바이어 필터를 사용한 IT - CCD 센서**　　▲ **IT - CCD의 단면**

❹ 3CCD

바이어 필터를 씌운 경우에 컬러 필터 1개가 CCD의 화소 1개씩을 덮게 되므로, 각 화소에 대한 색 정보의 $\frac{1}{3}$만 알 수 있다. 예를 들어 빨간색 필터를 씌운 CCD 화소에서는 초록색 빛의 양을 바로 알 수는 없다. 따라서 주변에 초록색 필터를 씌운 화소에서 얻은 빛의 양을 통해 추정해야 한다. 이때 어떤 추정 알고리즘을 쓰느냐에 따라 이미지의 질이 달라진다. 그런데 최근에는 각 화소에서 3개의 CCD를 사용하는 3CCD 방식도 등장했다. 렌즈에 들어오는 빛을 처음부터 프리즘을 통해 빨간색, 초록색, 파란색 빛으로 나눈 뒤, 각각 다른 CCD를 통과하게 하면 모든 화소에서 빨간색, 초록색, 파란색 빛의 양을 정확히 파악할 수 있으므로 1 CCD 방식에 비해 화질이 뛰어나다.

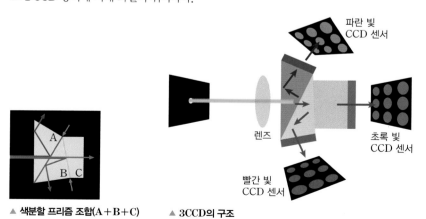

▲ **색분할 프리즘 조합(A+B+C)**　　▲ **3CCD의 구조**

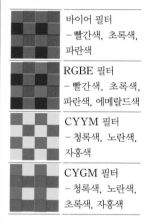

컬러 필터의 예

	바이어 필터 – 빨간색, 초록색, 파란색
	RGBE 필터 – 빨간색, 초록색, 파란색, 에메랄드색
	CYYM 필터 – 청록색, 노란색, 자홍색
	CYGM 필터 – 청록색, 노란색, 초록색, 자홍색

알고리즘

어떤 문제의 해결을 위하여, 입력된 자료를 토대로 하여 원하는 출력을 유도해 내는 규칙의 집합을 말한다. 여러 단계의 유한 집합으로 구성되는데, 각 단계는 하나 또는 그 이상의 연산을 필요로 한다.

❶ 빛의 파동설과 입자설

1. 빛의 파동설과 입자설
- 뉴턴은 빛의 (❶   )설을 주장했으며, 하위헌스는 빛의 (❷   )설을 주장했다.
- 영의 이중 슬릿에 의한 빛의 간섭 현상을 시작으로 헤르츠의 전자기파 발생·검출 실험에서 빛도 일종의 전자기파임이 밝혀져 빛의 파동설이 확립되었다.
- 빛의 파동설로 설명할 수 없는 대표적 실험이 광전 효과이다.

❷ 광전 효과와 광양자설

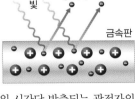

1. 광전 효과 금속에 빛을 비출 때 금속 표면에서 전자가 튀어나오는 현상을 광전 효과라고 하며, 이때 튀어나온 전자를 광전자라고 한다.
- 광전자의 방출 여부는 금속판에 쪼여 주는 빛의 세기에 무관하고 빛의 진동수에만 관계된다.
- (❸   ): 금속에서 전자를 방출시킬 수 있는 빛의 최소 진동수이다.
- 방출되는 광전자의 최대 운동 에너지는 빛의 (❹   )가 클수록 크고, 단위 시간당 방출되는 광전자의 수는 빛의 (❺   )에 비례한다.
- 빛의 파동 이론에 의하면 진동수가 작은 빛이라도 빛의 세기를 증가시키면 광전자가 방출되어야 한다.

2. 광양자설 빛은 연속적인 파동의 흐름이 아니라 불연속적인 에너지 입자인 (❻   )의 흐름이다.
- 광자 1개의 에너지는 빛의 진동수에 비례한다.

$$E=(❼   ) \text{ (플랑크 상수 } h=6.63\times10^{-34} \text{ J·s)}$$

- 빛의 세기는 단위 시간당 입사하는 광자의 수에 비례한다.
- 광전 효과의 해석: 광전 효과는 광자와 전자의 일대일 충돌로 일어나며, 광자 1개의 에너지가 금속의 일함수 이상일 때 광전자가 방출되므로 빛의 진동수가 특정한 값 이상일 때만 광전 효과가 일어난다. 또한 광전자의 최대 운동 에너지는 빛의 진동수가 클수록 크다. ➡ $E_k = hf - W$

❸ 빛의 이중성

1. 빛의 이중성 빛은 파동성과 입자성을 모두 가진다.
- 빛의 파동성을 보여 주는 현상: (❽   ), 회절
- 빛의 입자성을 보여 주는 현상: (❾   )

❹ 영상 정보의 기록

1. 전하 결합 소자(CCD) 디지털카메라 등에서 영상 정보를 전기 신호로 변환하여 기록하는 장치이다.
- CCD를 구성하는 각각의 화소는 일종의 광 다이오드로 입사하는 광자의 수에 비례하여 전자가 발생하므로, 각 화소에 들어오는 빛의 (❿   )를 측정하여 영상을 기록한다.
- CCD는 색을 감지할 수 없으므로, 컬러 영상을 기록하기 위해서는 컬러 필터를 사용한다.

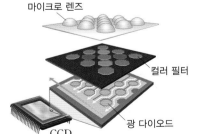

- 빛을 비출 때 전자가 발생하는 광전 효과를 이용하므로, 빛의 (⓫   )성을 이용하는 장치이다.

2. CCD의 이용 디지털카메라, CCTV, 천체 망원경, 스캐너, 내시경, 차량용 블랙박스 등

01 그림은 검전기 위에 아연판을 놓고 (−)전하로 대전시켜 금속박이 벌어지게 한 후, 아연판에 빛을 쪼이는 실험을 나타낸 것이다.

(1) 이 실험에서 광전 효과가 일어나지 않았다면 광전 효과가 일어나도록 하기 위해 무엇을 변화시켜야 하는지 보기에서 있는 대로 고르시오.

보기
ㄱ. 빛의 세기를 증가시킨다.
ㄴ. 빛의 파장을 특정한 값 이하로 감소시킨다.
ㄷ. 빛을 비추는 시간을 길게 한다.

(2) 광전 효과가 일어났다면 방출되는 ㉠광전자의 최대 운동 에너지와 ㉡단위 시간당 방출되는 광전자의 수에 영향을 미치는 빛의 특성은 각각 무엇인지 쓰시오.

02 그림은 일함수가 2.5 eV인 금속판에 파장이 300 nm인 빛을 비추었을 때 광전자가 방출되는 현상을 모식적으로 나타낸 것이다.

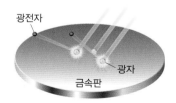

(1) 금속판에 쪼인 빛의 광자 1개의 에너지는 몇 eV인지 쓰시오. (단, 플랑크 상수 $h = 6.6 \times 10^{-34}$ J·s이고, 빛의 속력 $c = 3.0 \times 10^8$ m/s, 1 eV $= 1.6 \times 10^{-19}$ J 이다.)

(2) 금속에서 방출된 광전자의 최대 운동 에너지는 몇 eV인지 쓰시오.

03 아인슈타인의 광양자설에 대한 설명으로 옳은 것만을 보기에서 있는 대로 고르시오.

보기
ㄱ. 빛은 불연속적인 에너지 양자인 광자의 흐름이다.
ㄴ. 진동수가 f인 빛의 광자 1개의 에너지는 hf이다.
ㄷ. 빛의 세기가 셀수록 단위 시간당 입사하는 광자의 개수가 많다.

04 그림 (가), (나)는 일함수 W인 금속판에 진동수가 f_1, f_2인 빛을 비출 때 광양자설에 의한 광전 효과의 해석을 모식적으로 나타낸 것이다. (가)는 $hf_1 < W$인 경우이고, (나)는 $hf_2 > W$인 경우이다.

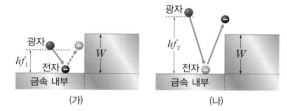

(가)   (나)

(1) (가)와 (나) 중 광전 효과가 일어나는 경우를 쓰시오.

(2) 진동수 f인 빛을 일함수 W인 금속에 비추었을 때 광전 효과가 일어나기 위한 조건을 식으로 쓰시오.

(3) 금속으로부터 방출되는 광전자의 최대 운동 에너지 E_k의 식을 쓰시오.

05 그림은 두 금속 A, B를 사용한 광전 효과 실험에서 방출된 광전자의 최대 운동 에너지와 금속에 쪼인 빛의 진동수의 관계를 나타낸 그래프이다. 그래프의 기울기가 나타내는 것은 무엇인지 쓰시오.

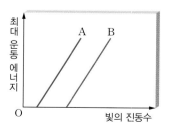

06 빛의 파동성으로 설명할 수 있는 현상과 빛의 입자성으로 설명할 수 있는 현상을 보기에서 각각 고르시오.

보기
ㄱ. 빛의 회절   ㄴ. 광전 효과
ㄷ. 빛의 간섭

07 빛의 이중성에 대한 설명으로 옳은 것만을 보기에서 있는 대로 고르시오.

보기
ㄱ. 빛은 파동성과 입자성을 모두 가진다.
ㄴ. 빛의 파동성과 입자성은 항상 동시에 나타난다.
ㄷ. 광전 효과는 빛의 파동성을 보여 주는 현상이다.

08 다음은 광 다이오드에 빛을 비출 때 전류가 흐르는 원리를 설명한 것이다. ( ) 안에 알맞은 말을 쓰시오.

광 다이오드는 p형 반도체와 n형 반도체의 접합 구조로 되어 있는 다이오드의 한 종류이다. 접합면에 반도체의 (㉠) 이상의 에너지를 가진 빛을 쪼이면 전자가 원자가 띠에서 전도띠로 전이하여 (㉡)와 (㉢) 쌍이 생성되는데, 이것이 각각 n형 반도체와 p형 반도체로 이동하여 전류가 흐른다.

09 그림은 CCD의 각 화소에 발생한 전자의 양을 측정하기 위해 전자가 이동하는 과정을 나타낸 것이다.

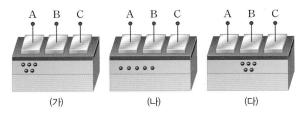

(가)~(다)에서 각각 (+)전압이 걸리는 전극을 있는 대로 골라 쓰시오.

(가)	(나)	(다)

10 그림은 디지털카메라에서 영상이 기록되는 과정을 나타낸 것이다.

전하 결합 소자   아날로그 디지털   기억
(CCD)   변환기   장치

(1) CCD에 대한 설명으로 옳은 것만을 보기에서 있는 대로 고르시오.

보기
ㄱ. 디지털카메라에서 필름 대신 영상을 기록한다.
ㄴ. 반도체에서 일어나는 광전 효과를 이용한다.
ㄷ. CCD에 컬러 필터가 없어도 빛의 색깔을 감지할 수 있다.

(2) CCD의 각 화소에서 발생하는 전자의 수는 빛의 세기와 진동수 중 무엇에 비례하는지 쓰시오.

(3) CCD를 이용하는 분야를 세 가지 쓰시오.

01 ▶ 광전 효과

그림 (가)는 빛 A, B, C의 세기와 진동수를 나타낸 것이고, 그림 (나)는 (−)전하로 대전된 검전기의 금속판에 빛 A, B, C를 각각 비추는 모습을 나타낸 것이다. 금속판의 문턱 진동수는 f_0이다.

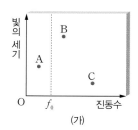

이에 대한 설명으로 옳은 것만을 보기에서 있는 대로 고른 것은?

┌─ 보기 ───┐
ㄱ. 빛 A를 비추었을 때는 광전 효과가 일어나지 않는다.
ㄴ. 빛 B를 비추었을 때 광전자의 최대 운동 에너지가 가장 크다.
ㄷ. 빛 C를 비추었을 때 단위 시간당 방출되는 광전자의 수가 가장 많다.
└──┘

① ㄱ　　　② ㄴ　　　③ ㄱ, ㄷ　　　④ ㄴ, ㄷ　　　⑤ ㄱ, ㄴ, ㄷ

- 광전 효과에서 단위 시간당 방출되는 광전자의 수는 빛의 세기에 비례하고, 광전자의 최대 운동 에너지는 빛의 진동수가 클수록 크다.

02 ▶ 광전 효과

그림 (가)는 광전관의 금속판에 비추는 단색광의 세기와 진동수를 동시에 변화시키며 광전류를 측정하는 모습을 모식적으로 나타낸 것이다. 그림 (나), (다)는 각각 단색광의 세기와 진동수를 시간에 따라 나타낸 것이다. 광전류는 0초부터 8초까지 흐르다가 8초 이후에는 흐르지 않았다.

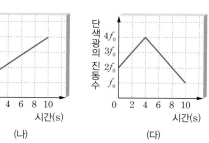

이에 대한 설명으로 옳은 것만을 보기에서 있는 대로 고른 것은?

┌─ 보기 ───┐
ㄱ. 금속판의 문턱 진동수는 $2f_0$이다.
ㄴ. 광전류의 세기는 8초인 순간 가장 세게 흐른다.
ㄷ. 광전자의 최대 운동 에너지는 4초일 때 가장 크다.
└──┘

① ㄴ　　　② ㄷ　　　③ ㄱ, ㄴ　　　④ ㄴ, ㄷ　　　⑤ ㄱ, ㄴ, ㄷ

- 광전류가 흐르다가 흐르지 않는 순간의 빛의 진동수가 문턱 진동수이다.

03 ❯ 광전 효과

그림은 문턱 진동수가 f_0인 금속판을 이용한 광전 효과 실험 장치를 모식적으로 나타낸 것이고, 표는 금속판에 비추는 단색광 a, b, c, d의 진동수와 세기를 나타낸 것이다.

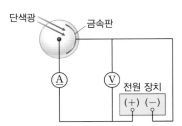

단색광	단색광의 진동수	단색광의 세기
a	$0.5f_0$	$3I_0$
b	$1.5f_0$	$2I_0$
c	$1.5f_0$	I_0
d	$2f_0$	I_0

이에 대한 설명으로 옳은 것만을 보기에서 있는 대로 고른 것은?

> 보기

ㄱ. 단위 시간당 방출되는 광전자의 수가 가장 많은 경우는 a를 비출 때이다.

ㄴ. 회로에 흐르는 전류의 세기는 b를 비출 때와 c를 비출 때가 같다.

ㄷ. 방출되는 광전자의 최대 운동 에너지는 d를 비출 때가 c를 비출 때의 2배이다.

① ㄱ   ② ㄴ   ③ ㄷ   ④ ㄱ, ㄴ   ⑤ ㄴ, ㄷ

• 광전자의 최대 운동 에너지는 금속의 일함수가 W, 문턱 진동수가 f_0일 때 $E_k=hf-W=hf-hf_0$이다.

---

04 ❯ 광전 효과

그림은 단색광 A, B, C를 광전관의 금속판에 비추는 모습을 나타낸 것이고, 표는 A, B, C를 켜거나 끄면서 광전자의 방출 여부와 광전자의 최대 운동 에너지 E_k의 측정 결과를 나타낸 것이다.

실험	A	B	C	광전자 방출 여부	E_k
Ⅰ	ON	OFF	OFF	방출됨.	E_0
Ⅱ	OFF	ON	ON	방출됨.	$2E_0$
Ⅲ	ON	ON	ON	방출됨.	㉠
Ⅳ	OFF	OFF	ON	방출되지 않음.	—

이에 대한 설명으로 옳은 것만을 보기에서 있는 대로 고른 것은?

> 보기

ㄱ. C의 진동수는 금속판의 문턱 진동수보다 작다.

ㄴ. ㉠은 E_0이다.

ㄷ. 빛의 파장은 A보다 B가 길다.

① ㄱ   ② ㄷ   ③ ㄱ, ㄴ   ④ ㄱ, ㄷ   ⑤ ㄴ, ㄷ

• 금속판에서 광전자가 방출되지 않는 것은 쪼여 준 빛의 진동수가 금속판의 문턱 진동수보다 작기 때문이다.

05 ▶ 빛의 이중성

다음은 지폐의 형광 무늬를 설명한 것이다.

형광이란 형광 물질을 이루는 원자의 전자가 빛에너지를 흡수하여 들뜬상태가 되었다가 다시 이 에너지의 일부를 가시광선의 형태로 방출하는 현상이다. 그림 (가)와 같이 지폐에 자외선을 쪼이면 자외선의 세기와 관계없이 형광 무늬가 즉시 나타난다. 그러나 그림 (나)와 같이 가시광선을 쪼이는 경우에는 아무리 가시광선의 세기를 증가시키거나 오래 비추어도 형광 무늬가 나타나지 않는다.

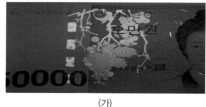
(가)

(나)

이에 대한 설명으로 옳은 것만을 보기에서 있는 대로 고른 것은?

> 보기
> ㄱ. 형광 현상이 나타나는 것은 빛의 세기와 관계가 있다.
> ㄴ. 가시광선 광자 1개의 에너지는 전자를 들뜨게 하는 데 필요한 에너지보다 작다.
> ㄷ. 형광 현상은 빛의 입자성으로 설명할 수 있다.

① ㄴ   ② ㄱ, ㄴ   ③ ㄱ, ㄷ   ④ ㄴ, ㄷ   ⑤ ㄱ, ㄴ, ㄷ

• 자외선의 진동수는 가시광선의 진동수보다 크다.

06 ▶ 빛의 이중성

그림은 노출 시간에 따라 사진 건판에 상이 생기는 과정을 나타낸 것이다.

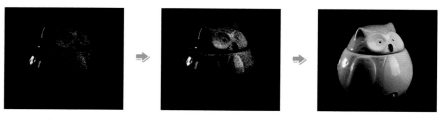

이에 대한 설명으로 옳은 것만을 보기에서 있는 대로 고른 것은?

> 보기
> ㄱ. 렌즈를 지난 빛이 사진 건판에 도달하기까지 진행 과정은 빛의 입자성으로 설명할 수 있다.
> ㄴ. 사진 건판에 도달한 빛이 사진 건판을 감광시키는 과정은 빛의 파동성으로 설명할 수 있다.
> ㄷ. 빛이 입자성과 파동성을 모두 가지고 있음을 알 수 있다.

① ㄴ   ② ㄷ   ③ ㄱ, ㄴ   ④ ㄱ, ㄷ   ⑤ ㄴ, ㄷ

• 상이 점점 또렷하게 형성되는 과정은 사진 건판의 화합물 입자를 감광시키는 광자의 수가 점점 증가하기 때문이다.

07 ❯ 전하 결합 소자(CCD)

그림은 전하 결합 소자(CCD)의 구조를 개략적으로 나타낸 것이다.

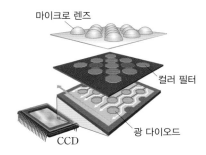

마이크로 렌즈

컬러 필터

광 다이오드

CCD

• 각각의 마이크로 렌즈는 빛을 모아 CCD의 광 다이오드에 비춘다.

CCD의 원리에 대한 설명으로 옳은 것만을 보기에서 있는 대로 고른 것은?

┌─ 보기 ───┐
ㄱ. 마이크로 렌즈는 CCD에 빛을 더 많이 모으기 위한 것이다.
ㄴ. 컬러 필터를 통과한 빛은 세 가지 색의 빛으로 분리된 후 각각의 광 다이오드에서 전기적 신호로 바뀐다.
ㄷ. CCD의 각 화소에 발생한 전자들을 전극의 전압을 순차적으로 변화시켜 전하량 측정 장치로 전송한다.
└──┘

① ㄷ   ② ㄱ, ㄴ   ③ ㄱ, ㄷ   ④ ㄴ, ㄷ   ⑤ ㄱ, ㄴ, ㄷ

08 ❯ 영상 정보의 기록

그림은 디지털카메라에서 영상을 기록하여 저장하는 과정을 나타낸 것이다.

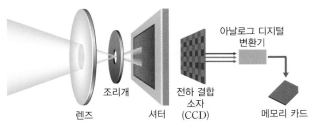

렌즈   조리개   셔터   전하 결합 소자(CCD)   아날로그 디지털 변환기   메모리 카드

• CCD에서 빛의 세기에 비례하는 양의 전하가 발생한다.

이에 대한 설명으로 옳은 것만을 보기에서 있는 대로 고른 것은?

┌─ 보기 ───┐
ㄱ. CCD에서 발생하는 전기 신호는 디지털 신호이다.
ㄴ. CCD의 단위 면적당 화소수가 클수록 고화질의 선명한 상을 얻을 수 있다.
ㄷ. CCD는 빛의 파동성을 이용하여 영상을 기록하는 장치이다.
└──┘

① ㄱ   ② ㄴ   ③ ㄷ   ④ ㄱ, ㄴ   ⑤ ㄴ, ㄷ

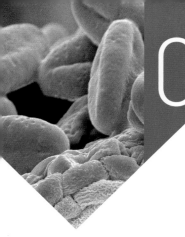

02 물질의 이중성

학습 Point　드브로이의 물질파 〉 물질의 이중성 〉 전자 현미경, 분해능 〉 투과 전자 현미경(TEM), 주사 전자 현미경(SEM)

1 물질의 이중성

아인슈타인의 광양자설 발표 후 빛이 파동과 입자의 이중성을 가진다는 것을 알게 되었다. 그렇다면 전자와 같은 물질 입자는 입자성만 갖고 있는 것일까?

1. 물질파

집중 분석 2권 257쪽

1924년, 프랑스의 과학자 드브로이는 파동성을 갖는다고 생각했던 빛이 입자성을 가진다면, 반대로 전자와 같은 입자도 파동성을 가질 수 있을 것이라고 제안했다. 이와 같이 운동하는 입자가 파동성을 나타낼 때의 파동을 물질파 또는 드브로이파라고 하고, 이때의 파장을 드브로이 파장이라고도 한다. 드브로이는 질량 m, 속력 v인 입자의 물질파 파장 λ를 다음과 같이 나타냈다.

$$\lambda = \frac{h}{mv} = \frac{h}{p} \ (\text{플랑크 상수 } h = 6.63 \times 10^{-34} \text{ J·s})$$

즉, 운동하는 입자의 물질파 파장은 운동량에 반비례한다.

2. 물질파 확인 실험

드브로이의 물질파 이론은 처음에는 가설로 제안되었다. 그러나 데이비슨과 거머, 톰슨 등에 의해 전자가 파동의 특성인 회절과 간섭 현상을 나타내는 것을 실험으로 확인하면서 이론으로 받아들여지게 되었다.

⑴ **데이비슨·거머 실험**: 1927년에 미국의 과학자 데이비슨과 거머는 전자선을 니켈 결정에 입사시켰을 때 회절 현상이 나타나는 것을 확인하였다. 이 실험에서 구한 전자가 나타내는 파동의 파장이 드브로이가 제안한 물질파 파장의 계산 결과와 일치하는 것을 확인하여 전자의 파동성을 증명하였다.

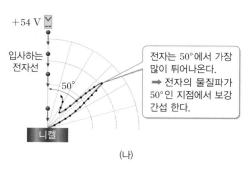

> 전자는 50°에서 가장 많이 튀어나온다.
> ➡ 전자의 물질파가 50°인 지점에서 보강 간섭 한다.

▲ 데이비슨·거머 실험

드브로이(de Broglie, L. V., 1892～1987)
프랑스의 물리학자로 물질파의 개념을 도입하였다.

드브로이 파장
콤프턴 효과에서 파장이 λ인 광자의 운동량을 $p = \dfrac{h}{\lambda}$라 정의하였는데, 드브로이는 운동량이 p인 입자의 파장은 $\lambda = \dfrac{h}{p}$가 될 것으로 예상하였다.

데이비슨(Davisson, C. J., 1881～1958)과 거머(Germer, L. H., 1896～1971)
데이비슨과 거머는 미국의 물리학자로, 니켈 결정면을 이용한 전자선의 회절을 발견하여 물질파 이론을 증명하였다.

① 실험 방법: 그림 (가)와 같은 실험 장치를 이용하여 54 V의 전압으로 가속한 전자선을 니켈 결정의 표면에 쏘면서 니켈 결정에서 산란된 전자의 수를 검출기로 측정하였다.

② 실험 결과: (나)에 표시된 점은 전자선이 입사하는 방향과 이루는 각도에 따라 튀어나온 전자의 수를 나타낸 것이다. 튀어나오는 전자의 수는 원점에서 그 지점까지의 거리에 비례하여 나타내었으므로, 54 V의 전압으로 가속했을 때 입사하는 방향과 50°의 각을 이루는 방향에서 튀어나온 전자의 수가 가장 많은 것을 알 수 있다. 이러한 결과는 니켈 결정의 규칙적인 원자 배열에 의해 전자의 물질파가 회절하여 특정한 각도에서 보강 간섭을 하는 것으로 생각할 수 있다. 이 실험에서 보강 간섭이 일어나는 파장을 구하면 $\lambda = 1.65 \times 10^{-10}$ m이며, 이 값은 54 V로 가속한 전자의 물질파 파장을 계산한 결과인 $\lambda = 1.67 \times 10^{-10}$ m와 거의 일치한다.

(2) **톰슨의 전자 회절 실험:** 데이비슨·거머 실험에 의해 전자가 파동성을 가지고 있다는 것이 알려졌던 해에 영국의 과학자 톰슨은 알루미늄 박막에 X선과 동일한 물질파 파장을 갖는 전자선을 쏘여 주었더니 X선을 쏘여 주었을 때와 같은 형태의 회절 무늬가 나타나는 것을 확인함으로써, 드브로이의 물질파 이론을 증명하였다.

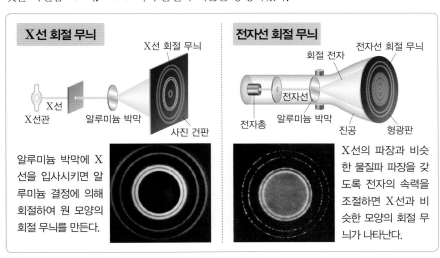

X선 회절 무늬

X선 회절 무늬
X선
X선관   알루미늄 박막
사진 건판

알루미늄 박막에 X선을 입사시키면 알루미늄 결정에 의해 회절하여 원 모양의 회절 무늬를 만든다.

전자선 회절 무늬

회절 전자   전자선 회절 무늬
전자선
전자총   알루미늄 박막   진공   형광판

X선의 파장과 비슷한 물질파 파장을 갖도록 전자의 속력을 조절하면 X선과 비슷한 모양의 회절 무늬가 나타난다.

시야확장 ➕ 가속 전압과 전자의 물질파 파장

전기장 내에서 단위 양전하(+1 C)를 이동시키는 데 필요한 일을 전압이라고 한다. 전하 q를 한 지점에서 다른 지점으로 옮기는 데 필요한 일을 W라고 할 때, 두 지점 사이에 걸리는 전압은 $V = \dfrac{W}{q}$가 된다. 즉, 전압 V가 걸리는 두 지점 사이에서 전하 q를 옮기는 데 필요한 일은 $W = qV$이다.

정지 상태에서 전자가 전압 V가 걸린 두 지점 사이에서 가속될 때 전기력이 전자에 한 일은 $W = eV$이며, 이 일은 전자의 운동 에너지로 전환되므로 전자의 운동량은 다음과 같다.

$$eV = \frac{1}{2}mv^2 = \frac{(mv)^2}{2m} = \frac{p^2}{2m} \Rightarrow p = \sqrt{2meV}$$

따라서 전압 V로 가속한 전자의 물질파 파장은 다음과 같다.

$$\lambda = \frac{h}{p} = \frac{h}{\sqrt{2meV}}$$

전자를 가속하는 전압 V를 조절하여 원하는 물질파 파장을 얻을 수 있는데, 가속 전압이 커질수록 물질파 파장은 짧아진다.

전자선
속도가 거의 균일한 전자들의 연속적인 흐름이다.

X선의 회절
원자가 규칙적으로 배열된 금속 결정에 X선을 쏘여 주면 금속 원자들이 만드는 결정면에서 회절된 X선이 특정한 각도에서 보강 간섭하여 나타나는 회절 무늬를 관찰할 수 있다.

3. 물질파의 확인

(1) **우리 주변 물체들의 물질파:** 물질파 파장은 식 $\lambda=\dfrac{h}{mv}$에서 알 수 있듯이 주어진 질량과 속력에서는 플랑크 상수 h에 의존하는데, 이 상수의 값이 약 6.63×10^{-34} J·s로 아주 작은 값을 갖는다. 따라서 mv 값이 아주 작지 않으면 파동성을 관찰할 수 있을 만큼 긴 물질파 파장 값을 얻을 수가 없다. 우리가 일상에서 보는 물체들의 경우에는 질량이 비교적 크기 때문에 운동량이 플랑크 상수에 비해 매우 커서 물질파 파장이 매우 짧다. 예를 들어 150 g의 야구공이 40 m/s의 속력으로 날아갈 때, 공의 물질파 파장은 10^{-34} m 정도이다. 일반적으로 회절이나 간섭 현상을 관찰할 때 사용하는 슬릿의 크기는 파장과 비슷해야 하는데, 야구공의 물질파 파장은 너무 짧아서 이와 비슷한 크기의 슬릿을 만드는 것이 불가능하기 때문에 파동성을 관측하기 어렵다.

(2) **전자의 물질파 확인:** 질량이 매우 작은 전자의 경우 운동량이 작아 물질파 파장이 비교적 길어서 간섭이나 회절 현상을 관측할 수 있다. 낮은 전압으로 가속된 질량 9.1×10^{-31} kg인 전자의 물질파 파장은 대략 $10^{-11}\sim10^{-10}$ m 정도이다. 이 값은 X선의 파장과 비슷하고 원자의 크기와도 비슷하다. 따라서 결정을 이루고 있는 얇은 금속에 전자선을 쪼이면 규칙적으로 배열된 원자들의 틈이 슬릿 역할을 하여 회절 현상이 일어난다. 이를 통해 전자의 물질파를 확인할 수 있다.

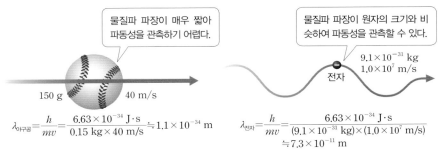

물질파 파장이 매우 짧아 파동성을 관측하기 어렵다.

물질파 파장이 원자의 크기와 비슷하여 파동성을 관측할 수 있다.

9.1×10^{-31} kg
1.0×10^{7} m/s
전자

150 g 40 m/s

$\lambda_{\text{야구공}}=\dfrac{h}{mv}=\dfrac{6.63\times10^{-34}\,\text{J·s}}{0.15\,\text{kg}\times40\,\text{m/s}}\fallingdotseq1.1\times10^{-34}\,\text{m}$

$\lambda_{\text{전자}}=\dfrac{h}{mv}=\dfrac{6.63\times10^{-34}\,\text{J·s}}{(9.1\times10^{-31}\,\text{kg})\times(1.0\times10^{7}\,\text{m/s})}$
$\fallingdotseq7.3\times10^{-11}\,\text{m}$

▲ 야구공의 물질파 파장   ▲ 전자의 물질파 파장

시선 집중 ★ **양성자와 전자의 물질파**

운동하는 양성자와 전자의 물질파 파장이 같다고 할 때, 다음 물리량 중 전자가 더 큰 값을 갖는 것이 무엇인지 알아보자.

> 운동량, 속력, 운동 에너지

구분	전자 ⊖	양성자 ✚
상대적 질량	1	1840

❶ 물질파 파장의 식 $\lambda=\dfrac{h}{mv}$에서 물질파 파장 λ가 같다.
→ 양성자와 전자의 운동량의 크기 mv가 같다.

❷ 운동량의 크기 mv가 같을 때, 질량 m과 속력 v는 반비례한다.
→ 전자의 질량이 양성자에 비해 작으므로, 전자의 속력이 양성자의 속력보다 크다.

❸ 운동 에너지 $E_{\text{k}}=\dfrac{1}{2}mv^2=\dfrac{(mv)^2}{2m}$에서 운동량 mv가 같으므로, 운동 에너지 E_{k}는 질량 m에 반비례한다.
→ 전자의 질량이 양성자에 비해 작으므로, 전자의 운동 에너지가 양성자의 운동 에너지보다 크다.

4. 물질의 이중성

드브로이가 예상한 것처럼 전자와 같은 입자가 파동성을 가지고 있다는 것이 데이비슨과 거머뿐만 아니라 톰슨에 의한 전자의 회절 실험으로 확인되었다. 입자의 파동성은 전자뿐만 아니라 원자핵의 구성 입자인 양성자, 중성자, 그리고 여러 가지 입자에서도 실험적으로 증명되었다. 이것은 입자도 빛과 마찬가지로 파동과 입자의 두 가지 성질을 모두 가지고 있음을 의미하며, 이런 현상을 물질의 이중성이라고 한다.

물질이 이중성을 가진다고 하더라도 일상생활에서 마주치는 물체의 경우 입자성은 관찰할 수 있지만 파동성은 관찰하기 어렵다. 반면, 미시 세계의 입자의 경우에는 입자성과 함께 파동성도 관찰할 수 있다. 특히, 원자 내부와 같이 좁은 공간에 갇힌 전자의 운동은 파동성이 잘 나타난다. 따라서 원자나 원자핵 내부와 같은 미시적 세계에서 일어나는 자연 현상은 물질의 이중성에 바탕을 두고 설명한다. 그러나 빛의 경우와 마찬가지로 입자에서도 한 가지 현상에서 입자성과 파동성이 동시에 관측되지는 않는다.

미시 세계
분자, 원자, 전자 등 맨눈으로 볼 수 없는 물질의 영역

시야확장 ➕ 플랑크 상수

플랑크 상수 h는 입자의 입자성과 파동성을 구분하며, 미시 세계의 물리 법칙을 나타내는 중요한 상수이다. 에너지 E와 운동량 p는 입자에 관한 물리량이고, 진동수 f와 파장 λ는 파동에 관한 물리량이다. 빛을 입자로 볼 때 광자의 에너지를 나타내는 식 $E=hf$와 물질 입자의 파동성을 나타내는 식 $\lambda=\dfrac{h}{p}$에서 모두 나타나는 플랑크 상수는 입

▲ 물질의 이중성

자에 관계된 양과 파동에 관계된 양을 연결시켜 준다. 즉, 파동을 나타내는 양인 f에 h를 붙여 주면 입자의 양이 되고, 입자의 양인 p에 h를 붙여 주면 파동의 양이 된다. 플랑크 상수는 그 값이 아주 작기 때문에 우리가 보통 느끼는 거시 현상의 세계에서는 무시하며, 이때 물질 입자는 입자적 성질만 나타내고 파동은 파동적 성질만 나타낸다. 그러나 원자 세계에서는 플랑크 상수를 무시할 수 없고, 전자와 같이 작은 입자들은 입자성과 파동성을 모두 가진다.

② 전자 현미경

성능이 좋은 광학 현미경을 이용하면 세균의 크기와 비슷한 $0.2~\mu\text{m}$ 정도까지는 확대하여 볼 수 있지만, 그보다 작은 바이러스는 볼 수 없게 되는 한계에 부딪친다. 그러나 전자 현미경을 사용하면 광학 현미경으로 선명하게 볼 수 없는 미세한 영역까지 선명하게 볼 수 있다.

1. 현미경의 분해능

(1) **파동의 회절**: 파동이 좁은 틈을 지날 때 넓게 퍼지는 회절 현상이 나타난다. 파장이 길수록, 틈이 좁을수록 회절하는 정도가 커져서 회절 무늬의 폭이 넓어진다. 현미경과 같은 광학 기기의 렌즈도 좁은 틈의 역할을 하므로, 빛이 렌즈를 통과할 때 회절하여 가까이 있는 두 점이 겹쳐 보이는 현상이 나타난다. 회절이 크게 일어날수록 두 점이 많이 겹쳐진다.

파장의 크기와 회절
파장이 긴 빨간색 빛이 파장이 짧은 보라색 빛보다 회절이 잘 된다.

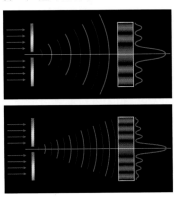

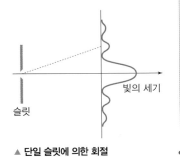

슬릿

빛의 세기

▲ 단일 슬릿에 의한 회절

(2) **두 광원에 의한 회절 무늬의 구분**: 그림과 같이 인접한 두 광원의 파동이 같은 슬릿을 지나면 각각 회절하여 스크린에 2개의 상을 맺는다. (가)와 같이 θ가 클 때는 두 회절 무늬가 충분히 떨어져 있으므로 두 광원의 상을 쉽게 구별할 수 있지만, (다)와 같이 θ가 작을 때는 두 회절 무늬가 많이 겹쳐지므로 두 광원의 상이 하나로 보여 구별하는 것이 불가능하다. 두 광원의 상이 서로 구별될 수 있는 최소 조건은 (나)와 같이 한 회절 무늬의 가운데 밝은 무늬의 중심이 다른 회절 무늬의 첫 번째 어두운 무늬와 일치할 때이다. 광원에서 나오는 빛의 파장이 짧을수록 회절이 덜 일어나므로, 두 광원의 상을 구별할 수 있는 최소한의 θ값은 더 작아진다.

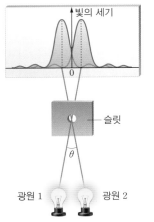

▲ 인접한 두 광원에 의한 회절 무늬

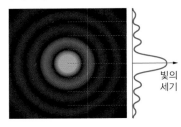

(가) 두 점의 상은 구별 가능 · (나) 두 점의 상이 구별될 수 있는 최소한의 조건 · (다) 두 점의 상은 구별 불가능

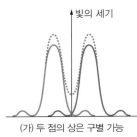

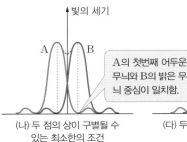

A의 첫번째 어두운 무늬와 B의 밝은 무늬 중심이 일치함.

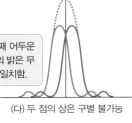

▲ 두 광원에 의한 회절 무늬의 구분

레일리 기준

두 점파원의 회절 무늬가 겹쳐 있을 때 구별할 수 있는 최소 조건은 한 회절 무늬의 중심이 다른 회절 무늬의 첫 번째 어두운 무늬와 일치할 때이다. 이것을 레일리 기준이라고 한다. 두 광원으로부터 오는 파장 λ인 빛이 지름 D인 원형 구멍을 지나 회절하는 경우 레일리 기준을 만족하는 두 광원의 분리각 θ는 다음과 같다.

$$\sin\theta = 1.22\frac{\lambda}{D}$$

(3) **회절과 분해능**

① **분해능**: 가까이 있는 두 물체를 구별하여 볼 수 있는 능력을 뜻하는 것으로, 광학 기기의 성능을 나타낼 때 사용한다. 현미경과 같은 광학 기기의 분해능이 높을수록 아주 가까운 두 물체를 서로 구별하여 볼 수 있다.

② **파장과 분해능**: 광학 기기의 렌즈의 크기가 같을 때 파장이 짧은 빛을 사용할수록 분해능이 높아지고, 파장이 긴 빛을 사용할수록 분해능이 낮아진다. 즉, 분해능은 시료를 관찰할 때 사용하는 파동의 파장이 짧을수록 우수하다.

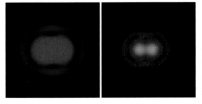

◀ **파장에 따른 광학 기기의 분해능 차이** 매우 가까이 있는 두 점이 각각 700 nm와 400 nm 파장의 빛을 낼 때 이를 동일한 광학 현미경으로 관찰한 모습이다. 빛의 파장이 짧을수록 두 점이 더 잘 구분되어 보인다.

(4) **광학 현미경의 한계**: 광학 현미경으로 관찰하려는 물체의 크기가 가시광선의 파장 정도가 되면 아무리 배율을 높여도 물체의 상을 정확하게 관찰할 수 없다. 시료를 통과한 빛이 렌즈를 지나며 회절하여, 각각의 빛을 서로 구별할 수 없게 되기 때문이다. 즉, 가시광선을 사용하는 광학 현미경은 분해능의 한계가 가시광선 파장의 절반 정도인 0.2 μm ($=2 \times 10^{-7}$ m)이므로, 이보다 크기가 작은 바이러스 등은 관찰하기 어렵다.

2. 전자 현미경 전자의 물질파를 사용하여 물체를 확대해서 보는 현미경이다.

(1) **전자 현미경의 분해능:** 광학 현미경으로 관찰할 수 없는 작은 시료를 관찰하려면, 가시 광선보다 파장이 더 짧은 파동을 사용하면 된다. 전자 현미경은 전자의 속력을 높여 매우 짧은 파장을 갖게 하므로 광학 현미경보다 분해능이 좋다. 이 전자의 물질파 파장(약 10^{-10} m)은 가시광선의 파장(약 10^{-7} m)의 수천분의 1 정도이므로, 이를 이용하면 광학 현미경 보다 1000배 이상 더 분해능이 좋은 전자 현미경을 제작할 수 있다. 따라서 가시광선으로 관찰할 수 없는 세포 내 미세 기관이나 바이러스성 병원체도 쉽게 관찰할 수 있다.

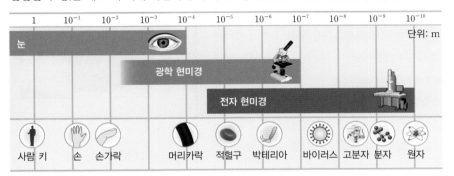

▲ 눈, 광학 현미경, 전자 현미경의 측정 범위

(2) **전자 현미경의 구조**

① **전자총:** 전자 현미경은 전자의 물질파를 사용하므로, 가열한 필라멘트에서 방출되는 전자를 높은 전압으로 가속시켜 전자선을 쏘아 준다. 이때 가속 전압이 높을수록 전자의 속력이 빠르므로, 전자의 물질파 파장은 짧아진다.

② **자기렌즈:** 광학 현미경은 유리 렌즈로 빛을 굴절하여 확대된 상을 얻지만 전자 현미경은 자기렌즈로 전자선을 굴절하여 확대된 상을 얻는다. 자기렌즈는 코일로 만든 원통형의 전자석으로, 가속된 전자가 자기장에 입사하면 자기력을 받아 진행 경로가 휘어지는 성질을 이용한다. 자기렌즈로 전자선을 모으거나 퍼지게 하며 초점을 맞춘다.

③ **진공의 내부:** 전자 현미경 내부에 공기가 있으면 전자선의 흐름을 방해하므로, 내부를 진공으로 만든다.

④ **형광판 또는 모니터:** 전자선으로 만들어진 상의 모습을 관찰하기 위해서는 상을 형광판에 맺히게 하거나 검출기로 검출한 전자선을 분석하여 모니터에 영상으로 나타낸다.

전자총

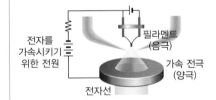

자기렌즈

광학 현미경은 초점 거리가 일정한 유리 렌즈를 사용하며 렌즈와 시료의 거리를 조절하여 상을 맺게 한다. 반면, 전자 현미경은 시료와 자기렌즈의 거리가 일정하게 고정되어 있고 코일에 흐르는 전류의 세기를 조절하여 자기장의 세기를 바꾸어 렌즈의 초점 거리를 조절한다.

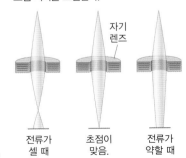

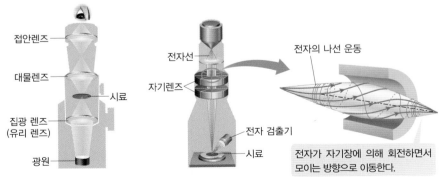

(가) 광학 현미경의 구조   (나) 전자 현미경의 구조와 자기 렌즈를 지나는 전자의 운동

▲ **광학 현미경과 전자 현미경의 구조 비교**

3. 전자 현미경의 종류 전자 현미경은 시료를 투과한 전자선을 관측하는 방식과 시료의 표면에 전자선을 쏘아 튀어나오는 전자를 관측하는 방식 등이 있다.

⑴ **투과 전자 현미경(TEM, Transmission Electron Microscope)**: 10만 V~30만 V의 높은 전압으로 가속시켜 만든 전자선을 자기렌즈로 평행하게 모은 후, 시료에 투과시켜 상을 만든다. 전자가 형광 물질이 발라진 스크린에 부딪쳐 빛을 내면 이를 눈으로 관찰하거나 사진을 찍는다.

① 상: 시료의 단면을 평면 영상으로 관찰할 수 있고, 분해능이 매우 좋아 세포의 내부 구조 등을 관찰할 때 사용된다.

② 특징: 시료를 얇게 만들어 관찰해야 한다. 전자가 시료를 투과하는 동안 속력이 느려져서 전자의 물질파 파장이 커지면 분해능이 떨어지기 때문이다.

⑵ **주사 전자 현미경(SEM, Scanning Electron Microscope)**: 1만 V~3만 V의 전압으로 가속시켜 만든 전자선을 자기렌즈를 이용하여 초점을 맞춘 후 시료의 표면을 따라 스캔하면서 쪼여 줄 때 시료에서 방출되는 2차 전자를 검출기로 검출한다. 검출된 전자에 의해 만들어진 신호를 증폭하여 모니터로 영상을 관찰하거나 사진을 찍는다.

① 상: 분해능이 투과 전자 현미경보다는 떨어지지만, 시료의 입체 영상을 볼 수 있다.

② 특징: 시료 표면을 전기 전도성이 좋은 물질인 금속이나 탄소 등으로 얇게 코팅하여 관찰한다. 전기 전도성이 좋지 않으면 관찰을 위해 계속해서 전자를 쪼일 때 시료 표면에 전하가 모여 관찰을 계속할 수 없기 때문이다.

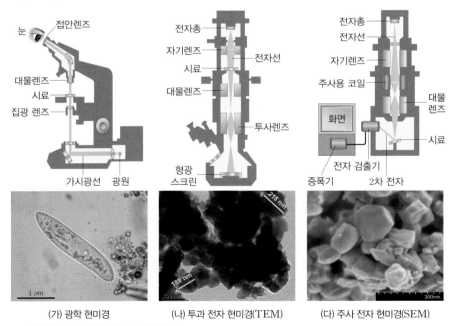

(가) 광학 현미경   (나) 투과 전자 현미경(TEM)   (다) 주사 전자 현미경(SEM)

▲ **광학 현미경과 전자 현미경으로 관찰한 상**

⑶ **전자 현미경의 이용**: 전자선을 한 점에 모을 수 있는 자기렌즈 기술의 발전으로 1931년에 최초로 투과 전자 현미경이 개발되었다. 전자 현미경은 금속 화합물, 세라믹, 반도체, 고분자 합성체 등 연구에 아주 유용하다. 따라서 생명 과학, 재료 공학, 물리학, 화학 등의 과학, 기술 분야에서 광범위하게 활용되고 있다.

투과 전자 현미경

주사 전자 현미경

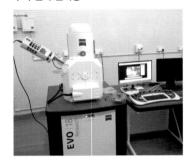

주사하다(走 달리다 査 조사하다－scan)
영어의 scanning과 같은 의미로 '훑고 지나가다'라는 뜻이다.

물질파

물질의 이중성 부분에서는 전자와 같은 입자의 질량, 속력, 운동량, 운동 에너지와 물질파 파장의 관계를 해석하는 자료와 전자의 파동성을 보여 주는 전자의 회절에 대한 자료가 제시되는 경우가 많다.

그림 (가)와 같은 장치를 이용하여 가열된 필라멘트에서 나오는 전자에 가속 전압을 걸어 주면 전자는 얇은 흑연판을 지나 형광 물질이 발라져 있는 스크린에 부딪쳐서 빛을 낸다. 그림 (나)의 형광 스크린에 나타난 무늬는 전자가 파동으로서 회절 현상을 일으킨 결과이다.

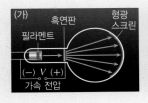
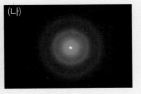

① 입자의 질량과 속력이 주어질 때 물질파 파장의 비 구하기

입자	질량	속력
A	m	$3v$
B	$2m$	v

(1) 운동량의 비: 운동량 $p=mv$에서 운동량을 구하면, 입자 A와 B의 운동량의 비 $p_A : p_B = 3 : 2$이다.

(2) 물질파 파장의 비: 물질파 파장의 식 $\lambda = \dfrac{h}{mv}$에서, 파장은 운동량에 반비례하므로, $\lambda_A : \lambda_B = 2 : 3$이다.

❶ 질량이 각각 m과 $3m$인 입자 A와 B의 속력이 서로 같을 때, 두 입자의 물질파 파장의 비 $\dfrac{\lambda_A}{\lambda_B}$를 구하시오.

정답 3

해설 입자 A와 B의 운동량의 비 $p_A : p_B = 1 : 3$이고, 파장은 운동량에 반비례하므로, $\dfrac{\lambda_A}{\lambda_B} = \dfrac{p_B}{p_A} = 3$이다.

② 입자의 운동 에너지가 주어질 때 물질파 파장의 비 구하기

A, B점을 통과할 때 전자의 운동 에너지가 E, $4E$인 경우

(1) 운동량의 비: 운동 에너지 $E = \dfrac{1}{2}mv^2 = \dfrac{(mv)^2}{2m} = \dfrac{p^2}{2m}$에서 $p = \sqrt{2mE}$이므로, 질량이 일정할 때 운동량은 운동 에너지의 제곱근에 비례한다. 따라서 A와 B의 운동량의 비는 $p_A : p_B = \sqrt{E} : \sqrt{4E} = 1 : 2$이다.

(2) 물질파 파장의 비: 물질파 파장의 식 $\lambda = \dfrac{h}{mv}$에서 파장은 운동량에 반비례하므로, $\lambda_A : \lambda_B = 2 : 1$이다.

❷ 입자 A, B의 운동 에너지가 각각 E, $4E$이다. 두 입자의 물질파 파장이 같을 때 질량의 비 $m_A : m_B$를 구하시오.

정답 4 : 1

해설 A, B의 물질파 파장이 같으므로, 두 입자의 운동량도 같다. 운동 에너지 $E = \dfrac{p^2}{2m}$에서 $m = \dfrac{p^2}{2E}$이므로, $m_A : m_B = \dfrac{1}{E} : \dfrac{1}{4E} = 4 : 1$이다.

▷ 정답과 해설 **91**쪽

그림은 어떤 입자가 진공 상자 안에서 중력만을 받아 연직 아래로 가속되며 떨어지는 것을 나타낸 것이다. 이에 대한 설명으로 옳은 것만을 보기에서 있는 대로 고른 것은?

> 보기
> ㄱ. 입자의 운동 에너지는 점점 증가한다.
> ㄴ. 입자의 운동량의 크기는 점점 감소한다.
> ㄷ. 입자의 물질파 파장은 점점 짧아진다.

① ㄱ　　　② ㄴ　　　③ ㄷ　　　④ ㄱ, ㄷ　　　⑤ ㄴ, ㄷ

X선 회절과 전자선 회절

X선은 투과력이 강해 인체 내부의 사진을 찍을 수 있고 X선에 의해 병든 조직이 파괴되기 쉽기 때문에 질병 치료에도 이용된다. 그러나 X선은 생식 세포의 유전자를 쉽게 손상시켜 돌연 변이를 일으키게 한다. X선은 라우에 반점, 브래그 회절을 이용하여 결정 구조 연구에 이용된다.

이론상으로 어떤 파동의 파장 정도의 격자만 있다면, 그 파동의 파장을 알아낼 수 있다. 1895년에 뢴트겐에 의해 발견된 X선의 파장은 10^{-10} m 정도로 매우 짧아서 당시에는 이와 같은 크기의 격자를 만드는 것은 불가능했다. 1913년에 라우에는 결정 안에 규칙적으로 배열된 원자들이 X선에 대해 3차원적 회절격자 역할을 할 수 있음을 제안하였다. 그 후 실험 결과들이 그의 제안이 옳음을 확인하였다.

그림 (가)와 같이 여러 결정면 중 한 결정면에 θ의 각으로 입사한 X선이 결정면과 θ의 각을 이루는 방향으로 반사할 때 간격 d인 결정면에 의해 반사하는 X선과의 경로차는 $2d\sin\theta$가 된다. 이 경로차가 파장의 정수배가 될 때 반사하는 X선은 보강 간섭 하므로, 보강 간섭 조건은 다음과 같다.

$$\Delta = 2d\sin\theta = m\lambda \quad (m=1, 2, 3, \cdots\cdots)$$

이 조건을 브래그 법칙이라고 한다. 이 법칙은 파동의 파장과 회절각을 측정하였다면 원자들이 이루는 결정면 사이의 간격을 계산하는 데 사용될 수 있다.

그림 (나)와 같이 실제로 X선과 같은 파동을 결정에 쪼였을 때 파동이 반사하는 결정면은 다양하게 생각할 수 있다. 입사되는 X선이 여러 각도에서 만드는 회절 무늬는 매우 복잡하다.

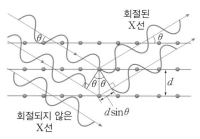

(가) X선의 회절

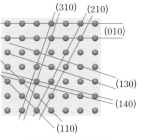

(나) 여러 가지 반사면

데이비슨·거머 실험에서 측정한 전자의 물질파 파장을 위 방법으로 구해 볼 수 있다. 니켈 결정에 쪼인 X선 회절 실험에 의해 측정한 니켈 원자 사이의 간격은 $d=2.15\times10^{-10}$ m이다. 그림에서 니켈 원자의 인접한 두 결정면에서 반사하는 전자의 물질파의 경로차는 $d\sin\theta$이다. $\theta=50°$일 때 전자선의 세기가 첫 번째로 최대가 되므로, $d\sin\theta = m\lambda$에서 $m=1$이다. 따라서 전자의 물질파 파장은 다음과 같다.

$$\lambda = d\sin\theta = 2.15\times10^{-10} \text{ m} \times \sin50° = 1.65\times10^{-10} \text{ m}$$

이 값은 54 V로 가속된 전자의 물질파 파장을 $\lambda = \dfrac{h}{mv} = \dfrac{h}{\sqrt{2meV}}$ 식으로 계산한 값과 거의 일치한다.

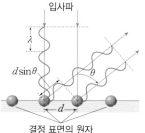

▲ 니켈 결정면에서 전자선의 회절

회절격자

평면 유리나 투명한 플라스틱 판에 1 cm당 3000~20000개 정도의 가는 줄을 일정한 간격으로 평행하게 그은 것을 회절격자라고 한다. 회절격자에 수직하게 빛을 입사시키면 줄 부분은 빛에 대하여 불투명하게 되고, 줄과 줄 사이의 평면부가 아주 좁은 슬릿의 구실을 하여 이 슬릿에서 회절된 빛이 간섭을 일으킨다.

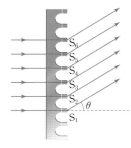

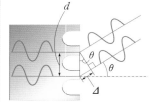

경로차 $\Delta = d\sin\theta$

02 물질의 이중성

2. 빛과 물질의 이중성

① 물질의 이중성

1. 물질파

- 운동하는 입자가 파동성을 나타낼 때의 파동을 (❶　　　　) 또는 드브로이파라고 한다.
- 질량 m, 속력 v인 입자의 드브로이 파장 λ는 다음과 같다.

$$\lambda = (❷　　　　)\ (\text{플랑크 상수 } h = 6.63 \times 10^{-34}\ \text{J·s})$$

2. 물질파 확인 실험

- 톰슨의 전자 회절 실험: X선과 동일한 물질파 파장을 갖는 전자선을 알루미늄 박막에 입사시켜, X선을 입사시켰을 때와 같은 (❸　　　　) 무늬를 얻었다.
- 데이비슨·거머 실험: 니켈의 결정면에 전자선을 입사시켰을 때 (❹　　　　)하여 특정한 방향에서 보강 간섭 하는 것을 관찰했다. 이때 전자가 나타내는 파동의 파장이 드브로이가 제안한 물질파 파장과 거의 일치하였다.

X선 회절 무늬　　전자선 회절 무늬
▲ **톰슨의 전자 회절 실험**

3. 물질의 (❺　　　　) 입자도 빛과 마찬가지로 파동과 입자의 두 가지 성질을 모두 가진다.

- 일상생활에서 마주치는 물체의 경우 물질파 파장은 아주 작으므로, 파동성을 관찰하기가 어렵다.
- 질량이 매우 작은 전자는 물질파 파장이 길어서 전자의 파동성을 관찰할 수 있다.

② 전자 현미경

1. 분해능 광학 기기 등에서 가까이 있는 두 물체를 구별하여 볼 수 있는 능력을 뜻한다.

- 렌즈의 크기가 같을 때 파장이 (❻　　　　)은 빛을 사용할수록 분해능이 높아진다.
- 광학 현미경 분해능의 한계: 가시광선의 회절에 의해 가시광선 파장의 절반 정도인 $0.2\ \mu\text{m}$보다 작은 크기의 물체는 관찰하기 어렵다.

2. 전자 현미경 전자의 물질파를 사용하여 물체를 확대해서 보는 현미경

- 전자 현미경의 분해능: 파장이 가시광선의 수천분의 1 정도(약 $10^{-10}\ \text{m}$)로 짧은 전자의 물질파를 사용하므로, 광학 현미경보다 분해능이 (❼　　　　)다.
- (❽　　　　)렌즈: 코일로 만든 원통형의 전자석으로, 전자선을 굴절시키는 데 쓰인다.

3. 전자 현미경의 종류

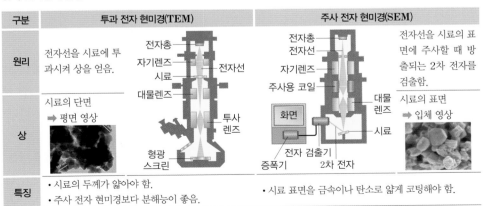

구분	투과 전자 현미경(TEM)		주사 전자 현미경(SEM)	
원리	전자선을 시료에 투과시켜 상을 얻음.	전자총 자기렌즈 시료 대물렌즈 투사렌즈 형광 스크린 전자선	전자총 전자선 자기렌즈 주사용 코일 화면 증폭기 전자 검출기 2차 전자 대물렌즈 시료	전자선을 시료의 표면에 주사할 때 방출되는 2차 전자를 검출함.
상	시료의 단면 ➡ 평면 영상		시료의 표면 ➡ 입체 영상	
특징	• 시료의 두께가 얇아야 함. • 주사 전자 현미경보다 분해능이 좋음.		• 시료 표면을 금속이나 탄소로 얇게 코팅해야 함.	

01 다음은 어떤 파동에 대한 설명이다.

> 드브로이는 빛이 입자의 성질을 가진다면 입자도 파동의 성질을 가질 수 있다고 제안했다. 이처럼 입자가 파동성을 나타낼 때의 파동을 (㉠) 또는 드브로이파라고 한다.

(1) 이에 대한 설명으로 옳은 것만을 보기에서 있는 대로 고르시오.

> 보기
> ㄱ. ㉠은 물질파이다.
> ㄴ. 정지해 있는 입자는 파동성을 나타내지 않는다.
> ㄷ. 입자의 속력이 빠를수록 파장이 짧다.

(2) 입자의 운동량 p와 물질파 파장 λ의 관계를 그래프로 그리시오.

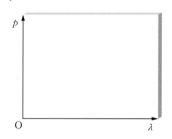

(3) 전자와 중성자의 물질파 파장이 같을 때, 운동 에너지가 큰 것은 무엇인지 쓰시오.

02 그림 (가), (나)는 데이비슨·거머 실험과 톰슨의 전자 회절 실험을 모식적으로 나타낸 것이다. 이 실험에서 확인한 전자의 성질은 무엇인지 쓰시오.

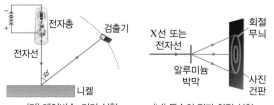

(가) 데이비슨·거머 실험　(나) 톰슨의 전자 회절 실험

03 물질의 이중성에 대한 설명으로 옳은 것만을 보기에서 있는 대로 고르시오.

> 보기
> ㄱ. 물질은 입자와 파동의 두 가지 성질을 모두 가진다.
> ㄴ. 미시 세계의 입자의 경우에는 입자성을 관찰할 수 있지만 파동성을 관찰하기 어렵다.
> ㄷ. 일상생활에서 마주치는 물체의 파동성은 관찰하기 어렵다.

04 다음은 광학 현미경과 전자 현미경을 비교한 자료이다.

구분	광학 현미경	전자 현미경
광원	가시광선	전자선
렌즈 형태	(㉠) 렌즈	(㉡)렌즈
분해능	10^{-7} m	10^{-10} m

(1) ㉠과 ㉡에 알맞은 렌즈 형태를 쓰시오.

(2) 전자 현미경은 전자의 입자성과 파동성 중에 어떤 성질을 이용한 것인지 쓰시오.

(3) ( ) 안에 알맞은 말을 쓰시오.

> 전자 현미경의 분해능이 광학 현미경보다 더 높은 것은 전자 현미경에서 사용하는 전자의 물질파 파장이 가시광선의 파장보다 ( ) 때문이다.

05 투과 전자 현미경(TEM)에 대한 설명에는 '투', 주사 전자 현미경(SEM)에 대한 설명에는 '주'를 쓰시오.

(1) 시료의 표면을 따라 차례대로 전자선을 쪼인다.

　　　　　　　　　　　　　　　　(　)

(2) 시료의 단면에 대한 영상을 얻는다.　(　)
(3) 시료 표면의 전기 전도성이 좋아야 한다.　(　)
(4) 시료가 얇아야 한다.　　　　　　　(　)
(5) 분해능이 더 우수하다.　　　　　　(　)

01 › 물질파

표는 질량이 각각 m_A와 m_B인 입자 A와 B의 운동 에너지와 물질파 파장을 나타낸 것이다.

입자	A	B
운동 에너지	E	$3E$
물질파 파장	2λ	λ

두 입자 A와 B의 질량비 $m_A : m_B$는?

① $1 : 1$ ② $2 : 3$ ③ $3 : 2$

④ $3 : 4$ ⑤ $4 : 3$

• $E = \dfrac{1}{2}mv^2 = \dfrac{(mv)^2}{2m}$ 에 물질파 파장의 식 $mv = \dfrac{h}{\lambda}$ 를 대입하여 운동 에너지와 파장, 질량의 관계식을 구한다.

02 › 물질파 확인 실험

다음은 데이비슨·거머 실험을 나타낸 것으로, (가)는 전자선을 니켈 결정에 입사시켰을 때 니켈 표면에서 산란된 전자를 검출하는 모습이고, (나)는 검출기의 각도에 따라 검출된 전자의 수를 나타낸 그래프이다.

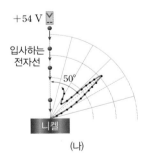

(가)   (나)

• 데이비슨·거머 실험에서 전자선은 니켈 결정 표면에서 회절하여 특정한 각도에 보강 간섭 한다.

이에 대한 설명으로 옳은 것만을 보기에서 있는 대로 고른 것은?

> 보기

ㄱ. 전자의 파동성을 검증한 실험이다.

ㄴ. (나)의 결과는 전자가 반사 법칙에 따라 특정한 각도로 반사하기 때문에 나타난다.

ㄷ. 전자를 가속하는 전압에 관계없이 $\theta = 50°$인 지점에서 전자가 가장 많이 검출된다.

① ㄱ   ② ㄴ   ③ ㄷ   ④ ㄴ, ㄷ   ⑤ ㄱ, ㄴ, ㄷ

03 ＞ 전자의 회절
그림 (가)는 알루미늄 박막에 X선을 쏘여 주었을 때 나타나는 회절 무늬이고, 그림 (나)는 알루미늄 박막에 전자선을 쏘여 주었을 때 나타나는 무늬이다.

• 회절과 간섭 현상은 파동의 특성이다.

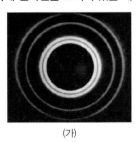

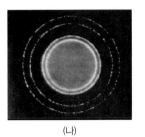

(가)   (나)

이에 대한 설명으로 옳은 것만을 보기에서 있는 대로 고른 것은?

보기
ㄱ. 전자선도 X선처럼 회절을 일으킨다.
ㄴ. 전자선도 X선과 같은 전자기파의 일종이다.
ㄷ. X선과 전자선 모두 파동의 성질을 가지고 있다.

① ㄱ   ② ㄴ   ③ ㄱ, ㄴ   ④ ㄱ, ㄷ   ⑤ ㄴ, ㄷ

04 ＞ 전자의 이중 슬릿에 의한 간섭
그림은 전자총에서 방출된 속력 v인 전자가 이중 슬릿을 통과하여 형광판에 간섭무늬를 보이는 실험을 모식적으로 나타낸 것이다. Δx는 전자의 양이 많은 지점 사이의 간격이다.

• 전자의 물질파 파장이 짧아지면 간섭무늬의 간격이 좁아진다.

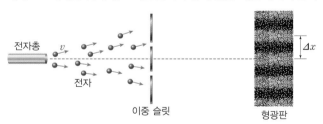

전자총 v

전자

이중 슬릿

형광판

Δx

이에 대한 설명으로 옳은 것만을 보기에서 있는 대로 고른 것은?

보기
ㄱ. 간섭무늬는 전자의 파동적 성질 때문에 나타난다.
ㄴ. 전자 1개를 쏘았을 때도 간섭무늬가 나타난다.
ㄷ. 전자의 속력 v를 감소시키면 Δx가 커진다.
ㄹ. 단위 시간당 발생하는 전자 수를 증가시키면 Δx가 작아진다.

① ㄴ   ② ㄹ   ③ ㄱ, ㄷ   ④ ㄴ, ㄹ   ⑤ ㄱ, ㄴ, ㄷ

다음은 분해능에 대한 설명이다.

> (가), (나)는 동일한 광학 현미경으로 가까이 있는 두 점에서 나오는 빛을 관찰한 모습이다. (가)와 같이 빨간색 빛으로 볼 때는 두 점의 회절 무늬가 많이 겹쳐져 2개의 점으로 구별하는 것이 어렵지만, (나)와 같이 파란색 빛으로 볼 때는 두 점이 잘 구별되어 보인다. 즉, 분해능은 (가)보다 (나)가 더 (㉠). 이처럼 렌즈의 지름이 일정할 때 광학 현미경에서 사용하는 빛의 (㉡) 분해능은 좋아진다.

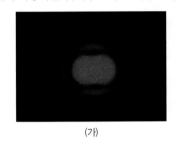

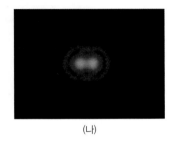

(가)   (나)

위의 ㉠, ㉡에 들어갈 알맞은 말을 옳게 짝 지은 것은?

	㉠	㉡		㉠	㉡
①	좋다.	세기가 셀수록	②	나쁘다.	세기가 약할수록
③	좋다.	파장이 짧을수록	④	나쁘다.	파장이 짧을수록
⑤	나쁘다.	파장이 길수록			

> 분해능은 광학 기기에서 가까이 있는 두 점을 구별하여 볼 수 있는 능력을 의미한다.

---

06 〉전자 현미경의 원리

그림은 전자 현미경의 전자총에서 전압 V로 가속된 전자가 속력 v로 방출되는 것을 나타낸 것이다.

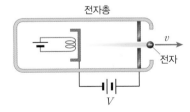

전자총

v

전자

V

이에 대한 설명으로 옳은 것만을 보기에서 있는 대로 고른 것은?

> **보기**
> ㄱ. v가 클수록 전자의 물질파 파장이 길어진다.
> ㄴ. v를 증가시키려면 가속 전압 V를 낮춘다.
> ㄷ. v가 클수록 전자 현미경의 분해능이 높아진다.

① ㄴ   ② ㄷ   ③ ㄱ, ㄴ   ④ ㄱ, ㄷ   ⑤ ㄴ, ㄷ

> 전기력이 해 준 일 $W = eV$가 전자의 운동 에너지로 전환되므로, 가속 전압이 클수록 전자의 속력이 빨라진다.
> $$eV = \frac{1}{2}mv^2$$

07 ＞ 전자 현미경과 광학 현미경

그림 (가)와 (나)는 같은 배율의 전자 현미경과 광학 현미경으로 관찰한 짚신벌레의 모습을 순서 없이 나타낸 것이다.

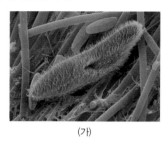

(가)

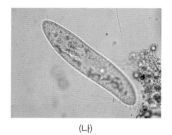

(나)

이에 대한 설명으로 옳은 것만을 보기에서 있는 대로 고른 것은?

보기
ㄱ. 현미경의 분해능은 (가)가 (나)보다 높다.
ㄴ. (가)와 (나) 모두 파동을 시료에 투과시켜 관찰한다.
ㄷ. (가)와 (나) 모두 렌즈 사이의 거리를 조절하여 초점을 맞춘다.

① ㄱ　　　② ㄱ, ㄴ　　　③ ㄱ, ㄷ　　　④ ㄴ, ㄷ　　　⑤ ㄱ, ㄴ, ㄷ

> • 시료 표면의 입체 영상을 볼 수 있는 현미경은 주사 전자 현미경(SEM)이다.

08 ＞ 전자 현미경의 종류

그림 (가), (나)는 다른 종류의 전자 현미경의 구조를 대략적으로 나타낸 것이다.

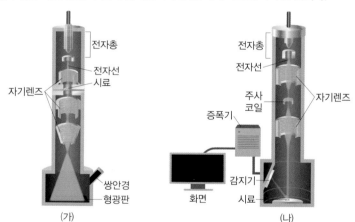

(가)　　　(나)

이에 대한 설명으로 옳은 것만을 보기에서 있는 대로 고른 것은?

보기
ㄱ. 사용하는 전자의 물질파 파장은 (가)가 (나)보다 길다.
ㄴ. (가)는 시료를 얇게 만들어야 뚜렷한 상을 관찰할 수 있다.
ㄷ. (나)는 시료 표면에 전기 전도성이 좋은 물질을 코팅해야 한다.

① ㄱ　　　② ㄴ　　　③ ㄷ　　　④ ㄱ, ㄴ　　　⑤ ㄴ, ㄷ

> • 투과 전자 현미경(TEM)의 분해능이 주사 전자 현미경(SEM)보다 높다.

① 전자의 이중 슬릿 실험과 전자의 이중성

그림 (가)와 같이 이중 슬릿과 스크린에 나란하게 움직일 수 있는 검출기를 설치하고 전자선을 입사시키면, 전자들은 이중 슬릿을 통과하여 검출기가 있는 스크린에 도달한다. 충분한 시간 동안 스크린에서 검출기를 세로축 방향으로 이동시키면서 전자를 검출한 후, 스크린의 각 지점에 매 분당 도달하는 전자 수(또는 전자가 도달할 확률)를 가로축 방향으로 나타내면 (나)와 같이 전형적인 이중 슬릿에 의한 간섭무늬를 보게 된다.

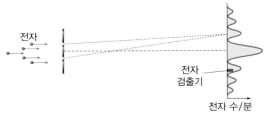

(가) 전자의 이중 슬릿 실험

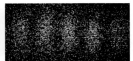

(나) 전자의 이중 슬릿 간섭무늬: 스크린에 도달하는 전자 수가 증가할수록 간섭무늬가 선명해진다.

이와 같은 이중 슬릿 실험에서 전자의 이중성이 확실하게 드러난다. 각각의 전자는 어떤 순간에 한 지점에서 입자로 검출되지만, 그 지점에 도달하는 확률은 간섭하는 두 물질파의 세기로 결정되기 때문이다.

② 전자는 이중 슬릿의 양쪽 모두를 통과한다.

그림 (다)와 같이 2개의 슬릿 중 어느 하나를 가리고 실험한다면, 열린 쪽 슬릿을 통과한 전자들이 슬릿을 중심으로 대칭적인 무늬를 만든다. 만약 실험 시간을 나누어 전반에는 슬릿 S_1을 가리고 실험하고 후반에는 슬릿 S_2를 가리고 실험한다면 누적된 매 분당 전자 수(전자가 도달하는 확률)는 그림 (라)에서의 파란색 곡선과 같이 나타난다. 이 결과는 슬릿 S_1과 S_2를 모두 열고 실험했을 때 나타나는 빨간색 곡선과 완전히 다르다. 스크린의 중앙에 전자가 도달하는 확률의 최대점이 나타나지 않기 때문이다. 즉, 간섭무늬가 사라졌으며, 누적된 결과는 단순히 S_1만으로 실험한 결과와 S_2만으로 실험한 결과의 합에 불과하다. 이 경우는 전자가 확실하게 슬릿 S_1이나 S_2 중 어느 하나를 지나간다고 말할 수 있다.

그러나 슬릿 S_1, S_2를 모두 열고 실험했을 때 나타나는 빨간색 곡선의 간섭무늬의 경우에는 스크린 중앙에 전자가 도달하는 확률의 최대점이 나타나기 때문에 전자가 둘 중 한 슬릿을 통과할 것이라고 가정할 수 없다. 이 경우 전자는 분명한 간섭 현상을 나타내고 있으므로 전자가 이중 슬릿을 통과할 때 양쪽 슬릿 모두와 동시에 상호 작용한다고 결론지을 수밖에 없다. 만약 어느 슬릿으로 전자가 통과하는지 실험으로 확인해 보려고 한다면, 파란색 곡선과 같이 간섭무늬를 없애 버리는 결과를 낳게 될 것이다. 즉, 전자는 이중 슬릿의 양쪽 모두를 지나간다.

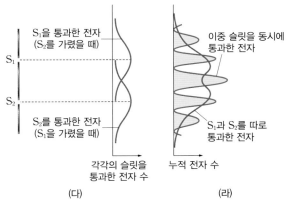

(다) / (라)

(라)의 파란색 곡선은 S_1과 S_2를 각각 절반의 시간씩 열고 실험했을 때 누적 결과, 빨간색 곡선은 S_1과 S_2를 동시에 열고 실험했을 때의 결과이다.

01 ▷ 광전 효과

그림 (가)는 어떤 광원에서 나오는 빛의 세기를 진동수에 따라 나타낸 것이다. f_0는 세슘의 문턱 진동수이다. 그림 (나)는 이 광원에서 나오는 빛 중에서 특정한 진동수의 단색광만 세슘판에 비추는 모습을 나타낸 것이다.

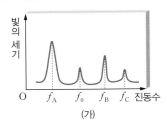 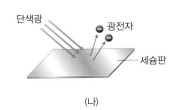

(가)   (나)

> 광전자의 최대 운동 에너지는 빛의 진동수가 클수록 크고, 단위 시간당 방출되는 광전자의 수는 빛의 세기에 비례한다.

이에 대한 설명으로 옳은 것만을 보기에서 있는 대로 고른 것은? (단, h는 플랑크 상수이다.)

보기
ㄱ. 세슘의 일함수는 hf_A보다 작다.
ㄴ. 세슘판에서 단위 시간당 방출되는 광전자의 수는 진동수가 f_B인 단색광을 비추었을 때가 f_C인 단색광을 비추었을 때보다 많다.
ㄷ. 세슘판에서 방출되는 광전자의 최대 운동 에너지는 진동수가 f_B인 단색광을 비추었을 때가 f_C인 단색광을 비추었을 때보다 작다.

① ㄴ   ② ㄷ   ③ ㄱ, ㄴ   ④ ㄱ, ㄷ   ⑤ ㄴ, ㄷ

02 ▷ 광전 효과

그림은 두 광전관의 금속판 P, Q에 빛의 삼원색에 해당하는 단색광 A, B, C를 각각 비추는 모습을 나타낸 것이다. 표는 A, B, C를 각각 비추었을 때 P, Q에서의 광전자 방출 여부를 나타낸 것이다.

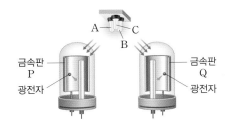

단색광	광전자 방출 여부	
	P	**Q**
A	×	○
B	○	○
C	×	×

(○: 방출됨. ×: 방출되지 않음.)

> 광전자의 방출 여부는 빛의 진동수에 관계되므로, 광전자가 두 금속에서 모두 방출되지 않는 빛 C의 진동수가 가장 작다.

이에 대한 설명으로 옳은 것만을 보기에서 있는 대로 고른 것은?

보기
ㄱ. C의 세기를 증가시키면 P와 Q에서 광전자가 방출된다.
ㄴ. 금속판의 일함수는 P가 Q보다 크다.
ㄷ. 단색광의 파장은 B가 가장 크다.

① ㄱ   ② ㄴ   ③ ㄷ   ④ ㄱ, ㄴ   ⑤ ㄴ, ㄷ

태양 전지는 광전 효과를 이용한다.

03 ❯ 빛의 이중성

다음은 빛과 관련된 여러 가지 현상들이다.

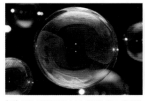  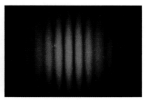

(가) 비눗방울이나 물 위에 뜬 기름막이 알록달록한 색을 띤다.

(나) 태양 전지를 이용해 전기 에너지를 얻는다.

(다) 이중 슬릿을 통과한 빛이 스크린에 밝고 어두운 무늬를 만든다.

빛의 파동성과 입자성에 관계되는 현상을 각각 옳게 고른 것은?

	파동성	입자성
①	(가), (나)	(다)
②	(나), (다)	(가)
③	(가), (다)	(나)
④	(가)	(나), (다)
⑤	(나)	(가), (다)

04 ❯ 전하 결합 소자(CCD)

그림은 디지털카메라에 있는 전하 결합 소자(CCD)의 화소를 나타낸 것이다.

광 다이오드에 반도체의 띠 간격 이상의 에너지를 가진 빛을 쪼일 때 원자가 띠의 전자가 전도띠로 전이하면서 전자와 양공 쌍이 생성된다.

이에 대한 설명으로 옳은 것만을 보기에서 있는 대로 고른 것은?

┌ 보기 ─────────────────────────────
ㄱ. 화소는 일종의 광 다이오드이다.
ㄴ. 화소에서 일어나는 광전 효과는 반도체의 띠 간격 이상의 에너지를 가진 빛을 비추어
　야 일어난다.
ㄷ. 각 화소에서 발생하는 전하의 양은 빛의 진동수에 비례한다.
└────────────────────────────────

① ㄱ　　　　② ㄷ　　　　③ ㄱ, ㄴ　　　　④ ㄴ, ㄷ　　　　⑤ ㄱ, ㄴ, ㄷ

05 ❯ 물질파

그림 (가)는 가속 장치에서 방출된 입자가 진공 상자 안에서 운동하는 모습을 나타낸 것이고, 그림 (나)는 네 종류의 입자 A, B, C, D의 질량과 속력을 나타낸 것이다.

진공 상자

가속 장치

(가)

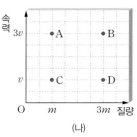

(나)

운동 에너지 $\frac{1}{2}mv^2 = \frac{(mv)^2}{2m}$으로, 운동량이 같을 때 질량이 작을수록 운동 에너지가 크다.

이에 대한 설명으로 옳은 것만을 보기에서 있는 대로 고른 것은?

> 보기

ㄱ. 운동 에너지는 A와 D가 같다.

ㄴ. 물질파 파장은 B가 가장 짧다.

ㄷ. 운동량은 C가 가장 크다.

① ㄴ   ② ㄷ   ③ ㄱ, ㄴ   ④ ㄱ, ㄷ   ⑤ ㄴ, ㄷ

06 ❯ 물질파

그림 (가)는 슬릿 S_1, S_2를 모두 열고 단색광을 비추었을 때 스크린에 간섭무늬가 나타난 것으로, Δx는 이웃한 밝은 무늬 사이의 간격이다. 그림 (나)는 슬릿 S_1, S_2를 모두 열고 전자선을 입사시켰을 때 스크린에 도달한 전자의 수를 나타낸 것으로, Δx는 전자가 많이 도달한 지점 사이의 간격이다.

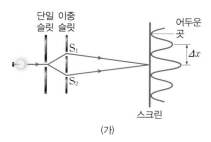

(가)

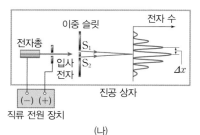

(나)

전자를 이용한 실험에서 간섭무늬가 나타난 것은 전자의 물질파가 이중 슬릿을 지나며 중첩하여 간섭하였음을 의미한다.

이에 대한 설명으로 옳은 것만을 보기에서 있는 대로 고른 것은?

> 보기

ㄱ. (나)에서 스크린에 도달한 전자 수의 분포가 (가)의 간섭무늬와 비슷한 것은 전자가 파동성을 나타내기 때문이다.

ㄴ. (나)에서 전자총에서 전자를 1개씩 보내며 실험하면 간섭무늬가 나타나지 않는다.

ㄷ. (나)에서 슬릿 S_1을 먼저 열고 실험하고, 슬릿 S_2를 나중에 열고 실험해도 동일한 결과가 나타난다.

① ㄱ   ② ㄴ   ③ ㄷ   ④ ㄱ, ㄷ   ⑤ ㄴ, ㄷ

07 ❯ 물질파

그림은 전하량이 $+q$인 입자가 정지 상태에서 전압 V로 가속되어 음극판의 구멍을 통과한 후 qV의 운동 에너지를 가지고 일정한 속도로 운동하는 모습이다. 이 실험 장치로 표의 알파 (α) 입자와 양성자를 각각 가속하였다.

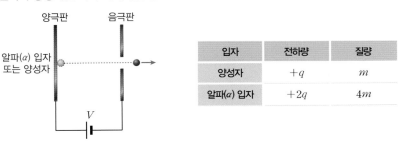

입자	전하량	질량
양성자	$+q$	m
알파(α) 입자	$+2q$	$4m$

음극판을 통과한 후의 두 입자에 대한 설명으로 옳은 것만을 보기에서 있는 대로 고른 것은?

> **보기**
>
> ㄱ. 속력은 양성자가 알파(α) 입자의 $\sqrt{2}$배이다.
>
> ㄴ. 물질파 파장은 양성자가 알파(α) 입자의 4배이다.
>
> ㄷ. 가속 전압을 2배로 하면 두 입자 모두 물질파 파장이 $\dfrac{1}{\sqrt{2}}$배가 된다.

① ㄱ ② ㄴ ③ ㄷ ④ ㄱ, ㄷ ⑤ ㄱ, ㄴ, ㄷ

• 전하량 q인 입자를 전압 V로 가속했을 때 입자의 운동 에너지는 qV와 같다.

08 ❯ 전자 현미경의 종류

다음은 주사 전자 현미경(SEM)과 투과 전자 현미경(TEM)을 비교한 것이다.

현미경	(가)	(나)
원리	전자선을 시료에 투과시킨다.	전자선을 시료 표면에 차례대로 쪼여 준다.
가속 전압	100 kV~300 kV	10 kV~30 kV
시료	시료가 얇아야 한다.	시료 표면을 금속이나 탄소로 코팅한다.

이에 대한 설명으로 옳은 것만을 보기에서 있는 대로 고른 것은?

> **보기**
>
> ㄱ. (가)는 주사 전자 현미경(SEM), (나)는 투과 전자 현미경(TEM)이다.
>
> ㄴ. (가)의 분해능이 (나)보다 높다.
>
> ㄷ. 시료의 전기 전도도가 좋아야 하는 것은 (가)이다.

① ㄱ ② ㄴ ③ ㄷ ④ ㄱ, ㄷ ⑤ ㄴ, ㄷ

• 가속 전압이 클수록 전자의 속력이 빨라져 전자의 물질파 파장이 짧아진다.

01 그림 (가)는 금속 A 또는 금속 B로 만들어진 금속판에 비추는 단색광의 진동수를 변화시켜 가며 광전자의 최대 운동 에너지를 측정하는 모습을 모식적으로 나타낸 것이고, (나)는 금속 A 또는 B에서 방출되는 광전자의 최대 운동 에너지를 단색광의 진동수에 따라 나타낸 것이다.

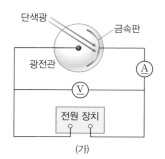

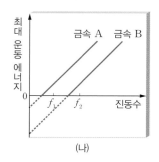

(1) 두 금속 A, B의 문턱 진동수와 일함수의 크기를 비교하여 서술하시오.

(2) 두 금속 A, B에 각각 진동수 f_1인 빛을 비추었을 때 A, B에서 광전 효과가 일어나는지 쓰시오.

(3) 두 금속 A, B에 각각 진동수 f_2인 빛을 비추었을 때 일어나는 결과의 공통점과 차이점에 대해 서술하시오.

KEY WORDS
(1) · 문턱 진동수와 일함수
(2) · 광전 효과
(3) · 광전 효과와 광전자의 최대 운동 에너지

02 다음은 일함수가 E_0인 금속판에 단색광을 비추어 광전자가 방출될 때, 단색광에 따른 광전자의 최대 운동 에너지를 나타낸 자료이다.

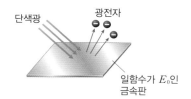

단색광	세기	최대 운동 에너지
A	I	$5E_0$
B	$2I$	$5E_0$
C	I	$2E_0$

(1) 단색광 A와 B를 각각 비추었을 때 일어나는 결과는 어떤 차이가 있는지 근거를 들어 서술하시오.

(2) 단색광 A의 진동수는 C의 진동수의 몇 배인지 풀이 과정과 함께 서술하시오.

KEY WORDS
(1) · 광전자의 수
(2) · 광전자의 최대 운동 에너지의 식

03 그림 (가)는 바람개비에 전자들을 쏘아 주었을 때 바람개비가 회전하는 것을 확인할 수 있는 실험 장치이고, 그림 (나)는 이중 슬릿에 전자를 통과시켰을 때 벽에 도달한 전자의 위치를 점으로 나타낸 실험이다.

KEY WORDS
(1) • 운동량
    • 입자
(2) • 간섭무늬
    • 파동
(3) • 이중성

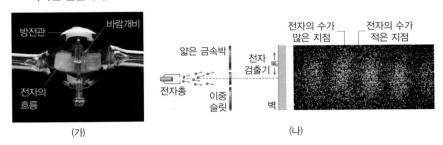

(가)   (나)

(1) (가)에서 알 수 있는 전자의 성질을 근거를 들어 서술하시오.

(2) (나)에서 알 수 있는 전자의 성질을 근거를 들어 서술하시오.

(3) (가)와 (나)로부터 결론지을 수 있는 전자의 성질에 대해 서술하시오.

04 그림은 동일한 광학 현미경으로 빨간색 빛과 파란색 빛을 이용하여 가까이 있는 두 점을 관찰한 것을 나타낸 것이다.

KEY WORDS
• 회절, 분해능과 파장

(가) 빨간색 빛 사용   (나) 파란색 빛 사용

(가)와 (나)에서 가까이 있는 두 점이 겹쳐 보이는 이유를 쓰고, 이를 통해 알 수 있는 현미경의 분해능과 파장의 관계를 서술하시오.

부록

예시 문제

다음 제시문을 읽고 물음에 답하시오.

> (제시문 1) 1913년, 보어는 수소 원자 스펙트럼을 설명하기 위해 원자 내부의 전자가 원자핵 주위에 무질서하게 존재하는 것이 아니라 특정한 에너지 준위를 가진 궤도에만 있을 수 있다는 새로운 원자 모형을 제안하였다. 이 모형에서 원자핵 주위의 전자는 특정한 에너지를 가진 궤도를 따라 운동하고 있다. 이 궤도를 전자 껍질이라고 하며, 전자 껍질은 핵에서 가장 가까운 것부터 K($n=1$), L($n=2$), M($n=3$), N($n=4$), … 껍질이라고 한다. 양자수 n에 따른 에너지 준위는 다음과 같다.
>
> $$E_n = -\frac{13.6}{n^2}(\text{eV}) \ (n=1, 2, 3, \cdots)$$
>
> 또, 보어 원자 모형에서 전자가 에너지 준위 사이를 전이할 때 두 궤도의 에너지 준위 차이만큼의 에너지를 흡수하거나 방출한다.
>
> (제시문 2) 아인슈타인의 광양자설에 따르면 빛은 진동수에 비례하는 에너지를 갖는 광자의 흐름이다. 따라서 빛의 진동수가 클수록, 즉 파장이 짧을수록 광자의 에너지가 더 크다. 빛의 속력을 c, 플랑크 상수를 h라고 할 때 광자의 에너지 E와 진동수 f, 파장 λ 사이에는 다음의 관계가 있다.
>
> $$E = hf = \frac{hc}{\lambda}$$
>
> (제시문 3) 수소 기체 방전관에서 방출되는 빛을 분광기로 관찰하면 몇 개의 선이 불연속적으로 나타나는 선 스펙트럼을 관찰할 수 있다. 스펙트럼에 나타나는 색은 파장과 관계가 있으므로, 선 스펙트럼의 각 선은 에너지와 관련이 있다. 파장이 400 nm에서 750 nm 사이 영역에서 수소 원자 스펙트럼은 다음 그림과 같다.
>
>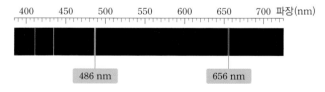

1 제시문의 수소 원자 스펙트럼에서 파장이 486 nm인 선은 전자가 $n=4$인 상태에서 $n=2$인 상태로 전이할 때 방출되는 빛이다. 전자가 $n≥7$인 상태에서 $n=2$인 상태로 전이할 때 방출하는 빛의 선 스펙트럼은 위의 스펙트럼 영역에 나타나지 않는데, 그 까닭을 수소 원자 스펙트럼의 배열 경향에 근거하여 추론하시오.

2 어떤 수소 원자가 121.5 nm의 빛을 방출한다면 이때 일어나는 전자 전이에서 양자수가 어떻게 변하는지 설명하시오.

문제 해결 과정

1 수소 원자 스펙트럼에서 관찰되는 4개의 선이 어떤 양자수 변화 과정에서 방출되는 것인지 추론하여 전자가 $n \geq 7$인 상태에서 $n = 2$인 상태로 전이할 때 방출하는 빛의 파장을 추측한다.

2 주어진 정보들을 이용해 파장이 121.5 nm인 빛의 에너지를 구해 양자수 변화를 추론한다.

· **문제 해결을 위한 배경 지식**
· **발머 계열:** 보어의 수소 원자 모형에서 전자가 $n \geq 3$인 상태에서 $n = 2$인 상태로 전이할 때 방출하는 빛이다.
· **수소 원자 스펙트럼 중 가시광선 영역:** 발머 계열 중 파장이 가장 긴 것부터 4개가 가시광선 영역에 속한다.

예시 답안

1 보어의 수소 원자 모형에서 각 전자 궤도의 에너지는 제시문 **1**에서 주어진 식과 같이 양자수 n의 제곱에 반비례한다. 또, 광자의 에너지는 제시문 **2**에서 주어진 바와 같이 파장에 반비례한다. 따라서 에너지 간격이 큰 궤도 간에 전자 전이가 일어날 경우에는 파장이 짧은 빛이 방출 또는 흡수되며, 에너지 간격이 작은 궤도 간에 전자 전이가 일어날 경우에는 파장이 긴 빛이 방출 또는 흡수된다.

수소 원자의 가시광선 영역에서 선 스펙트럼은 제시문 **3**의 그림과 같이 4개의 선으로 나타난다. 가시광선 영역에서 얻어지는 선 스펙트럼은 발머 계열에 속하는데, 발머 계열은 $n \geq 3$인 상태에서 $n = 2$인 상태로 전자가 전이할 때 방출하는 빛이다.

여기서 파장이 486 nm인 스펙트럼 선은 전자가 $n = 4$인 상태에서 $n = 2$인 상태로 전이할 때 방출되는 빛이라고 문제에서 주어졌으므로, 이보다 파장이 긴 656 nm인 빛은 광자의 에너지가 더 작아야 한다. 따라서 파장이 656 nm인 빛은 전자가 $n = 3$인 상태에서 $n = 2$인 상태로 전이할 때 방출되는 빛의 파장이다. 또, 486 nm보다 짧은 파장의 두 빛은 각각 전자가 $n = 5$, $n = 6$인 상태에서 $n = 2$인 상태로 전이할 때 방출하는 빛이다.

전자가 $n \geq 7$인 상태에서 $n = 2$인 상태로 전이할 때 방출하는 빛의 파장은 전자가 $n = 6$인 상태에서 $n = 2$인 상태로 전이할 때 방출하는 빛의 파장인 약 410 nm보다 짧아야 하므로 문제에서 제시한 400 nm ~ 750 nm 영역을 벗어날 것으로 예상된다.

2 파장이 121.5 nm인 빛은 문제에서 주어진 선 스펙트럼의 파장보다 훨씬 짧으므로 광자가 더 큰 에너지를 갖는다고 볼 수 있다. 따라서 121.5 nm 파장의 빛은 전자가 $n = x$인 상태에서 $n = 1$인 상태로 전이할 때 방출하는 빛이라고 가정할 수 있다. 이때 빛의 에너지는 두 궤도의 에너지 준위 차이이므로 다음과 같다.

$$\Delta E = E_x - E_1 = k\left(1 - \frac{1}{x^2}\right) = \frac{hc}{121.5(\text{nm})}$$

이다. 또, h, c, k 값을 구하기 위해 문제에서 주어진 486 nm 파장의 빛이 전자가 $n = 4$인 상태에서 $n = 2$인 상태로 전이할 때 방출되는 빛의 파장이라는 것을 이용하면 다음 식을 얻을 수 있다.

$$\Delta E = E_4 - E_2 = k\left(\frac{1}{4} - \frac{1}{16}\right) = \frac{3k}{16} = \frac{hc}{486(\text{nm})}$$

위 두 식을 연립하여 풀면

$$\left(1 - \frac{1}{x^2}\right) = \frac{3}{16} \times 486 \times \frac{1}{121.5} = \frac{3}{4}$$

이다. x가 2 이상의 자연수이므로 $x = 2$이다.

따라서 수소 원자에서 방출되는 파장이 121.5 nm인 빛은 양자수 $n = 2$인 상태에서 $n = 1$인 상태로 전자가 전이할 때 방출하는 빛이다.

실전 문제

1 다음 제시문을 읽고 물음에 답하시오.

(가) 물체가 두 지점 사이를 이동하는 동안 물체에 작용하는 알짜힘이 한 일 W는 물체의 운동 에너지 변화량 ΔE_k와 같다. 이때 중력 등의 보존력만이 일을 하는 경우 알짜힘이 물체에 한 일은 힘과 관련된 퍼텐셜 에너지의 변화량 $-\Delta E_p$와 같아진다. 따라서 보존력만 작용하면 운동 에너지와 퍼텐셜 에너지의 합인 역학적 에너지는 보존된다.

(나) 코일 근처에서 자석이 운동하거나 자석 근처에서 코일이 운동할 때 코일에는 전자기 유도 현상이 일어난다. 이때 유도 기전력 V는 유도 전류에 의한 자기장이 코일을 통과하는 자기 선속 Φ의 변화를 방해하는 방향으로 발생하며, 그 시간적 변화율에 비례한다. 즉, 코일의 감은 수를 N이라고 할 때 유도 기전력은 다음과 같이 주어진다.

$$V = -N\frac{\Delta\Phi}{\Delta t}$$

전자기 유도 현상은 수력, 화력, 원자력, 풍력, 조력 발전 등의 발전뿐만 아니라 카드 판독기, 태블릿 펜 등 운동을 전기 신호로 전환하는 센서에도 이용된다.

(다) 저항체 양단에 전압 V가 걸렸을 때 전류 I가 흐르면 저항체에서 $P=VI$의 전력이 열로 소모된다. 전력은 단위 시간당 소모되는 전기 에너지로 단위는 W(와트)를 사용한다. 1 W는 1초 동안 1 J의 전기 에너지를 소모하는 것이다.

• **출제 의도**
역학적 에너지 보존과 전자기 유도를 관련지어 유도 기전력과 유도 전류, 소모 전력의 관계를 설명할 수 있는지를 평가한다.

• **문제 해결을 위한 배경 지식**
 • **운동 에너지:** $E_k = \frac{1}{2}mv^2$
 • **중력 퍼텐셜 에너지:** $E_p = mgh$
 • **옴의 법칙:** $V = IR$

(1) 그림과 같이 정사각형 도선을 자유 낙하시켜 세기가 B인 수평 방향의 자기장 영역을 지나도록 하였다. 낙하 높이 h가 정사각형 도선의 한 변의 길이 a와 자기장 영역의 거리 $d(>a)$보다 매우 크면, 자기장을 통과하는 동안 정사각형 도선의 속력은 일정하다고 간주할 수 있다.

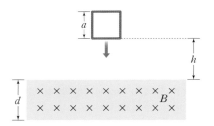

정사각형 도선이 속력 v로 자기장 영역을 통과하는 경우 정사각형 도선에 유도되는 기전력에 대하여 설명하고, 이를 시간에 따른 그래프로 나타내시오. (단, 정사각형 도선에 시계 방향으로 유도 전류가 흐를 때 기전력을 (+)로 하고, $t=0$일 때 정사각형 도선이 자기장 영역에 진입하고, 자기장과의 상호 작용에 의한 정사각형 도선의 속력 변화는 무시한다.)

(2) 유도 기전력에 의해 정사각형 도선에 유도 전류가 흐르고 열이 발생한다. 정사각형 도선에 유도된 기전력의 크기 및 발생한 열에너지, 그리고 낙하 높이 h의 관계에 대해 설명하시오.

답안

2 다음 제시문을 읽고 물음에 답하시오.

● 출제 의도
보어의 수소 원자 모형에서 전자
전이와 빛의 파장을 관련지어 설
명할 수 있는지를 평가한다.

● 문제 해결을 위한 배경 지식
광자의 에너지 E와 파장 λ 사이
에는 $E=\dfrac{hc}{\lambda}$ 의 관계가 있다.

> (가) 전자가 에너지 준위 사이로 이동하는 것을 전이라고 한다. 일반적으로 에너지 준위 E_n
> 에 있던 전자가 E_m으로 전이($n>m$)될 때 방출하는 빛의 진동수 f는 다음과 같이 쓸
> 수 있다.
>
> $$hf = E_n - E_m$$
>
> 여기서 h는 플랑크 상수이다.
>
> (나) 그림은 보어의 수소 원자 모형에서 전자의 에너지 준위를 나타낸 것이다. 전자가
> $n=4$인 상태에서 $n=2$인 상태로 전이할 때 방출하는 빛의 파장은 λ_a이고, 전자가
> $n=2$인 상태에서 $n=3$인 상태로 전이할 때 흡수하는 빛의 파장은 λ_b이다.
>
>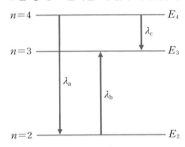
>
> (다) 보어의 수소 원자 모형에서 양자수 n에 따른 에너지 E_n은 다음과 같이 주어진다.
>
> $$E_n = -\frac{E_0}{n^2} \ (E_0\text{는 양의 상수})$$

(1) 파장의 비 $\dfrac{\lambda_a}{\lambda_b}$ 를 숫자로 나타내고, 그 근거를 제시하시오.

(2) 전자가 $n=4$인 상태에서 $n=3$인 상태로 전이할 때 방출하는 빛의 파장 λ_c를 λ_a와 λ_b를 이
용하여 표현하고, 그 까닭을 설명하시오.

답안

예시 문제

다음은 파동의 반사와 간섭에 대한 설명이다.

● 출제 의도
매질의 굴절률에 따른 고정단 반사와 자유단 반사를 얇은 막에 의한 빛의 간섭 현상에 적용하여 간섭 조건을 유도할 수 있는지와 안경의 무반사 코팅, 뉴턴 링에 응용할 수 있는지 평가한다.

〈제시문 1〉 파동이 두 물질의 경계면에서 반사할 때 두 물질의 굴절률에 따라서 고정단 반사와 자유단 반사로 나뉜다. 파동이 굴절률이 작은 매질에서 굴절률이 큰 매질로 입사할 때 일어나는 반사를 고정단 반사라고 하고, 굴절률이 큰 매질에서 작은 매질로 입사할 때 일어나는 반사를 자유단 반사라고 한다. 고정단 반사에서 반사파의 위상은 입사파의 위상과 반대가 되며, 자유단 반사에서 반사파의 위상은 입사파와 같다. 이것은 줄에서 생긴 펄스가 한쪽 끝이 고정된 벽에서 반사하는 경우와 한쪽 끝에 고리를 매어 줄이 자유로운 경우의 반사와 같다.

〈제시문 2〉 물 위에 뜬 기름막이나 비눗방울이 무지개 색을 띠는 것을 흔히 볼 수 있다. 이것은 얇은 막의 윗면에서 반사한 빛과 아랫면에서 반사한 빛이 간섭 현상을 일으키기 때문에 나타나는 현상이다. 얇은 막에 의한 간섭을 일상생활에 이용하는 예가 바로 안경 렌즈의 무반사 코팅이다. 그림 (가)와 같이 렌즈에 코팅한 막의 윗면과 아랫면에서 반사하는 빛이 상쇄 간섭을 하도록 하여 반사광을 줄이는 것이다. 또, 한 예로 뉴턴 링(Newton's ring)을 이용해 렌즈의 곡률이나 유리의 평탄도를 조사하는 것이다. 뉴턴 링은 그림 (나)와 같이 볼록 렌즈의 볼록한 면과 평면 유리 사이의 얇은 공기층 때문에 생기는 동심원 모양의 빛의 간섭무늬이다.

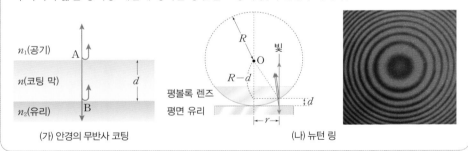

(가) 안경의 무반사 코팅   (나) 뉴턴 링

1 〈제시문 2〉의 그림 (가)에서 렌즈의 코팅 막으로 굴절률 n이 약 1.4인 플루오린화 마그네슘(MgF_2)을 사용하고자 한다. 파장이 $560\,nm$인 빛의 반사를 방지할 수 있는 코팅 막의 최소 두께 d를 〈제시문 1〉을 참고하여 구하시오. (단, 공기의 굴절률 $n_1=1$, 유리의 굴절률 $n_2=1.5$이다.)

2 〈제시문 2〉의 그림 (나)에서 평볼록 렌즈의 곡률 반지름이 R일 때, 원 무늬의 반지름이 r인 곳에서 밝은 무늬가 나타날 조건과 어두운 무늬가 나타날 조건을 유도하시오. (단, 빛의 파장은 λ이다.)

3 〈제시문 2〉의 그림 (나)에서 원 무늬의 중심에 어두운 무늬가 생기는 까닭을 서술하시오.

1 그림 (가)의 A와 B에서 반사하는 빛이 고정단 반사인지 자유단 반사인지 파악한 후, 이에 따른 위상 변화를 광로차에 포함시킨다. 상쇄 간섭 조건에서 광로차가 최소일 때의 m값을 대입하여 코팅 막의 두께를 구한다.

2 그림 (나)에서 원 무늬의 반지름이 r인 곳의 공기층에서 생기는 빛의 광로차를 R과 r의 식으로 나타낸 다음, 반사에 의한 위상 변화를 광로차에 포함시켜 보강 간섭과 상쇄 간섭이 일어날 조건을 구한다.

3 그림 (나)의 원 무늬의 중심에서는 공기층의 두께가 0이므로, 고정단 반사 1회에 의한 위상 변화만 고려한다.

• 빛이 공기에서 코팅 막으로 입사하는 A점에서 일어나는 반사는 고정단 반사이며, 빛이 코팅 막에서 유리로 입사하는 B점에서 일어나는 반사도 고정단 반사이다.

• 굴절률 n인 얇은 막 안에서 빛이 진행한 거리 s'과 공기 속에서 빛이 진행한 거리 s는 $s' = \dfrac{s}{n}$의 관계가 있다.

• 빛이 유리에서 공기로 입사할 때 일어나는 반사는 자유단 반사이며, 공기에서 유리로 입사할 때 일어나는 반사는 고정단 반사이다.

• 원 무늬의 중심에서 빛의 경로차는 0이다.

1 그림 (가)의 A에서 반사하는 빛과 B에서 반사하는 빛이 A점에서 만날 때 경로차(거리차)는 $2d$이며, 이를 공기 중에서 빛이 진행하는 거리로 바꾸면 광로차는 $2nd$이다.

A점과 B점에서 모두 고정단 반사가 일어나므로, A점에서 두 빛이 만날 때 간섭 조건에 영향을 주지 않는다. 따라서 반사를 방지할 상쇄 간섭 조건은 다음과 같다.

$$2nd = \frac{\lambda}{2}(2m+1) \ (m=0, 1, 2, \cdots)$$

코팅 막의 최소 두께는 상쇄 간섭의 광로차가 최소일 때이므로 $m=0$을 대입하면 다음과 같다.

$$d = \frac{\lambda}{4n} = \frac{5.60 \times 10^{-7} \text{ m}}{4 \times 1.4} = 1.0 \times 10^{-7} \text{ m}$$

2 그림 (나)에서 원 무늬의 반지름이 r인 곳의 공기층 두께를 d라고 하면 $R^2 = (R-d)^2 + r^2$에서 $R \gg d$이므로, $r^2 \fallingdotseq 2dR$가 되어 광로차 $2d = \dfrac{r^2}{R}$이다. 또, 두께 d인 공기층의 윗면에서 일어나는 반사는 자유단 반사, 아랫면에서 일어나는 반사는 고정단 반사이다. 따라서 고정단 반사 1회에 의한 위상 변화 $\dfrac{\lambda}{2}$가 생기는 것을 고려하면 다음과 같이 광로차가 반파장의 홀수 배일 때 보강 간섭이 일어나고, 짝수 배일 때 상쇄 간섭이 일어난다.

• 밝은 무늬: 광로차 $= \dfrac{r^2}{R} = \dfrac{\lambda}{2}(2m+1) \ (m=0, 1, 2, \cdots)$

• 어두운 무늬: 광로차 $= \dfrac{r^2}{R} = \dfrac{\lambda}{2}(2m) \ (m=0, 1, 2, \cdots)$

3 원 무늬의 중심에서는 볼록 렌즈와 평면 유리가 닿아 있기 때문에 경로차(거리차)는 0이고, 고정단 반사 1회에 의한 위상 변화 $\dfrac{\lambda}{2}$만 있다. 따라서 상쇄 간섭이 일어나 어두운 무늬가 된다.

1 도플러 효과는 파원과 관측자의 상대적 운동에 의하여 관측되는 파동의 진동수가 달라지는 현상을 말한다. 이 현상은 1842년에 오스트리아의 물리학자 도플러에 의해 제안되었다.

> 음원이 v의 속도로 관측자를 향해 다가오는 경우에 음원에서 발생한 소리가 V의 속도로 관측자에게 t초 만에 도달했다면, 음원의 새로운 위치와 관측자 사이의 거리는 $Vt-vt$이다. 이 시간 동안 음원은 매 초당 f개의 파를 만들어 내므로, 음원의 새로운 위치와 관측자 사이에는 ft개의 파가 존재한다. 그러므로 짧아진 파장 $\lambda'=\dfrac{Vt-vt}{ft}$ $=\dfrac{V-v}{f}$이고, $V=f'\lambda'$이므로 관측자가 듣는 소리의 진동수 $f'=f\dfrac{V}{V-v}$이다. 파원이 v의 속도로 반대로 관측자로부터 멀어지는 경우에는 $f'=f\dfrac{V}{V+v}$이다.

관측자가 더 낮은 진동수의 소리를 듣는다.

관측자가 더 높은 진동수의 소리를 듣는다.

(1) 소리굽쇠를 울리면서 귀 가까이에서 움직였더니 소리굽쇠가 귀에 접근할 때는 진동수 392 Hz의 소리가 들렸고, 같은 속력으로 멀어질 때는 349 Hz의 소리가 들렸다. 이 소리굽쇠의 진동수와 속력은 각각 얼마인지 구하시오. (단, 소리의 속력은 340 m/s이다.)

(2) 어떤 별의 스펙트럼을 관측하였더니, 그 별의 운동 때문에 파장이 6000 Å이어야 할 적색선이 6001 Å으로 나타났다면, 이 별의 지구에 대한 속도는 얼마인지 구하시오. (단, 빛의 속력은 3×10^8 m/s이다.)

답안 _____

_____

_____

_____

_____

_____

_____

_____

_____

• 출제 의도
도플러 효과를 일상생활에서의 소리굽쇠와 천체의 스펙트럼에서 나타나는 적색편이에 대한 문제에 적용할 수 있는지 평가한다.

• 문제 해결을 위한 배경 지식
 • 파원이 관측자에게 가까워질 때:
  $f'=f\dfrac{V}{V-v}$에 의해 진동수가 증가한다.
 • 파원이 관측자로부터 멀어질 때:
  $f'=f\dfrac{V}{V+v}$에 의해 진동수가 감소한다.

2 빛을 물질에 쪼였을 때 광전자가 튀어나오는 현상을 광전 효과라고 한다. 광전관은 이러한 광전 효과를 이용하여 빛의 세기를 전류의 세기로 바꾸는 장치이다.

그림 (가)와 같이 광전관, 전류계, 전압계, 가변 저항, 전원을 연결한 회로에서 접촉 단자 C를 B 쪽으로 움직이면 양극 P는 음극 K에 대하여 전압이 높아지고, D 쪽으로 움직여 주면 전압이 낮아진다. 광전관의 음극에 진동수와 세기가 다른 빛 A, B를 각각 비추고 양극의 전압을 변화시키면서 회로에 흐르는 광전류의 세기를 측정한 결과는 그래프 (나)와 같다.

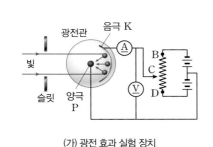

(가) 광전 효과 실험 장치

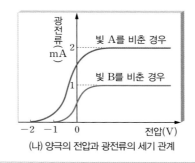

(나) 양극의 전압과 광전류의 세기 관계

(1) 위의 실험 결과에서 양극 P의 전압이 (−)값을 가지더라도 전류는 곧 0이 되지 않고, 전압이 어느 일정한 값 $-V_0$가 되면 비로소 광전류가 0이 되는 까닭을 서술하시오.

(2) 빛 A와 B의 진동수를 비교하고 근거를 들어 서술하시오.

(3) 빛 A와 B의 세기를 비교하고 근거를 들어 서술하시오.

답안

memo

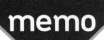

memo